Polly Shulman vit à New York. Diplômée de Yale, en section maths, elle est aujourd'hui auteur et chroniqueuse dans des journaux tels que le *New York Times* et *Science*. Quand elle était lycéenne, elle travaillait dans la grande bibliothèque publique de New York, et avait la clé du département des documents rares...

Pour Maman et Scott,
avec mes remerciements et mon affection.

Illustration de couverture : Kristjana S. Williams

Ouvrage initialement publié par G.P. Putnam's Sons,
un département de Penguin Group (États-Unis),
sous le titre : *The Grimm Legacy*

Polly Shulman

LA MALÉDICTION GRIMM

Traduit de l'anglais (États-Unis)
par Karine Suhard-Guié

MILLÉZIME

bayard jeunesse

1

Un cadeau
et une convocation

Il neigeait fort. De gros flocons collants me glissaient dans le cou, car il manquait un bouton au col de mon manteau. Le mauvais temps avait retardé mon métro et j'avais peur de rater mon premier cours.

Devant le lycée, une femme sans abri peinait à pousser un caddie. Un taxi qui passait éclaboussa le trottoir d'une vague de neige fondue, grise et glaciale, faisant tomber la femme et son chariot dans le caniveau.

Je ne pouvais pas rester les bras croisés ! Lorsque j'aidai la vagabonde à se relever, je sentis ses mains maigres, pareilles à des griffes gelées. Elle était beaucoup plus légère qu'elle ne le paraissait sous ses épais haillons.

— Merci, me dit-elle, en secouant la neige de la couverture qui lui couvrait les épaules avant sa chute.

En dessous, elle portait seulement un T-shirt, qu'elle avait rembourré avec du papier journal. Et aux pieds – à ma grande horreur – des sandales.

La dernière sonnerie allait bientôt retentir, mais il m'était impossible d'abandonner quelqu'un chaussé de sandales en pleine tempête de neige, alors que j'avais une seconde paire de chaussures avec moi. Après avoir aidé la femme à remettre le caddie sur ses roues, je sortis mes tennis de mon sac.

– Tenez, vous pouvez les mettre.

Ce n'était probablement pas sa pointure – j'ai des pieds si grands que c'en est embarrassant ! Mais c'était toujours mieux que des sandales.

La clocharde prit mes chaussures, les retourna et examina les semelles. Elle leva la tennis droite à hauteur de son visage, en scruta l'intérieur et la renifla. Puis elle porta la tennis gauche à son oreille, comme s'il s'agissait d'un téléphone.

Enfin, elle me regarda. Ses yeux, d'un gris pâle et lumineux comme des nuages orageux, étaient étonnamment brillants.

– Merci, fit-elle de nouveau.

– Vous voulez aussi mes chaussettes ? Oh, sans doute que non ; elles ont besoin d'être lavées !

Dès que j'eus dit cela, je me rendis compte de mon indélicatesse. Les gens qui vivent dans la rue n'ont pas beaucoup d'occasions de faire la lessive. Ils doivent donc être habitués à porter des chaussettes sales.

– Merci, répéta la femme.

Elle commença à sentir mes chaussettes mais se ravisa aussitôt. Je me tournai pour partir vers le lycée lorsqu'elle me lança :

– Attends !

Elle fouilla dans des sacs au fond du chariot, sous la neige qui continuait à tomber et à fondre dans mon cou. J'attendis, impatiente, qu'elle trouve ce qu'elle cherchait.

– Garde ça précieusement, me conseilla-t-elle en me tendant quelque chose.

– Hum... merci.

C'était un crayon à papier numéro 2 – banal, jaune, avec une gomme rose au bout, comme ceux qu'on utilise pour les examens d'entrée à l'université[1]. Je le rangeai dans mon cartable, resserrai mon écharpe et me dirigeai vers le lycée.

– Dépêche-toi, Elizabeth ; tu es en retard, m'avertit une voix intimidante.

Mon professeur d'histoire, M. Mauskopf, me tenait la porte. C'était mon enseignant préféré, malgré sa sévérité.

---

1. Aux États-Unis, l'examen de fin d'enseignement secondaire est composé surtout de tests de logique, sous forme de questionnaires à choix multiples, que les candidats doivent remplir en utilisant précisément ce modèle de crayon à papier. (Toutes les notes sont de la traductrice.)

La sans-abri lui adressa un petit signe de la main, auquel M. Mauskopf répondit par un hochement de tête, tandis que la porte se refermait derrière nous. Je le remerciai et me précipitai vers mon casier ; la dernière sonnerie venait de retentir.

Ma journée fut désastreuse. Pour commencer, lorsqu'elle vit que je n'avais pas mes chaussures de sport, Mme Sandoz m'obligea à jouer au volley-ball pieds nus. Les charmantes Sadie Cane et Jessica Farmer passèrent le cours à s'amuser à « Oups-pardon-j'ai-écrasé-les-orteils-de-la-nouvelle ».

Ensuite, M. Mauskopf nous donna un devoir à rendre tout début janvier, ce qui allait gâcher nos vacances.

— Choisis bien, Elizabeth, me conseilla-t-il en me présentant la liste des sujets.

Enfin, le soir, ma demi-sœur Hannah me téléphona pour me demander de lui envoyer par la poste le haut noir en dentelle qu'elle m'avait donné quand elle était partie à l'université. Avec elle, un cadeau était rarement définitif.

— Qu'est-ce que tu fais ? s'enquit-elle.

— Je réfléchis à un travail sur l'histoire européenne que M. Mauskopf nous a donné.

— Je me souviens de lui — quel cinglé ! Il porte toujours son nœud papillon vert ? Et est-ce qu'il file encore des avertissements à ceux qu'il surprend en train de regarder l'horloge?

– Oui. « Le temps passe – mais toi, passeras-tu? », le citai-je.

Hannah éclata de rire.

– Quel est ton sujet?

– Les frères Grimm.

– Ceux des contes de fées? Pour le cours de Mauskopf? Tu es folle!

– Ce sujet était sur sa liste.

– Ne sois pas stupide! Je parie qu'il voulait juste vous tester, pour voir qui serait assez bête pour penser que les contes de fées sont des récits historiques. Hé! J'ai dû garder mes anciens devoirs. Tu peux t'en servir, si tu veux. Je te les échange contre... euh... ton casque audio.

– Non, merci.

– Tu es sûre? J'en ai un sur la Commune de Paris.

– Je n'ai pas envie de tricher! En plus, M. Mauskopf s'en apercevrait.

– Comme tu voudras! Envoie-moi ce haut en dentelle demain, d'accord? J'en ai besoin pour samedi, ajouta-t-elle, avant de raccrocher.

Je mâchouillai le bout de mon crayon – celui que la clocharde m'avait offert – et reconsidérai le thème de mon devoir. Devais-je suivre le conseil de Hannah et changer de sujet? M. Mauskopf prenait sa discipline très au sérieux. Mais, s'il ne voulait pas que nous étudiions les contes de fées, pourquoi avait-il fait figurer les frères Grimm sur sa liste ?

Les contes de fées avaient occupé une place importante dans mon enfance. J'avais l'habitude de m'asseoir sur les genoux de ma mère pendant qu'elle m'en racontait. Je faisais semblant de suivre le texte en silence – jusqu'au jour où je m'aperçus que je savais lire. Plus tard, à l'hôpital, quand maman était trop malade pour tenir un livre, ce fut mon tour de lui lire nos contes préférés.

Ces histoires se terminaient toutes bien. Mais elles n'empêchèrent pas ma mère de mourir.

« Si elle était en vie aujourd'hui, elle approuverait certainement ma décision d'en apprendre davantage sur leurs auteurs », songeai-je.

Je décidai donc de garder mon sujet.

Aussi étrange que cela puisse paraître, une fois que j'eus été sûre de mon choix, je me surpris à avoir hâte de travailler à ma dissertation – au moins, cela m'occuperait, car j'étais assez seule. Ma meilleure amie, Nicole, avait déménagé en Californie. À Fisher, le nouveau lycée que je fréquentais depuis quatre mois, je ne m'étais pas fait de copains. Et mes anciennes camarades étaient trop occupées par la danse classique pour m'accorder encore de l'attention.

Mes cours de danse me manquaient, mais mon père disait que nous n'en avions plus les moyens. En effet, il devait maintenant payer les études universitaires de mes demi-sœurs. Et puis, de toute façon, il pensait que je ne deviendrais jamais danseuse professionnelle – je n'étais pas assez passionnée, et j'avais de trop grands pieds.

Les contes de fées ne relèvent peut-être pas de l'Histoire, mais, comme je l'appris au cours des heures que je passai à la bibliothèque pendant les vacances de Noël, Wilhelm et Jacob Grimm s'y intéressaient beaucoup. Et leurs contes sont en réalité des récits populaires qu'ils collectèrent auprès de leurs domestiques ou de leurs amis, d'aristocrates comme de filles d'aubergistes.

Leur premier recueil était destiné aux adultes, et pour cause : ces histoires sont bien trop effrayantes et sanglantes pour des enfants. Même les personnages principaux font frire des gens et les farcissent de charbons ardents. Imaginez Disney faire une version musicale de *La jeune fille sans mains*, où l'héroïne se fait couper les mains par son père devenu veuf quand elle refuse de l'épouser[1] !

Lorsque j'eus fini mon devoir, je pensais avoir fait un assez bon travail, ce qui ne m'empêcha pas d'être nerveuse en le rendant à M. Mauskopf, à la rentrée. Il notait toujours très sévèrement.

---

1. Ces détails ne sont pas exactement ceux du conte publié par les frères Grimm, mais ceux d'une version de cette même histoire que l'on trouve dans certains pays du monde.

Quelques jours plus tard, M. Mauskopf m'arrêta dans le couloir en pointant sur moi son long index, au bout de son interminable bras.

— Elizabeth ! Viens me voir à l'heure du déjeuner, me lança-t-il. Dans mon bureau.

Avais-je des ennuis ? Ma dissertation était-elle ratée ? Avais-je, comme l'avait supposé Hannah, échoué à une sorte de test ?

Le moment venu, je trouvai le bureau de mon professeur ouvert, alors je frappai sur le chambranle de la porte. M. Mauskopf me fit signe d'entrer.

— Assieds-toi, me dit-il.

Je m'installai sur le bord d'une chaise.

Il me tendit mon devoir, qu'il avait plié en deux verticalement. Le dos de la dernière feuille était zébré de ses appréciations, écrites en oblique avec son encre marron habituelle. Je pris une profonde inspiration et me forçai à regarder ma note.

— Bon travail, Elizabeth, me félicita M. Mauskopf.

Était-ce un sourire que je percevais sur son visage ? L'esquisse d'un sourire, oui.

J'ouvris mon devoir : M. Mauskopf m'avait mis un A. Je m'adossai à ma chaise, soulagée, et le cœur battant.

— Merci, dis-je.

— Pourquoi as-tu choisi ce sujet ?

— Je ne sais pas. J'ai toujours adoré les contes de fées. Ils semblent si... si réalistes.

— Réalistes ? Voilà un point de vue assez original, commenta M. Mauskopf avec, de nouveau, l'esquisse d'un sourire.

— Vous avez raison, concédai-je, me sentant un peu bête. Ce que je veux dire, c'est que toutes les horribles choses qui arrivent dans les contes de fées ont l'air réelles. Authentiques, en tout cas. En effet, la vie est injuste ; les méchants gagnent toujours et les bons meurent. Mais, dans les contes, j'aime comment, en général, les choses ne se terminent pas ainsi. Par exemple, lorsque la mère morte se transforme en arbre et continue à aider sa fille... Ou quand le garçon que tout le monde prend pour un idiot réussit à se montrer plus malin que le géant... Le mal existe dans ces histoires, mais le bien aussi, comme dans la vie. Certains prétendent que les contes de fées sont simplistes, manichéens ; or, moi, je pense au contraire qu'ils sont *complexes*. C'est ça que j'adore.

— Je vois, acquiesça M. Mauskopf en consultant son agenda. Tu es nouvelle, ici, cette année, n'est-ce pas ?

Je hochai la tête :

— Avant, j'étais au lycée privé de Chase, mais, comme mes demi-sœurs sont maintenant à l'université, les frais de scolarité...

Je m'interrompis, un peu gênée de parler de la situation financière de ma famille.

— Ah, ainsi tu as des demi-sœurs. J'espère qu'elles ne sont pas méchantes comme celles des contes de Grimm ?

— Si, un peu, avouai-je.

Veronica était beaucoup plus âgée que moi, et Hannah... Hannah avait détesté que nous partagions sa chambre quand mon père et moi avions emménagé chez sa mère. Elle aimait avoir quelqu'un à commander, de la même façon que Veronica la commandait. Elle prenait toujours mes affaires et ne me prêtait jamais les siennes. Je gardai cela pour moi — je ne voulais pas passer pour une rapporteuse.

— Ma demi-sœur Hannah a été dans votre classe : Hannah Vane, ajoutai-je à la place.

— Inutile de m'en dire plus ! commenta M. Mauskopf, en m'adressant encore un vague sourire, comme si nous échangions une plaisanterie. Au fait, t'es-tu acheté de nouvelles tennis ?

— Des tennis ?

— Oui, je t'ai vue donner les tiennes à cette femme, dans la rue — c'était très généreux de ta part.

— Non, je n'ai pas encore eu l'occasion d'en racheter.

Je n'avais pas envie de reparler de la situation pécuniaire délicate de ma famille.

— Je vois.

Il s'éclaircit la voix avant de continuer :

— Bon, Elizabeth, tout cela est très intéressant. Aimerais-tu avoir un travail ?

— Un travail ? Comment ça ?

— Le soir, après le lycée. Un ami à moi, qui est le directeur du Dépôt d'Objets Empruntables de la Ville de New York, m'a informé qu'il y avait un poste vacant, là-bas. C'est un endroit formidable. J'y ai moi-même été employé quand j'avais ton âge.

J'essayai d'imaginer M. Mauskopf adolescent, mais son nœud papillon m'en empêchait.

— C'est une sorte de bibliothèque, ajouta-t-il.

— Euh... j'aimerais bien, oui. Merci.

Avoir un job signifiait gagner de l'argent, pour pouvoir m'acheter des chaussures de sport neuves, par exemple. En plus, cette année, je n'étais pas vraiment surchargée au niveau des sorties.

À Fisher, les élèves se connaissaient tous depuis des lustres. Alors qu'ils avaient déjà du mal à m'accepter, moi, la nouvelle, j'avais commis l'erreur de prendre la défense de Mallory Mason. Cette élève était l'objet de moqueries de la part de certaines filles très populaires, qui inventaient des chansons dans lesquelles elles raillaient son poids et son appareil dentaire. Pire : Mme Stanhope, la proviseure adjointe, m'avait entendue et, dans son cours de «discussion», elle avait conseillé à sa classe de me prendre pour exemple. Après quoi, tous les élèves m'avaient évitée, excepté Mallory, que, malheureusement, je n'aimais pas trop.

Qui sait ? Peut-être me ferais-je des amis en travaillant dans cette bibliothèque ?

M. Mauskopf sortit son stylo-plume de sa poche de poitrine, écrivit sur un bout de papier, plia ce dernier à la verticale, et me le tendit en le tenant entre son index et son majeur.

— Appelle et demande le docteur Rust, me dit-il.

— Merci, monsieur Mauskopf.

La sonnerie retentit et je fonçai à mon cours suivant.

Cet après-midi-là, lorsque je rentrai chez moi, j'allai directement dans ma chambre, sans passer par le salon. Je voulais éviter que Cathy, ma belle-mère, m'envoie faire des commissions ou me force à l'écouter encenser ses filles.

J'aurais aimé que mon père soit là pour lui parler de ce job qu'on me proposait. Non pas qu'il me prêtât beaucoup d'attention ces temps-ci, mais...

À la place, j'annonçai la nouvelle à Francie, ma poupée. Cela peut paraître puéril, je sais, seulement c'était la poupée de ma mère, alors, parfois, quand je lui parlais, j'avais un tout petit peu l'impression de parler à ma mère.

Francie me sourit de manière encourageante. Bien sûr, elle souriait en permanence, étant donné qu'on lui avait cousu un sourire sur le visage – n'empêche que je pris cela pour un bon signe.

Francie était la seule des poupées de ma mère que Cathy m'avait autorisée à garder après que Hannah avait cassé le nez de Lieselotte. Lieselotte était le joyau de la collection de ma mère. C'était une poupée de porcelaine d'une très grande valeur, fabriquée en Allemagne il y a plus de cent cinquante ans. « Je mets juste tes poupées de côté jusqu'à ce que tu sois assez grande pour bien t'en occuper », avait décidé Cathy en les rangeant dans des boîtes.

Il était inutile de protester : Cathy prenait toujours le parti de ses filles. Au début, je m'en plaignais à mon père, mais il se contentait de me répondre : « J'ai besoin que tu t'entendes avec tes demi-sœurs. Je sais que tu en es capable. Tu es ma petite conciliatrice. Tu as un grand cœur généreux, exactement comme ta maman. »

J'avais donc dit à Cathy que ce n'était pas moi qui avais cassé le nez de Lieselotte, mais je n'avais pas dénoncé la coupable. « Si tu n'es pas suffisamment mûre pour assumer tes erreurs, tu ne l'es certainement pas non plus pour jouer avec des poupées aussi précieuses, avait décrété Cathy. Ne commence pas à pleurer ! Tiens, tu n'as qu'à garder celle-ci : elle ne vaut rien. Même toi, tu ne pourras pas abîmer une poupée de chiffon.

Tu me remercieras quand tu seras plus grande », avait-elle conclu en me rendant Francie, avant de fermer le couvercle de la boîte sur le regard surpris et légèrement aristocratique de Lieselotte.

— Que dirais-tu si je téléphonais maintenant, Francie ? demandai-je.

Ma poupée m'adressait toujours son sourire approbateur.

Je composai le numéro qui était inscrit sur le bout de papier.

— Lee Rust, répondit la personne qui décrocha.

— Bonjour. Docteur Rust ? Je... C'est Elizabeth Rew. Mon professeur d'histoire, M. Mauskopf, m'a conseillé de vous appeler au sujet d'un travail.

— Ah, oui, Elizabeth ! Stan m'a prévenu que tu me téléphonerais. Je suis content de t'entendre.

Stan ? Je n'aurais jamais imaginé que M. Mauskopf portait ce prénom !

— Peux-tu venir pour un entretien jeudi prochain, après tes cours ?

— Oui. Où devrai-je me rendre ? m'enquis-je.

Le docteur Rust me communiqua une adresse qui n'était pas très éloignée du lycée, à l'est de Central Park.

— Demande-moi à l'accueil ; on t'indiquera mon bureau.

*

Sur une plaque de cuivre discrète fixée près de la porte, on pouvait lire l'inscription : *Dépôt d'Objets Empruntables de la Ville de New York*. De dehors, le bâtiment de grès brun-rouge était identique à de nombreux autres de Manhattan. C'était le dernier d'une longue rangée. À côté, il y avait un grand et vieil hôtel particulier, semblable à ceux qui, de nos jours, abritent principalement des consulats ou des musées. Ce lieu aurait pu contenir une bibliothèque gigantesque, songeai-je en montant les marches du Dépôt.

J'ouvris les lourdes portes. C'était le genre d'endroit où j'avais l'habitude d'aller avec mon père, avant qu'il ne rencontre Cathy. Nous passions tous les week-ends pluvieux dans des musées ou des bibliothèques. Surtout les moins connus, comme le musée de la Ville de New York et celui de la Société historique de New York. Ceux-là possédaient d'étonnantes collections, qui comprenaient de la vieille porcelaine, des outils de ferblantier[1] et des maquettes de la ville telle qu'elle était avant la Révolution[2]. Nous avions inventé un jeu : il fallait essayer de deviner quel tableau (ou quelle horloge, chaise, photographie…) maman aurait préféré.

---

1. Ferblantier : celui qui fabrique ou vend de la ferblanterie (ustensiles en fer-blanc, en laiton).
2. La Révolution américaine : période de changements politiques de la seconde moitié du XVIIIe siècle dans les treize colonies britanniques d'Amérique du Nord, qui donnèrent lieu à la guerre d'indépendance des États-Unis contre la Grande-Bretagne.

Même si je n'avais plus visité de musée avec mon père depuis des années, lorsque je pénétrai dans le Dépôt, une légère odeur de poussière fit ressurgir tous mes souvenirs. J'eus alors l'impression de retourner dans le passé, dans un lieu qui autrefois était comme chez moi.

L'entrée donnait sur une vaste salle rectangulaire qui, par quelque illusion d'optique, paraissait plus large que le bâtiment lui-même. Tout au bout se dressait un imposant bureau, sculpté avec minutie dans du bois sombre.

Un garçon de mon âge était assis derrière.

Pas n'importe quel garçon : Marc Merritt, le plus grand, le plus cool, et le meilleur ailier que notre équipe de basket-ball eût jamais connu. Un jour, tandis qu'il était assis dans la salle d'étude du lycée, je l'avais vu lancer un trognon de pomme dans la corbeille à papier de la salle des professeurs, alors que les portes des deux pièces, séparées par un couloir, étaient seulement entrouvertes. Marc était une version plus grande et afro-américaine de Jet Li ; il se déplaçait avec la même rapidité acrobatique que cet acteur champion d'arts martiaux. Il n'était pas dans ma classe mais avait également M. Mauskopf comme professeur d'histoire, et nous avions « éducation à la santé » ensemble. La plupart des filles de Fisher craquaient pour lui. J'aurais été dans le lot, si je n'avais pas estimé cela un peu présomptueux de ma part… Bon, pour être honnête, je flashais sur lui, malgré tout. Mais j'étais sûre qu'il n'avait aucune idée de qui j'étais.

— Bonjour. Je viens voir le docteur Rust, dis-je.

— Bien. Qui dois-je annoncer ? me demanda Marc Merritt.

— Elizabeth Rew.

Il décrocha le combiné d'un téléphone démodé, doté d'un cadran :

— Elizabeth Rew souhaite vous voir, Doc... D'accord... Non, je travaille jusqu'à six heures, aujourd'hui... Très bien.

Il tendit son long bras — plus long, même, que ceux de M. Mauskopf — vers la porte d'un ascenseur en cuivre luxueux :

— Cinquième étage, à gauche, après la voûte. Tu ne pourras pas manquer le bureau du docteur Rust.

Lorsque je sortis de l'ascenseur, je vis trois couloirs qui partaient dans des directions différentes. Je ne comprenais pas comment ils pouvaient tous tenir dans ce bâtiment étroit. Je passai sous la voûte en descendant trois marches et arrivai dans une petite pièce aux murs couverts de livres.

Le docteur Rust était maigre et nerveux, avait d'épais cheveux hirsutes, châtain tirant sur le roux, et un milliard de taches de rousseur.

— Elizabeth, je suis heureux de te rencontrer.

Nous nous serrâmes la main.

— Assieds-toi, je t'en prie. Quelles nouvelles de Stan m'apportes-tu ?

« Il s'habille toujours bizarrement. Il a toujours une mine sévère, mais ses yeux pétillent. Il est strict mais juste... »

— Il va bien, répondis-je.

— Il a encore sa grosse bête dans son minuscule appartement ?

— Je ne sais pas. Je ne suis jamais allée chez lui.

— Bon. Et sinon, tu es dans son cours d'histoire, n'est-ce pas ?

— Tout à fait.

— Bien, bien. Stan ne nous a jamais envoyé de mauvais candidat. Il affirme que tu es travailleuse, chaleureuse et que tu penses par toi-même — ce qui n'est pas le moindre des compliments venant de Stan, crois-moi. Par conséquent, ceci n'est qu'une simple formalité, mais pour procéder en bonne et due forme : fais-tu la vaisselle chez toi ?

Qu'est-ce que c'était que cette question ?

— Oui, la plupart du temps.

Encore un inconvénient au départ des filles de ma belle-mère à l'université : il ne restait plus que moi pour exécuter les corvées.

— À quelle fréquence environ ?

— Presque chaque jour. Cinq ou six fois par semaine.

— Et combien de casse, cette année ?

— Combien ai-je cassé d'assiettes ?

— Oui, d'assiettes, de verres…

— Je n'ai rien cassé. Pourquoi ?

— On n'est jamais trop prudent. Quand as-tu perdu tes clés pour la dernière fois ?

— Je ne perds jamais mes clés.

— Excellent. À présent, trie ça, s'il te plaît, me demanda le docteur Rust en me donnant une boîte pleine de boutons.

— Vous voulez que je trie des boutons ? De quelle façon ?

— À toi de décider.

Je n'avais jamais entendu parler d'un entretien aussi bizarre que celui-ci. Ma candidature allait-elle être rejetée parce que le docteur Rust n'aimait pas ma manière de trier des boutons ?

Je les renversai sur le bureau et les mis tous face vers le haut. Certains étaient de grands disques en bois, d'autres de petites perles ou des carrés en plastique rouge, bleu ou jaune. D'autres encore étaient en forme d'étoile, brillants, pourvus de diamants fantaisie qui risquaient de déchirer leurs boutonnières. Il y avait aussi des nœuds en ficelle, un ensemble de boutons argentés gravés chacun d'une fleur différente, de minuscules lapins sculptés dans du corail, des boutons tout simples en plastique transparent, des plus gros en verre qui ressemblaient à des poignées de porte miniatures, et un imposant bouton en or parsemé, semblait-il, de véritables diamants.

Je les regroupai par matière : métal ; bois et produits végétaux ; os, coquillage et autres substances animales ; pierre ; plastique et matériaux fabriqués par l'homme, y compris le verre. Puis je divisai chaque catégorie en sous-catégories, de nouveau selon la matière. Enfin, à l'intérieur des sous-groupes, je classai les boutons par poids.

— Je vois, fit le docteur Rust. Où mettrais-tu celui-ci ?

Il me tendit un bouton en métal, qui avait une boucle au dos et non des trous. Sur le devant, un morceau de verre renfermait un bout de tissu.

J'hésitai. Devais-je le ranger avec les métaux, les matériaux fabriqués par l'homme (pour son élément en verre) ou avec les végétaux (à cause du tissu) ? Cependant, le tissu était peut-être de la laine, ce qui le classerait avec les matières animales.

— Ai-je le droit de poser une question ? interrogeai-je le docteur Rust.

— Bien sûr. Il faut toujours poser des questions. Comme dit le proverbe akan : « Celui qui pose des questions ne perd pas son chemin. »

— Que signifie « akan » ?

— Le peuple akan est originaire d'Afrique de l'Ouest. Il possède un répertoire de proverbes remarquable. Peut-être parce qu'il est convaincu de l'utilité de poser des questions.

— Oh! Très bien. De quoi est fait ce bouton?

— Excellente question. D'or, de cristal de roche et de cheveux humains.

Je n'allais donc pas le ranger dans les matières fabriquées. Pourquoi pas avec ceux en pierre? À vrai dire, la réponse du docteur Rust ne m'aidait pas beaucoup. Si je considérais le critère du poids, ce bouton étant principalement en or; peut-être devait-il aller avec les métaux? Sauf que j'avais placé celui orné d'un gros diamant dans la catégorie «pierre», et non «métal». Je décidai enfin de classer le nouveau bouton par son composant le plus étrange, et le mis donc dans la pile «matières animales».

— Intéressant, commenta le docteur Rust. À présent, classe les boutons différemment.

Je les mélangeai et les retriai, en réalisant cette fois une grille complexe de tailles et de couleurs. De haut en bas, les boutons étaient répartis en suivant les couleurs de l'arc-en-ciel, du rouge au violet, avec des colonnes supplémentaires pour le noir et le blanc. Et de gauche à droite, ils étaient classés par taille, du plus petit au plus grand.

— Où mettrais-tu ceci? me questionna le docteur Rust en me tendant une fermeture Éclair.

Une fermeture Éclair !

— Pourquoi ne me l'avez-vous pas donnée tout à l'heure ? l'interrogeai-je, consternée. J'aurais pu la ranger avec les métaux.

Était-ce mon imagination, ou les taches de rousseur du docteur Rust avaient bougé ? La grosse, au-dessus de son œil gauche, par exemple, n'était-elle pas au-dessus de son œil droit quelques instants plus tôt ?

Je mélangeai de nouveau les boutons. Cette fois, je les triai par forme. La fermeture Éclair se retrouva avec les boutons de duffle-coat et un bouton rectangulaire sur lequel étaient gravés des zigzags. Cette solution ne me plaisait guère, mais c'était mieux que rien.

Le docteur Rust haussa un sourcil (sans grosse tache de rousseur à proximité, à présent) et me demanda :

— Selon toi, lequel de ces boutons est le plus précieux ?

Je considérai celui qui était garni d'un diamant, mais choisis un bouton décoré d'un paon en émail à la queue ornée de gemmes bleues. Le docteur Rust parut satisfait.

— Le plus ancien ?

Je n'en avais aucune idée. Je désignai l'un des boutons en argent.

— Le plus beau ?

Je commençai à m'impatienter. Je montrai un bouton en plastique, d'une très jolie nuance de vert. Le docteur Rust eut l'air de douter de la sincérité de ma réponse.

— Le plus puissant ?

— Comment un bouton peut-il être puissant ?

— Oh, avec le temps, tu découvriras qu'ici chaque objet possède ses qualités propres. Tu t'apercevras que les matériaux de nos collections nous parlent.

Cela voulait-il dire que j'avais décroché le poste ?

N'empêche, certains boutons paraissaient en effet m'attirer plus que d'autres. Je choisis un bouton en verre noir, à la géométrie déroutante. Le docteur Rust le prit et l'examina de près durant un long moment, pendant lequel j'observais ses taches de rousseur, en essayant de les surprendre en train de bouger. Celle en forme de papillon n'était-elle pas à gauche, une minute plus tôt ?

— Bon, Elizabeth, cet entretien a été très éclairant, mais beaucoup de travail nous attend tous les deux, déclara enfin le docteur Rust.

Comme si c'était moi qui m'étais perdue dans la contemplation d'un bouton !

— Peux-tu commencer la semaine prochaine ? Tiens, il vaudrait mieux que tu prennes cela.

Quelqu'un ouvrit la porte à l'instant où le docteur Rust me tendait un dernier bouton. Il était assorti à ceux de mon manteau — on aurait dit celui qu'il me manquait.

— Et voici Marc, qui arrive à point nommé ! dit le docteur Rust.

2

Le Dépôt d'Objets Empruntables
de la Ville de New York

Marc se tenait dans l'embrasure de la porte.

— Vous vous connaissez, n'est-ce pas ? devina le docteur Rust.

— Oui, nous nous sommes rencontrés en bas, répondit Marc.

— En fait, nous sommes dans le même cours d'éducation à la santé, précisai-je. Avec Mme Reider.

Marc eut la délicatesse de paraître gêné.

— Bien, poursuivit le docteur Rust. Marc, s'il te plaît, emmène Elizabeth au Rayonnage 9 et montre-lui les ficelles.

— Mais les ficelles et les cordes se trouvent au Rayonnage 2 !

— C'était une métaphore.

Était-il possible que… ? Marc m'avait-il fait un clin d'œil ? Le populaire et génial Marc Merritt m'avait adressé un clin d'œil, à *moi* ? Non, je n'avais pas rêvé.

— Et envoie un pneumatique à Martha Callender, ajouta le docteur Rust. Il va falloir qu'elle dispense une petite formation d'accueil à notre nouvelle recrue et qu'elle établisse son emploi du temps. Heureux de t'avoir parmi nous, Elizabeth ! Ces derniers temps, nous étions en manque de personnel — ton aide ne sera pas de trop. Si tu as des questions, tu sais où me trouver.

J'avais un milliard de questions à lui poser, mais je suivis Marc en silence. Nous redescendîmes dans le hall et franchîmes une porte sur laquelle étaient inscrits ces mots : *Réservé au personnel.*

— Qu'est-ce que vous appelez « rayonnage » ? demandai-je.

— Ce sont les différents étages où l'on entrepose les collections du Dépôt.

— Et qu'est-ce qu'un pneumatique ?

— Un message qu'on envoie par tube pneumatique, répondit Marc.

— D'accord. Mais c'est quoi, un tube pneumatique ?

— Tu verras. Attention à la tête.

Nous passâmes une porte basse — Marc dut se courber ; moi, je ne risquais aucunement de me cogner —, puis nous gravîmes un escalier aux nombreux paliers.

Il était impossible que ce bâtiment eût autant d'étages !
Nous avions dû monter beaucoup plus haut que le toit,
dans une sorte d'extension en terrasse... J'étais très
essoufflée, contrairement à Marc, qui semblait aussi
impassible que le roi d'un jeu d'échecs.

Enfin, il ouvrit une porte où je lus : *Rayonnage 9*.
Nous pénétrâmes au centre d'une longue pièce bordée
des deux côtés de meubles de rangement. Près de la
porte, deux imposants bureaux en chêne faisaient face
à trois ascenseurs : un minuscule de la taille d'un four à
micro-ondes, un autre de celle d'un lave-vaisselle, et un
dernier grand comme un petit réfrigérateur. Derrière,
de grosses conduites serpentaient dans des directions
différentes. Elles étaient peintes en blanc, noir et rouge,
et étaient pourvues d'une petite ouverture oblongue à
hauteur d'épaule. L'une d'elles se terminait tel un robinet de baignoire au-dessus d'un panier métallique.

— À chaque étage, il y a une Aire d'Entreposage
Temporaire, qui est un véritable centre d'opérations,
m'expliqua Marc. Tu peux accrocher ton manteau là-bas.

Il prit un morceau de papier blanc sur un plateau qui
en contenait de toutes les couleurs, écrivit quelque chose
dessus et le plia en deux.

Tandis que j'observais les lieux, l'une des conduites
commença à tousser et à trembler, comme si un éléphant nain paniqué se trouvait à l'intérieur. Quelque

chose sortit à toute vitesse de l'extrémité et atterrit avec un bruit sourd dans le panier métallique au-dessous. Marc prit l'objet et le leva pour me le montrer : c'était un cylindre en plastique transparent, semblable à une canette de soda toute fine, et dont les bouts étaient protégés par d'épaisses bourres de feutre.

— C'est ça, un tube pneumatique, m'apprit Marc.

L'objet était équipé d'un panneau latéral coulissant. Marc le fit glisser, passa la main à l'intérieur, sortit un papier, qu'il remplaça par la note qu'il avait écrite. Il ouvrit ensuite la porte de l'une des conduites. J'entendis un léger grondement, pareil à un coup de vent dans un canyon. Marc introduisit le cylindre et claqua la porte. La conduite trembla de nouveau tandis que le pneumatique la traversait à toute allure.

— Où est-il parti ? interrogeai-je Marc.

— À l'étage au-dessus, au Poste d'Acheminement des Pneus. Les conduites sont remplies d'air pressurisé. Dedans, c'est comme un ouragan en miniature. L'air propulse les tubes dans les tuyaux, à travers tout le bâtiment.

— Tu aurais donc pu envoyer ce pneumatique n'importe où ?

— Il va là où la conduite l'emporte. On choisit la conduite en fonction de l'endroit où on veut envoyer le pneu. Bon, il faut que je m'occupe de cette fiche d'emprunt. Attends-moi ici. Si Mme Callender arrive, dis-lui que je reviens tout de suite.

Et il partit vers une rangée de classeurs.

J'accrochai mon manteau et je m'approchai d'un meuble de rangement sur lequel étaient peints au pochoir des lettres et des chiffres. Je jetai un coup d'œil furtif à l'intérieur et constatai qu'il était plein de tasses à thé. L'armoire suivante, elle, était remplie de grandes tasses à café. Autour de moi résonnaient les tubes pneumatiques qui traversaient les conduites du plafond à toute vitesse.

Marc réapparut bientôt avec deux paquets de la taille de boîtes à chaussures. Il en posa un dans l'ascenseur le plus petit, ferma la porte et appuya sur un bouton.

– C'était un livre ? demandai-je.

– Quoi ? Non, une chocolatière. Désolé, j'aurais dû te la montrer. L'emprunteur a demandé un service à chocolat chaud. Là, il y a les récipients pour la crème et le sucre.

Il ouvrit le second paquet et enleva un emballage doux comme du coton, qui protégeait un pot à crème en forme de spirale et un sucrier. Puis il renveloppa délicatement ceux-ci dans le papier.

– Est-ce que je peux te poser une question ? fis-je.

– Oui. Comme dit le Doc : « Celui qui pose des questions ne perd pas son chemin », me répondit Marc en imitant très bien la voix de basse du docteur Rust.

— Bon, alors, ce travail... Que suis-je censée faire ?
Vais-je être une espèce de... plongeuse ?

— Une plongeuse ? s'esclaffa Marc. Pourquoi serais-tu
une plongeuse ?

Je me raidis. Personne n'aime quand quelqu'un rit
de lui, mais que ce quelqu'un fût Marc Merritt m'était
doublement désagréable. En outre, ma question ne me
paraissait pas totalement idiote.

— Eh bien, oui ! Le docteur Rust m'a demandé à
quelle fréquence je faisais la vaisselle et si j'en cassais
beaucoup. En plus, il y a toute cette porcelaine dans les
armoires. Alors, si je ne fais pas la plonge, qu'est-ce que
je vais faire, moi, ici ?

— Magasinière.

Tout cela n'avait aucun sens. Marc se moquait vraiment de moi !

— Comment ça, « ta gazinière » ? Il va falloir que je
fasse à manger, sur une cuisinière à gaz ?

Marc pouffa de nouveau, mais je ne le pris pas aussi
mal que la première fois car je compris qu'il ne riait pas
méchamment. Là, on aurait cru que j'avais inventé une
blague très drôle.

— Non, tu es une magasinière de bibliothèque. Quand
une fiche d'emprunt arrive, tu vas chercher l'objet que
l'usager a demandé. Tu n'es jamais allée à la bibliothèque d'ouvrages anciens, dans la 42e Rue ? Les livres

n'y sont pas en libre accès. Lorsque tu en demandes un, un employé va le chercher là où ils sont gardés sous clé. Eh bien, cette personne travaille en tant que magasinier.

— Ah, OK. Donc, si cet endroit est une bibliothèque, où sont les livres ?

— Les livres ? Il y en a au Rayonnage 6. La plupart se trouvent dans la Salle des Documents ou dans la Salle des Ouvrages de Référence. Et puis, il y en a d'autres ici ou là...

C'était tout ?

— Mais quel genre de bibliothèque est-ce, ici ?

Avant que Marc eût pu répondre, la porte de l'escalier s'ouvrit, et une femme entra.

— Bonjour, Marc, dit-elle. Elizabeth, c'est ça ? Je suis Martha Callender.

Mme Callender coinça une mèche de ses cheveux châtains et raides derrière sa petite oreille ronde, car ils ne cessaient de venir devant ses yeux... ronds. En réalité, tout, chez elle, était rond : ses joues, sa silhouette, son col, les gros boutons de sa veste, jusqu'à sa coupe de cheveux, qui formait comme une boule autour de son visage rond.

— Bienvenue ! Bienvenue ! ajouta-t-elle. C'est formidable que tu sois là. Nous manquons de bras — nous avons perdu deux magasinières au cours des deux derniers mois. Stan a affirmé au docteur Rust que tu étais une travailleuse.

— J'adore ses cours. Ça vaut la peine d'y travailler dur, répondis-je, flattée.

— Je parie que c'est un prof fantastique. Comment va-t-il ? Et comment va la Bête ?

— M. Mauskopf va bien. Mais je n'ai jamais... euh... rencontré la Bête.

— Non ? Eh bien, c'est une perspective dont tu peux dès à présent te réjouir, m'assura-t-elle avec un grand sourire. Marc t'a-t-il fait visiter ?

— Non, je n'en ai pas eu le temps. Je traitais une fiche d'emprunt, se justifia Marc.

— D'accord. C'est moi qui vais m'en charger, alors, décida Mme Callender. As-tu des questions, avant que l'on commence ?

— Oui, confirmai-je. Quel est... euh... cet endroit ?

— Je ne suis pas sûre de comprendre ta question. Quel endroit ? Le Rayonnage 9 ? L'Aire d'Entreposage Temporaire du Rayonnage 9 ?

— Non, je veux dire : l'ensemble de cet établissement, le Dépôt.

Je n'attendais pas de réelle réponse. Quel que fût ce lieu, il semblait rempli de gens qui vous encourageaient à poser des questions, mais refusaient d'y répondre.

Cependant, Mme Callender prit une profonde inspiration et m'expliqua :

– Le Dépôt d'Objets Empruntables de la Ville de New York est la plus ancienne bibliothèque privée de ce genre dans tout le pays. Son origine remonte à 1745, lorsque trois horlogers ont décidé de partager certains de leurs outils à usage spécial. Cette collection est devenue le cœur du Dépôt en 1837, quand un groupe d'astronomes amateurs ont mis leur matériel en commun et ont trouvé un local pour l'entreposer. D'abord, la bibliothèque se trouvait près de Greenwich Street, puis elle a déménagé dans les quartiers chics, dans la 24ᵉ Rue est en 1852, pour arriver à l'adresse actuelle en 1921. Bien entendu, depuis lors, nous nous sommes agrandis, et désormais nous occupons également les bâtiments voisins. En fait, la plupart des rayonnages se situent dans les locaux que nous avons acquis lors de l'expansion de 1958. Le bureau de Lee, toutefois, se trouve dans le legs initial de 1921...

Instructif, mais pas très éclairant. Comme je l'avais craint, cela ne répondait pas vraiment à ma question.

– Les adhérents sont-ils les gens qui viennent emprunter des livres ou quoi que ce soit d'autre ? m'enquis-je.

– Des livres ? répéta Mme Callender, décontenancée. Non, pas vraiment. Il existe plein d'autres bibliothèques pour cela. J'espère que tu ne vas pas être déçue, mon chou. Si ce sont les livres qui t'intéressent, je peux te mettre en contact avec Jill Kaufmann, de la New York Public Library. Ils ont toujours besoin de magasiniers, là-bas.

Était-ce mon imagination ou Marc affichait-il un petit sourire suffisant ?

— Non, c'est juste que… M. Mauskopf m'avait parlé d'un travail dans une bibliothèque, alors je supposais qu'il y aurait des livres. Si cet établissement ne contient pas beaucoup de livres, eh bien, que contient-il ?

— Ce qu'il contient ? Des objets, bien sûr. Nous sommes exactement comme une bibliothèque classique, sauf que nous disposons de collections beaucoup plus variées.

— Quel genre de collections ? Des collections de quoi ?

Mme Callender reprit une profonde inspiration et se lança dans de nouvelles explications. Le ton de sa voix laissait penser qu'elle les avait déjà données de nombreuses fois.

— Parmi les articles les plus populaires que nous prêtons ces temps-ci figurent des instruments de musique, des équipements sportifs et des ustensiles de cuisine spécialisés. Par exemple, même si de nombreux New-Yorkais aiment faire une fondue de temps en temps, ils n'ont pas envie d'encombrer leurs placards avec le matériel nécessaire. Ou bien, si tu envisages d'apprendre à jouer du piccolo, tu voudras peut-être en emprunter un pour essayer, n'est-ce pas ? À la fin du XIXe siècle, les pièces d'argenterie du service à l'anglaise étaient très prisées. À la fin des années 1970, c'étaient des machines-outils appelées «tours à bois». Dernièrement, il y a une ruée sur – oh, là là !

Mme Callender s'interrompit au moment où une fille de mon âge environ apparaissait entre deux meubles de rangement, un bout de papier à la main.

– Voici une fiche d'emprunt qui vient confirmer ce que je disais, je parie ! fit la bibliothécaire.

– Excusez-moi, madame Callender, fit l'adolescente. Le docteur Rust est sorti, et un usager a besoin d'emprunter un objet de la Collection Grimm. Pouvez-vous vous occuper de la caution ?

– Bien sûr. Merci, Anjali.

Mme Callender se tourna vers moi.

– Je regrette, mon chou ; je dois arrêter cette présentation, s'excusa-t-elle. Tiens, il faut que tu remplisses ces formulaires. Tu pourras les remettre à Anjali quand tu auras fini, et je te reverrai... Voyons, quand commences-tu ? Mardi. Je suis si contente de t'avoir parmi nous, ma puce ! Tu vas nous être d'une grande aide. Et j'espère que tu aimeras le Dépôt autant que nous.

Elle me serra la main énergiquement et disparut entre deux classeurs.

– Elle a l'air gentille, commentai-je.

– Mme Callender ? Elle est adorable, enchérit Anjali.

Marc lui adressa un large sourire.

Je m'installai à l'un des bureaux massifs pour remplir les documents. Anjali s'assit sur le bord. Elle était de taille moyenne, avait une chevelure brune qui tombait en cascade dans son dos, une peau ambrée et des yeux marron surmontés de sourcils parfaitement arqués. Je rêvais d'avoir des sourcils pareils. Les miens étaient droits, quelconques.

— Je suis Elizabeth Rew, me présentai-je.

— Enchantée, Elizabeth. Moi, je m'appelle Anjali Rao, dit-elle.

— Hé, je peux vous poser une question ? fis-je.

— « Celui qui pose des questions ne perd pas son chemin ! » chantèrent Marc et Anjali en chœur.

— Qu'est-ce que la Collection Grimm ?

Leurs sourires s'évanouirent, et tous deux échangèrent un regard.

— Ne te préoccupe pas de ça pour l'instant, répondit Anjali.

— Oh ! D'accord, acceptai-je, avec l'impression d'essuyer une rebuffade.

Il y eut un silence gêné.

— Au fait, combien est-on payé, ici ? questionnai-je.

— Quatre-vingt-cinq pour cent du salaire minimum, m'informa Marc.

— C'est tout ? m'étonnai-je.

– Ça semble injuste, hein ? Mais, puisque nous sommes lycéens, ils ont le droit de nous rémunérer au-dessous du salaire minimum, expliqua Anjali.

Je réfléchis puis j'ajoutai :

– Ça pourrait être pire.

– Oui, tu pourrais gagner plus en préparant des hamburgers – mais alors, tu devrais préparer des hamburgers… ! plaisanta Marc. Ça sent bien meilleur, ici !

– Sauf au Rayonnage 8, nuança Anjali.

Ils grognèrent. J'avais envie de leur demander ce qu'il y avait au Rayonnage 8, mais je ne voulais pas risquer qu'on me dise une nouvelle fois de m'occuper de mes affaires.

– Alors, Elizabeth, reprit Anjali. Où as-tu mis le bouton commémoratif ?

– Le quoi ?

– Le bouton contenant des cheveux d'humain.

– Je l'ai laissé en bas, avec le docteur Rust.

– Non, je veux dire : dans quelle catégorie l'as-tu classé ?

– Dans les objets composés de matières animales. Pourquoi ? Où l'as-tu rangé, toi ?

– Dans le groupe du milieu du XIXe siècle. Même si, maintenant, je pense que j'aurais dû le mettre dans celui du XVIIIe siècle. Peu importe, puisque j'ai décroché le poste. Et la barrette ?

— Quelle barrette ? Je n'ai pas eu de barrette, uniquement des boutons. Oh, et une fermeture Éclair.

— Une fermeture Éclair ! Comme c'est intéressant ! Je me demande ce que ça signifie. Et toi, Marc, tu as eu une fermeture Éclair ou une barrette ?

— Moi, le docteur Rust m'a donné une boucle de ceinture et un interrupteur. Plus le bouton commémoratif.

— Ah bon ? Ça fait deux objets en plus de la boîte de boutons. Je n'en ai eu qu'un, moi.

— Ouais, je crois que le Doc n'était pas très satisfait quand j'ai classé la boucle de ceinture avec les clous. D'après moi, il m'a offert une seconde chance avec l'interrupteur.

— C'était quoi, ces clous ? m'enquis-je.

— Tu n'en as pas eu ? s'étonna Anjali. Moi, si. Ils étaient dans la boîte de boutons.

À cet instant, un tube pneumatique atterrit dans le panier avec un bruit lourd et sourd. Anjali alla le chercher.

— Tu travailles aussi au Rayonnage 9 ? la questionna Marc. Je croyais que tu étais au Cachot, aujourd'hui.

— Non, je suis juste en pause. Il me reste dix minutes, dit-elle en tendant la fiche à Marc. Est-ce que tu penses que le Doc refuserait d'embaucher quelqu'un qui trierait mal les boutons ?

— Comment ça, « mal » ?

— Je ne sais pas. Si un candidat réalisait un classement très évident – par taille, par exemple.

Marc eut l'air un peu gêné. Avait-il aligné les boutons selon ce critère ? En tout cas, moi, j'étais embarrassée, car c'était précisément ce que j'avais fait. Enfin, je les avais classés par taille et par couleur, ce qui n'était pas très différent…

Marc lut la fiche et partit à l'autre bout de la pièce. Je le regardai s'éloigner, admirant sa démarche.

— Ainsi, tu es à Fisher, avec Marc ? m'interrogea Anjali.

— Oui. Et toi, tu es dans quel lycée ?

— Miss Wharton.

C'était une école de filles, privée, chic, près de Fisher. Lorsque j'allais à Chase, nous étions dans la même ligue d'équipes de sport féminines. Je me demandai si Anjali était une bêcheuse – les élèves de Miss Wharton avaient cette réputation. En tout cas, jusqu'à présent, elle paraissait assez sympathique.

Je finis de compléter mes formulaires et les lui tendis :

— J'ai terminé. Comment sort-on d'ici ? Je suis un peu perdue, dans ce bâtiment ; en plus, je n'ai pas tellement le sens de l'orientation.

— Tu as juste à prendre l'ascenseur jusqu'à l'entrée.

Je considérai les trois petits ascenseurs d'un air dubitatif :

— Lequel ?

Anjali rit :

— Oh ! Marc t'a fait monter toutes ces marches, hein ? Quel macho ! Je ne parlais pas des petits monte-charge, mais de vrais ascenseurs, à taille humaine. Viens, je vais te les montrer.

J'enfilai mon manteau et nous franchîmes une porte coupe-feu.

— Je suis contente que tu sois là, se réjouit Anjali. Il était temps qu'ils embauchent quelqu'un.

C'était la troisième personne de la journée à me dire qu'elle était heureuse que je sois là — cela faisait des années qu'on ne m'avait adressé des paroles aussi gentilles. J'avais le sentiment que j'allais aimer cet endroit.

— Depuis que Mona a disparu, nous sommes débordés et l'ambiance est un peu sinistre, murmura Anjali.

— Quelqu'un a disparu ?

— Oui, Mona Chen, une magasinière.

— Où est-elle ?

— Je l'ignore. Mme Callender pense qu'elle est retournée à Taiwan avec sa famille, mais Mona ne nous a jamais dit au revoir, et cela ne lui ressemble pas. Marc et moi essayons de découvrir ce qu'il lui est arrivé. Selon nous, il se peut que sa disparition ait quelque chose à voir avec...

Anjali se tut brusquement.

— Avec quoi ?

– Je suis désolée. Peu importe. Tu vas me prendre pour une cinglée. Et je ne veux pas te faire fuir le jour de ton arrivée ! Mais il me semble que je devais te prévenir.

– Me prévenir de quoi ? Me faire fuir en me disant quoi ?

Ce lieu avait quelque chose de gothique, avec la mystérieuse collection dont Marc et Anjali refusaient de me parler, et maintenant cette magasinière qui s'était évanouie dans la nature... Toutefois, j'étais moins effrayée qu'intriguée.

Anjali hésita avant de me répondre :

– Eh bien, de folles rumeurs courent au sujet d'un... d'une créature volante qui suivrait certains usagers et magasiniers. On prétend même qu'elle a arraché un objet du Dépôt des mains d'un emprunteur.

– Une créature volante ?

En effet, ça semblait dingue. Anjali se moquait-elle de moi ? Elle avait pourtant l'air sérieuse.

– J'ai entendu dire qu'elle ressemble à un oiseau géant, continua-t-elle. Du moins, c'est ce que les gens affirment. Je ne sais pas si c'est vrai. Mais, puisque Mona a disparu et qu'elle avait très peur de cet oiseau, j'ai pensé que...

– Attends, la coupai-je. Est-ce que tu as vu cet oiseau de tes propres yeux ?

– Non, admit Anjali en secouant la tête. Mais, parfois, j'ai l'impression que quelque chose m'observe.

— Ça paraît assez terrifiant, reconnus-je, sans savoir si je pouvais la croire.

— Oui, bon...

Elle appuya d'un coup de poing sur le bouton de l'ascenseur.

— Je ne veux pas que tu paniques. Seulement, fais attention aux...

— ... aux énormes oiseaux qui volent des objets et enlèvent des magasiniers, complétai-je.

Anjali me regarda et me sourit.

— Ouais, je sais que ça semble insensé, concéda-t-elle. Mais, quand tu auras travaillé ici pendant un moment, tu commenceras à t'habituer à des choses assez invraisemblables.

L'ascenseur arriva.

— À mardi ! lançai-je.

— À mardi. Bon week-end !

Elle m'adressa un signe tandis que les portes de l'ascenseur se refermaient. Était-ce une nouvelle amie ou une folle ? Je me posais la question. Toujours est-il qu'elle semblait gentille. Ce ne serait pas dramatique, décidai-je, si elle s'avérait être les deux à la fois.

3

Un magasinier méfiant

Mon père était seul à la maison lorsque je rentrai du Dépôt.

— Salut, mon ange ! me lança-t-il. Tu arrives du lycée seulement maintenant ?

— Ça fait des heures que le lycée est fermé, papa ! Je suis allée passer l'entretien d'embauche pour le travail dont je t'ai parlé la semaine dernière. Tu te rappelles ?

— Oh, c'est vrai ! Où était-ce, déjà ? À la Historical Society[1] ?

— Non, au Dépôt d'objets empruntables, rectifiai-je.

Avant, quand nous n'étions que tous les deux, mon père se souvenait des choses que je lui disais.

---

1. New York Historical Society : organisation culturelle américaine comprenant un musée et une bibliothèque, dédiés à l'histoire de la ville de New York et des États-Unis.

— Ah, oui, bien sûr ! C'est ce musée privé aux vitraux splendides ! Ils sont célèbres et ne se voient pas de l'extérieur. J'ai toujours rêvé de pouvoir les admirer.

— Ah bon, il y a des vitraux ? En tout cas, tu adorerais cet endroit ; il est magnifique. Tu devrais y venir, maintenant que j'y travaille. Je parie que je pourrais te le faire visiter.

À ce moment-là, nous entendîmes une clé tourner dans la serrure de la porte d'entrée, et ma belle-mère entra en trombe dans la pièce.

— Michael ! Viens voir les coloris que je pense choisir pour notre chambre.

Cathy était constamment en train de repeindre l'appartement et n'était jamais tout à fait satisfaite du résultat.

— J'arrive, répondit mon père en la suivant.

— Alors, tu viendras au Dépôt avec moi, papa ? l'interrogeai-je.

— Nous en reparlerons plus tard, Elizabeth.

Je me demandai si cela arriverait un jour.

Je me rendis dans ma chambre et fis mes devoirs de français à la hâte pour pouvoir consacrer plus de temps à l'histoire. J'avais envie que M. Mauskopf me complimente sur mon travail — par exemple, qu'il écrive : *Bien argumenté*, au lieu de son habituel : *Réflexion qui manque de rigueur*. Et je voulais mériter ces compliments.

*

Le lendemain midi, à la cantine, mon plateau dans les mains, je cherchai du regard quelqu'un près de qui m'asseoir. Dans le brouhaha ambiant, je me sentis encore plus seule que d'habitude. Je vis Mallory Mason à l'autre bout du réfectoire. Si seulement je l'appréciais, au moins ! Elle serait certainement disposée à partager sa table avec moi. Mais je ne désirais pas être sa copine : elle était aussi méchante que les élèves qui se moquaient d'elle, juste moins influente. En outre, manger avec elle gâcherait mes chances de me faire des amis.

Je repérai ensuite Katie Sanduski, une fille de mon cours de français, mais un livre était posé debout contre son sac à dos, sur la table. Elle semblait très absorbée. Plus loin, près de la fenêtre, trois filles de mon cours de maths discutaient, riaient et se lançaient de temps en temps une chips à la figure.

Devais-je interrompre Katie dans sa lecture ? Ou tenter de m'insérer dans le joyeux trio qui chahutait gentiment ?

Je choisis la première option. Interrompre une personne était sans doute plus facile que d'en interrompre trois. Hélas, à ce moment-là, Katie ferma son livre et alla rapporter son plateau.

Je n'avais donc plus guère le choix. Rassemblant mon courage, je me faufilai entre les tables vers Maddie, Samantha et Jo. Malheureusement, avant que je puisse les rejoindre, trois autres filles — que je ne connaissais pas — se précipitèrent à leur table en poussant des cris perçants et prirent les places restantes.

Je changeai de direction et m'assis à la place libre la plus proche. Deux élèves me lancèrent un regard furtif. Une flaque de soda renversée par terre me séparait d'eux. Je mangeai aussi vite que je le pus et sortis de la cantine.

J'arrivai au cours d'histoire dix minutes en avance. Je jetai un coup d'œil par la vitre de la porte, et vis M. Mauskopf assis à son bureau, dans la salle vide.

— Entre, Elizabeth, m'invita-t-il, en me faisant signe de son long bras.

— Bonjour, monsieur Mauskopf, dis-je en refermant la porte derrière moi. Vous voulez que je vous rende tout de suite mon devoir ?

— Oui, merci. Alors, as-tu été embauchée au Dépôt ?

Je hochai la tête :

— Je commence mardi.

— Et qu'en as-tu pensé ?

— C'est un endroit très intéressant, répondis-je.

J'aurais plutôt choisi l'adjectif « bizarre », mais je n'avais pas osé.

— Il abrite une telle quantité d'objets ! Le personnel semble très sympathique. Mme Callender est si gentille ! Le bâtiment lui-même est chouette, avec ses sols de marbre et ses incroyables portes sculptées. Et il est tellement plus grand à l'intérieur qu'il ne le paraît de l'extérieur !

— As-tu vu les célèbres vitraux de Tiffany[1] ?

— Non, pas encore. Mon père m'en a parlé. Où se trouvent-ils ?

— Dans la Salle d'Examen Principale.

— Oh ! La salle d'examen ? Vous voulez dire... euh... l'infirmerie ?

M. Mauskopf rit de la bêtise que je n'avais pas conscience d'avoir dite.

— Arrange-toi pour les voir la prochaine fois, me conseilla-t-il. Ils sont réellement spectaculaires.

Puis les élèves de la classe revinrent du déjeuner, et le cours commença.

Cet après-midi-là plus que jamais, j'aurais voulu avoir au moins une copine à mes côtés pour qu'elle assiste au grand événement du jour : le salut que le génial Marc Merritt m'adressa dans le couloir ! Même si ce ne fut qu'un simple signe de tête.

Néanmoins, je m'autorisai à lui répondre par un : « Salut, Marc ! » Je n'osai rien ajouter, car j'étais intimidée par les garçons grands comme des basketteurs qui

---

1. Louis Comfort Tiffany (1848-1933) : décorateur et verrier américain. Il est surtout connu pour ses lampes et ses vases en pâte de verre, ainsi que pour ses vitraux de style Art nouveau.

l'accompagnaient. Lorsque nous nous croisâmes, j'entendis Marc leur expliquer : « Elle est en éducation à la santé avec moi. »

*

Le mardi suivant, quand j'arrivai au Dépôt, Anjali était à l'accueil. Elle m'envoya auprès de Mme Callender, au Rayonnage 6, où tous les bibliothécaires – excepté le docteur Rust – avaient leur bureau.

Mme Callender me montra la pointeuse, une machine en forme de boîte, fixée au mur près d'un râtelier rempli de cartes établies aux noms des employés. Je trouvai la mienne et l'insérai dans la gueule de l'appareil. Celle-ci l'avala violemment, et y imprima l'heure.

– Dans un premier temps, je vais t'affecter au Rayonnage 2, qui contient les textiles et les costumes, m'informa la bibliothécaire en appuyant sur le bouton de l'ascenseur. C'était l'un de mes rayonnages préférés quand j'étais magasinière. Si tu éprouves une forte envie d'essayer des articles, eh bien, je ne le répéterai à personne. Lorsque j'avais ton âge, je ne pouvais pas y résister. Tiens-t'en juste aux pièces en coton, en lin et en laine, car ce sont des matières assez résistantes. Et assure-toi de prendre la bonne taille afin de ne rien déchirer, ajouta-t-elle en me faisant un clin d'œil.

Nous sortîmes par une porte coupe-feu et nous nous retrouvâmes dans une longue salle sombre, semblable à celle du Rayonnage 9, mais encore plus lugubre.

— Pourquoi cet endroit n'est-il pas plus éclairé ? demandai-je.

— Nous conservons les textiles au sous-sol à cause de la lumière du jour, qui abîme terriblement la plupart des fibres. Elle peut les décolorer, voire les faire tomber en lambeaux. Toutefois, il y a des lampes de bureau, si tu veux lire. Et, à cet étage, les toilettes pour dames possèdent un miroir en pied.

Les allées entre les meubles de rangement s'étiraient dans l'obscurité. J'entendis des bruits de pas résonner au loin.

— C'est un peu sinistre, commentai-je.

Mme Callender sourit ; ses joues rondes remontèrent et prirent la forme de pommes.

— Tu trouves ? fit-elle. En général, c'est le Rayonnage 1 que les magasiniers trouvent le plus sinistre. Bon, la première chose que tu dois te rappeler, c'est de te laver les mains et d'enfiler des gants. Les huiles et les acides présents sur ta peau peuvent détériorer les tissus.

Il y avait un lavabo près des monte-charge, ainsi qu'un meuble de fournitures rempli de gants en coton, de cintres matelassés, de papier de soie et de boîtes en carton marquées : *Archives*.

— Je ne saisis pas, confiai-je en me lavant les mains. Nous sommes dans une bibliothèque de prêt, n'est-ce pas ? Même si les livres sont remplacés par des objets — ça, je l'ai compris. Par conséquent, les gens peuvent emprunter des vêtements et les porter. C'est certainement pire pour les tissus que de les toucher avec les mains !

— Oui, tu as raison, reconnut Mme Callender. Théoriquement, presque tout notre fonds circule. Mais cela ne signifie pas que les usagers peuvent faire n'importe quoi avec les objets qu'ils empruntent : ils doivent les retourner dans l'état où ils les ont pris, sinon ils paient une amende pour détérioration. Et les articles les plus précieux nécessitent de laisser une caution.

— Combien faut-il payer si nos doigts déposent de l'acide sur un objet ?

— Tout dépend de l'objet. Pas grand-chose s'il s'agit juste d'un T-shirt ; plus s'il s'agit du chapeau de Lincoln[1] ou de la perruque de Marie-Antoinette. Nous avons imposé de si nombreuses restrictions sur les articles prestigieux que pratiquement plus personne n'ose les emprunter — à part les musées, qui ne les portent évidemment pas. Nous avons un expert chargé de calculer le montant des différentes cautions.

---

1. Abraham Lincoln (1809-1865) : seizième président des États-Unis.

— La perruque de Marie-Antoinette ! Je peux la voir ?

— Bien sûr.

Mme Callender actionna un bouton, et une faible lumière éclaira l'une des allées. Nous descendîmes celle-ci jusqu'à une porte qui portait l'inscription : *V*. La bibliothécaire la déverrouilla.

— Voici la Salle des Objets de Valeur du Rayonnage 2. *V* veut dire « objets de valeur », m'expliqua-t-elle.

La pièce débordait d'armoires de rangement qui portaient des étiquettes. Mme Callender en ouvrit une, et je vis alors des rayons de perruques sur ce qui semblait être des têtes en porcelaine. Il y en avait des blondes, des brunes ; certaines consistaient en de simples chignons, d'autres en des tresses compliquées, et d'autres encore ressemblaient aux longues perruques bouclées des juges britanniques que l'on voit à la télévision.

— Je ne vais pas la sortir, mais voici celle de la reine, dit Mme Callender en désignant une grande chevelure postiche blanche, assez quelconque.

— Waouh ! Est-ce qu'elle la portait quand on lui a coupé la tête ? demandai-je.

Je cherchai des taches de sang mais n'en vis aucune.

— Non, non. Pouah ! Celle-ci est juste l'une des perruques banales dont elle se coiffait durant la semaine. Elle l'a donnée à une dame d'honneur, qui a fui la Révolution déguisée en perruquier et qui a rejoint l'Angleterre, où elle s'est mariée avec un marchand de fourrures originaire du Vermont. L'un de ses descendants en a fait don au Dépôt dans les années 1960. En contrepartie, il a obtenu une déduction d'impôts.

— C'est incroyable ! Et où est le chapeau de Lincoln ? Puis-je le voir aussi ?

— Un autre jour, peut-être. Redemande-le-moi quand nous ne serons pas trop occupées, d'accord, mon chou ? Maintenant, je vais te montrer comment traiter une fiche d'emprunt.

Mme Callender ferma soigneusement à clé la Salle *V*, et nous retournâmes dans l'Aire d'Entreposage Temporaire du Rayonnage 2, où se trouvaient le lavabo et les ascenseurs. Un garçon de mon âge environ était en train d'examiner une fiche sous l'une des lampes de bureau.

— Coucou, Aaron ! lui lança Mme Callender. Je te présente Elizabeth. Je vais lui apprendre à traiter les fiches. Ça te dérange si nous prenons celle-ci ?

— Pas du tout, répondit l'adolescent en lui tendant le bout de papier.

Mme Callender mit celui-ci bien à plat sur la table.

Voici ce qui y était écrit :

```
Cote: II T&C 391.440944 L46
Description: ombrelle, soie, acier et bambou,
poignée en ivoire végétal.
```

Français, Frères Lendemain, 1888

Emprunteur : Matilda Johnson

Affiliation : TriBeCa Studio

— En ce qui te concerne, l'élément le plus important est la cote, commença à m'expliquer Mme Callender. Elle t'indique où trouver l'objet. Pour organiser la collection, comme dans n'importe quelle bibliothèque, nous utilisons la classification décimale de Dewey, que nous avons cependant adaptée. Les objets sont classés par thème. Le premier segment de la cote, le préfixe — sur cette fiche : *II T&C* —, identifie le rayonnage et la collection : *Rayonnage 2, Textiles et Costumes*. Après le préfixe, vient l'indice...

— Alors, où se trouve *II T&C 391.440944 L46* ?

— Tu peux consulter la carte murale. Cinquième rayon est. Par ici...

Je suivis Mme Callender dans une autre allée peu éclairée, entre des classeurs débordant d'étiquettes.

Lorsque nous atteignîmes le bon rayon, Mme Callender s'arrêta et tourna un cadran fixé au mur, semblable à un minuteur de cuisson. Une lumière s'alluma dans l'allée.

— Nous avons des minuteurs afin d'économiser l'électricité, précisa la bibliothécaire. Ainsi, tu n'as pas à penser à éteindre la lumière en partant.

Elle ouvrit la porte d'une armoire et sortit une ombrelle d'un casier de rangement.

— Toujours vérifier deux fois si tu prends bien le bon article, me conseilla-t-elle en manipulant doucement l'ombrelle.

Elle l'examina et lut l'étiquette en carton qui y était attachée :

— C'est bien ça.

Nous retournâmes vers les bureaux.

Mme Callender inscrivit ses initiales sur la fiche d'emprunt et envoya l'ombrelle dans la Salle d'Examen Principale via le monte-charge de taille moyenne.

— Voilà comment ça marche, *grosso modo*, conclut-elle. Pour aujourd'hui, tu peux rester avec Aaron : il te dira quoi faire. Et viens me voir si tu rencontres des problèmes.

Installé à l'un des bureaux, Aaron lisait un roman.

— Alors comme ça, c'est toi, la nouvelle ? dit-il en levant les yeux vers moi.

— Je m'appelle Elizabeth Rew.

— Aaron Rosendorn.

— Depuis combien de temps travailles-tu ici ? le questionnai-je.

— Deux ans.

— Tu dois aimer ce travail, donc, en déduisis-je.

— Ouais.

— Qu'est-ce que tu aimes le plus, ici ? Est-ce que tu as une collection préférée ?

— Que veux-tu dire ? m'interrogea-t-il en plissant les yeux.

— Je ne sais pas — cette bibliothèque possède différentes collections, non ? Des textiles dans ce rayonnage, de la porcelaine à l'étage… Quelqu'un a également mentionné une certaine Collection Grimm. Alors, tu as une collection préférée ?

Il fronça les sourcils. La lumière de la lampe de travail jetait des ombres sur ses pommettes hautes et autour de son nez, ce qui lui donnait un air arrogant — à moins que ce ne fût son expression habituelle.

— Pourquoi veux-tu le savoir ? me demanda-t-il.

Ce garçon était soit bêcheur, soit paranoïaque.

— Pour aucune raison en particulier ; c'était juste pour faire la conversation. Est-ce un gros secret ?

— Non, pas vraiment. Ce Dépôt est l'un des plus fantastiques au monde. C'est un honneur d'y travailler.

Il me considéra pendant quelques secondes, comme s'il me jaugeait.

— Comment as-tu obtenu ce job ? me questionna-t-il.

Insinuait-il que je n'étais pas à la hauteur ?

— C'est mon prof d'histoire, M. Mauskopf, qui m'a recommandée. Il travaillait lui-même ici quand il avait notre âge. Il connaît le docteur Rust et Mme Callender.

— Quel lycée fréquentes-tu ?

— Fisher.

— Oh, comme Marc Merritt !

À présent, il avait un air encore plus méfiant, voire désapprobateur. Quel était son problème, à ce garçon ? C'était le seul employé qui ne paraissait pas sympathique.

— Oui, on a un cours ensemble, précisai-je.

— Quelle chance ! ironisa Aaron.

« Qu'est-ce qu'il est désagréable ! » songeai-je.

Un tube pneumatique traversa bruyamment les conduites et atterrit dans le panier. Aaron en sortit une fiche et me la tendit :

— Voyons comment tu t'occupes de ça…

— Tu es sûr de me faire confiance ?

Je fus un peu surprise du ton sarcastique que j'avais employé, mais ce gars me tapait sur les nerfs.

— Non, pas encore, justement. La dernière magasinière — que tu remplaces — était une catastrophe. Moi, en tant que magasinier principal, j'ai des responsabilités. J'ai besoin de voir comment tu travailles.

— C'était Mona ?

— Non, elle s'appelait Zandra. Qu'est-ce que tu sais au sujet de Mona ?

— Rien, en fait. Anjali m'a simplement raconté qu'elle avait disparu. Qui est Zandra, et pourquoi était-elle une catastrophe ?

— Oublie-la. Elle était tellement désordonnée qu'elle n'était bonne à rien. En plus, c'était une menteuse et une voleuse. Voyons si tu es mieux qu'elle !

Waouh ! Ce garçon était si odieux qu'il aurait pu être le frère de mes demi-sœurs ! pensai-je.

— Très bien, dis-je.

Je lus la fiche d'emprunt : une demande pour une coiffure chinoise. Malgré l'obscurité, je trouvai facilement le meuble dans lequel elle était rangée. Mais, lorsque je tendis les bras pour attraper cet accessoire sophistiqué, Aaron s'approcha tant de moi que j'eus peur qu'il ne me marche sur le pied. J'inclinai la coiffure afin de la faire glisser.

— Attention ! s'écria Aaron. C'est fragile. Ces pompons sont en verre.

— Recule donc ; tu me rends nerveuse ! lui rétorquai-je d'une voix sèche. Je ne vais pas l'abîmer.

Je descendis la coiffure de l'étagère :

— Tu vois ? Elle est intacte.

— OK, convint Aaron. Il fallait juste que je m'assure que ce serait bien le cas.

Je vérifiai l'étiquette et retournai avec l'objet vers l'Aire d'Entreposage Temporaire. Là, Aaron me montra comment remplir la fiche.

La fiche suivante émanait d'un dénommé John Weinstein, des studios de production Dark on Monday. Il souhaitait emprunter un pourpoint[1].

— Qui sont ces usagers, et pourquoi empruntent-ils ces objets ? m'enquis-je.

— Cet homme travaille pour le théâtre, m'informa Aaron, alors il cherche sûrement des idées de costumes. Sans doute pour une pièce de Shakespeare. Les gens ont toujours besoin de pourpoints quand ils jouent une pièce de cet auteur.

Cette fois-ci, il recula et me laissa sortir le vêtement du meuble sans faire de commentaire.

Nous nous occupâmes de quelques fiches supplémentaires. Celle qui me plut le plus concernait un masque délicat orné de plumes sur sa moitié supérieure. Aaron m'observa de près, mais ne trouva rien à redire à ma façon de procéder. Il était sévère, mais j'étais impressionnée par le sérieux avec lequel il prenait son travail.

Lorsque ce fut l'heure de ma pause, Mme Callender me fit visiter la Salle d'Examen Principale.

— C'est ici que les usagers viennent chercher les articles qu'ils ont demandés, me dit-elle. Ils peuvent s'asseoir et les étudier à ces tables.

---

1. Pourpoint : vêtement masculin qui couvre le torse, en usage en Europe du XIIIe au XVIIe siècle.

— Comme dans une bibliothèque, commentai-je.

— Exactement.

La Salle d'Examen Principale était un lieu étonnant : elle avait des plafonds hauts, des tables gigantesques, et une Aire d'Entreposage Temporaire sculptée avec minutie, où Anjali s'affairait à présent avec d'autres magasiniers et bibliothécaires, classant des fiches d'emprunt et remplissant des tubes pneumatiques. J'eus enfin l'occasion de voir les vitraux de Tiffany. Hélas, comme cet après-midi-là le temps était morose, je ne pus distinguer aucune forme ni aucun motif.

Je m'installai à l'une des tables et travaillai à mes devoirs, puis je redescendis au Rayonnage 2 à la fin de ma pause.

Un usager demanda de petits tapis anciens navajo du Nouveau-Mexique et des kilims de Turquie. Ils étaient si lourds qu'Aaron et moi dûmes les porter à deux. Nous les étendîmes sur l'immense table afin de vérifier leur état, avant de les expédier par le grand monte-charge.

— Regarde comme ces deux motifs sont similaires, avec ces triangles, ces losanges et ces rectangles, constatai-je. Bien qu'ils proviennent de continents différents, on dirait que les personnes qui les ont confectionnés se connaissaient.

— C'est simplement à cause de la technique utilisée pour les tisser, expliqua Aaron. Les fils se croisant à angle droit, il était plus facile de faire des lignes droites plutôt que des courbes.

— Oui, mais il y a autre chose, insistai-je. Même si les couleurs sont complètement différentes, les zigzags et les bords sont similaires. De plus, le petit tapis d'Iran que nous avons expédié à l'étage tout à l'heure ne ressemblait pas du tout à ces deux-là.

— Tu as raison, reconnut Aaron. C'est étonnant que les tisseurs aient choisi les mêmes motifs.

— J'aimerais pouvoir voyager dans le passé et leur demander une explication, lui confiai-je.

— Moi aussi.

Aaron était beaucoup plus sympathique lorsqu'il parlait de petits tapis que lorsqu'il me collait, de peur que je ne casse des choses.

Aux alentours de dix-sept heures, la porte coupe-feu s'ouvrit, et Anjali entra, en poussant un large chariot rempli d'articles.

— Les retours ! cria-t-elle.

Aaron courut l'aider.

Ils firent rouler le chariot jusqu'au centre de la pièce, Aaron le poussant et Anjali le maintenant bien droit.

— Comment ça va, Elizabeth ? s'enquit-elle. Tu t'amuses bien ?

— Oui, merci.

— Tant mieux. Ne laisse pas Aaron te faire travailler trop dur.

Elle m'adressa un clin d'œil et repartit. Malgré cela, Aaron regardait toujours vers la porte avec un air langoureux évident.

— Elle a l'air sympa, dis-je, pour rompre le silence.

Aaron se tourna brusquement vers moi, comme s'il venait de se souvenir de ma présence.

— Quoi ? Ouais... ouais... Elle est très... sympa, bafouilla-t-il.

Décodant le changement d'attitude d'Aaron, je me demandai quel effet cela me ferait si quelqu'un — même un «garçon-pas-si-gentil-que-ça» tel qu'Aaron — m'admirait de cette façon.

J'espérais le découvrir un jour.

4

Rencontre avec la Bête

Ce samedi-là, le temps s'était légèrement adouci. Après avoir travaillé le matin au Dépôt, je me promenai dans Central Park quand un ours arriva vers moi en bondissant dans la neige. Je restai figée sur place. Puis, en l'observant, je constatai que ce n'était pas un ours, mais un énorme chien à poils longs et hirsutes, dont les aboiements résonnaient dans l'air gelé.

— Griffin, au pied !

L'animal dérapa et s'immobilisa devant moi. Je reculai d'un pas. Il remuait la queue — c'était rassurant. Il posa ses grosses pattes humides sur mes épaules et essaya de me lécher le visage.

— Est-ce que je te connais ? lui demandai-je en tentant de me dégager.

— Couché, Griffin ! Ne fais pas tomber Elizabeth ! cria une voix familière.

C'était celle de M. Mauskopf. Il fit claquer ses longs doigts en direction du chien.

« Ce doit donc être elle, la Bête », devinai-je.

Le chien s'écroula sur son derrière, inclina le museau d'un côté et ses oreilles vers l'avant, et me regarda avec des yeux grands comme des soucoupes. Il n'eut pas à lever la tête bien haut car elle était déjà pratiquement au niveau de la mienne. Il me tendit sa grosse patte poilue.

— Enchantée, lui dis-je en la lui serrant.

Elle était aussi lourde qu'un sac d'oignons.

La Bête prit cela comme une invitation à remettre ses membres antérieurs sur mes épaules.

— Couché, Griffin ! J'ai dit couché ! gronda encore M. Mauskopf.

Le chien s'affaissa de nouveau.

— J'ai l'impression qu'il t'aime bien, commenta mon professeur.

— Gentil chien, complimentai-je Griffin, amusée.

Malgré sa sévérité notoire, M. Mauskopf semblait avoir du mal à se faire obéir de son chien. Il devait être plus doux qu'il ne voulait bien le laisser paraître. Je flattai le dos marron plein de bourrelets de Griffin, qui tira la langue et remua son arrière-train.

— Belle journée pour se promener, lança M. Mauskopf.

— Oui, il fait moins froid qu'hier. Je viens juste de sortir du Dépôt.

— Justement, je voulais t'en parler. Comment ça se passe, là-bas?

— J'adore ce job! J'ai l'impression de pouvoir toucher des pièces de musée d'habitude enfermées dans des vitrines.

M. Mauskopf sourit.

— Je me souviens d'avoir ressenti la même excitation, reconnut-il. Avant de commencer à travailler là-bas, je n'avais jamais été très intéressé par les objets. Pour moi, une cuillère était juste une cuillère. Puis un bibliothécaire m'a affecté au Rayonnage 9, où j'ai découvert des milliers de cuillères, toutes de taille, de forme et de motifs différents, et aux utilisations variées. C'est là que j'ai compris qu'elles n'existaient pas par hasard. Quelqu'un avait réfléchi à la conception de chacune d'elles et décidé de ce à quoi elle devrait ressembler, de son aspect et du matériau dans lequel il la fabriquerait. Un nouvel univers s'ouvrait à moi. Je crois que c'est à ce moment-là que je me suis mis à me passionner pour l'Histoire.

— Je vois ce que vous voulez dire. Lorsque Mme Callender m'a montré la perruque de Marie-Antoinette, j'ai vraiment pris conscience que Marie-Antoinette avait existé.

M. Mauskopf hocha la tête et me demanda:

— Et quelles tâches te confie-t-elle? Mme Callender, bien sûr, pas Marie-Antoinette.

Waouh! M. Mauskopf plaisantait!

— Principalement la gestion des fiches d'emprunt, le rangement des articles…

— Bien, bien…

M. Mauskopf marqua une pause et jeta un coup d'œil à la Bête. Celle-ci aboya une fois, comme si elle communiquait avec son maître. Mon professeur se tourna vers moi et m'interrogea de nouveau :

— Dis-moi, Elizabeth, as-tu vu quelque chose qui t'a alarmée ?

— Alarmée ? Comment ça ?

Voulait-il parler du gigantesque oiseau ?

— Mes amis du Dépôt m'ont appris qu'il se passe des choses pas très normales… Je me demandais donc si tu avais remarqué un élément qui serait susceptible de nous aider.

— Qu'est-ce qui n'est pas très normal ? L'une des magasinières, Anjali, m'a confié qu'elle avait entendu parler d'un…

Cette histoire était si invraisemblable ! Pouvais-je vraiment la raconter à M. Mauskopf ? Ne me prendrait-il pas pour une idiote d'y avoir cru ?

— Un quoi ? insista-t-il.

Bon, puisque j'avais commencé, je devais aller jusqu'au bout…

— Un énorme oiseau. On prétend qu'il suit les gens et vole des objets.

À ma grande surprise, mon professeur hocha la tête gravement :

— Oui, c'est l'information qu'on m'a communiquée. As-tu aperçu cet oiseau ?

— Non...

— La magasinière qui l'a évoqué — Anjali, c'est ça ? — l'a-t-elle vu ?

— Elle m'a dit que non.

— Hum... Et toi, as-tu été témoin de quoi que ce soit d'autre qui t'ait inquiétée ?

— Eh bien... On m'a révélé qu'une magasinière s'était fait renvoyer.

M. Mauskopf resta silencieux quelques secondes, comme s'il lui fallait peser ses mots.

— C'est exact. Le docteur Rust a dû congédier Zandra. Elle avait tenté d'emporter un vase sans remplir de fiche d'emprunt ni laisser de caution. Mais ce n'est pas tout. Apparemment, d'autres objets ont disparu depuis son départ, et j'ai appris que des pièces semblables à celles du Dépôt s'étaient retrouvées dans des collections privées.

— Vous pensez qu'un autre magasinier vole ?

Tout cela était très préoccupant.

— Ou bien est-ce que ce serait l'oiseau, comme Anjali l'affirme ? repris-je.

– Personne ne sait réellement ce qui se passe. Pour ma part, j'ai du mal à croire qu'un oiseau gigantesque – à supposer qu'il existe vraiment – entre de lui-même dans le Dépôt et y dérobe des pièces. Il y a forcément des gens impliqués dans cette histoire. Alors, ouvre grand les yeux pour repérer tout ce qui pourrait être suspect. Et, si quelqu'un vient te demander de faire sortir n'importe quel article sans suivre la procédure habituelle, ou si tu as un mauvais pressentiment, viens me voir ou adresse-toi à Lee Rust aussitôt. Entendu ?

– D'accord, acquiesçai-je.

À vrai dire, tous ces mystères me rendaient déjà très mal à l'aise, mais je ne crois pas que c'était de cela que M. Mauskopf voulait parler.

– Merci, Elizabeth.

Puis il tourna les talons.

– Hé, attendez, monsieur Mauskopf ! Puis-je vous poser une question ?

– Certainement. Comme dit le proverbe akan, il faut toujours poser des questions.

– Oui, c'est vrai. D'ailleurs, pourquoi les bibliothécaires et vous citez toujours des proverbes akan ?

– Oh ! C'est une plaisanterie entre nous. À l'époque où je travaillais au Dépôt, l'un des magasiniers était un descendant du peuple akan – en fait, c'était l'oncle de ton ami Marc Merritt. Il aimait citer ces proverbes, et les autres employés ont pris l'habitude d'en faire autant. J'ai toujours trouvé que ces proverbes s'accordaient bien avec les contes de Grimm. Mais quelle est ta question ?

— C'est en rapport avec ce que vous venez de me raconter — enfin… en rapport avec les contes de Grimm. Qu'est-ce que la Collection Grimm ? A-t-elle quelque chose à voir avec les contes ?

— La Collection Grimm ! C'est l'un des bibliothécaires qui t'en a parlé ?

— J'ai entendu un magasinier en parler avec Mme Callender. Sauf que, lorsque j'ai voulu en savoir plus, tout le monde a paru gêné.

— Ah ! Eh bien, il vaudrait mieux que je laisse le docteur Rust te répondre lui-même. Ne t'inquiète pas : si tu donnes satisfaction au Dépôt, tu l'apprendras bien assez tôt. Et j'ai pleine confiance… Griffin, arrête ! Griffin ! Je suis désolé, Elizabeth, je… dois y aller…

M. Mauskopf s'écroula dans la neige en courant après son chien, qui semblait avoir d'autres chats à fouetter…

*

Le mardi suivant, j'avais l'intention de quitter le lycée dès la fin des cours, dans l'espoir de parler au docteur Rust avant le début de mon service au Dépôt. Malgré cela, je passai par le gymnase et m'y arrêtai pour regarder l'équipe de basket s'entraîner. Marc et trois autres joueurs exécutaient des exercices de défense.

Marc donnait l'impression d'avoir des ailes aux pieds : il se déplaçait avec une telle légèreté et restait en l'air si longtemps ! À un moment, même, alors qu'il était en suspension (juste avant de se tourner et de piquer le ballon à Jamal Carter), il prit le temps de me sourire, ce qui fit bondir mon cœur dans ma poitrine. Je lui rendis son sourire, mais il ne me regardait déjà plus.

Lorsque je sortis du gymnase, il neigeait fort. Les flocons tombaient dans mon cou car il manquait toujours un bouton à mon manteau. Il fallait vraiment que je couse celui que le docteur Rust m'avait donné, mais je n'étais pas très douée en couture. Je baissai la tête, j'évitai le plus possible de la bouger pour ne pas découvrir mon cou, et je me dépêchai d'aller à la bibliothèque.

Une fois sur place, je poussai la porte d'entrée d'un coup d'épaule. À travers mes lunettes embuées, je vis Anjali derrière le bureau d'accueil. Elle me fit signe de me rendre à l'étage.

Là, je trouvai Marc, qui insérait sa carte dans la pointeuse.

— Hé, Marc ! Tu n'étais pas à la salle de sport, à l'instant ? Comment as-tu pu arriver ici aussi rapidement ? m'étonnai-je, en pointant à mon tour.

— Je marche vite.

— Si vite que ça ? Tu n'avais même pas fini ton entraînement quand je suis partie.

— J'ai de longues jambes, répondit-il d'un ton dédai-
gneux, en se dirigeant vers l'escalier.

Avais-je été indiscrète ? L'avais-je importuné ? Je m'en
mordis les doigts, en replaçant ma carte dans le râtelier.
Ensuite, Mme Callender m'envoya au Rayonnage 2.

— La soirée s'annonce ennuyeuse, avec ce temps, pré-
dit-elle. Tu ferais aussi bien de balayer les rayons.

— D'accord. Où puis-je trouver un balai ?

La bibliothécaire éclata de rire, ses joues remontant
pour former de petites balles :

— Il ne s'agit pas de ce genre de balayage. Demande à
un magasinier de te montrer — à Marc ou à Aaron. Boule
de gomme ?

— Pardon ?

Était-ce un nouveau terme affectueux ? S'était-elle
lassée de « mon chou » ?

— Boule de gomme ? répéta-t-elle en me tendant un
sachet de bonbons.

— Oh ! Merci, dis-je.

Je me servis, puis pris l'ascenseur en mastiquant.

Lorsque j'arrivai au Rayonnage 2, Aaron lisait à son
bureau habituel. Je ne vis Marc nulle part.

— Salut, Aaron ! Où est Marc ?

— En bas, au Rayonnage 1. Pourquoi ?

— Mme Callender m'a dit de demander à l'un de vous de me montrer comment balayer les rayons.

Aaron eut l'air irrité :

— Et tu préférerais solliciter Marc, c'est ça ?

— Non, je viens juste… Comme il est descendu par l'escalier avant moi, je croyais qu'il serait là.

— Super. Un nouveau membre du fan-club de Marc Merritt !

— Non… Enfin, bien sûr, je le trouve cool et tout, mais je ne fais pas partie de son fan-club, me justifiai-je.

Aaron me décocha un regard qui, sous un éclairage différent, aurait sans doute suggéré qu'il n'en revenait pas d'être coincé au Rayonnage 2 avec une telle idiote. Cependant, sous la lumière de la lampe de bureau, il avait surtout l'air d'un ogre sur le point de me manger.

— Je veux dire… La plupart des membres de son fan-club sont beaucoup plus jeunes, expliquai-je.

Les ombres bougèrent sur son visage. À présent, il ressemblait à un ogre en train de s'étrangler avec l'idiote qu'il avait avalée.

— Il y a même les petites sœurs de certaines de ses fans, ajoutai-je.

— Tu plaisantes ? Il n'existe pas réellement un fan-club de Marc Merritt ? ! demanda Aaron.

Ce fut mon tour de m'énerver :

— Bien sûr que si ! Et je suis certaine que tu pourrais y adhérer, étant donné l'intérêt que tu lui manifestes. Ça plairait beaucoup à toutes ces petites filles d'avoir un grand avec elles, même si ce n'est que toi.

Aaron se leva et dit froidement :

— « Balayer les rayons » signifie : « s'assurer que tous les objets sont bien à leur place ». Vérifier les étiquettes, chercher les articles manquants, repérer les objets mal rangés. Consigner toute anomalie. Tu commences à ce bout, moi, à l'autre.

Sur ce, il s'éloigna à grands pas dans l'obscurité.

Je passai une heure à examiner méticuleusement des rangées et des rangées de chaussures. Il y en avait assez pour tenir bien au chaud tous les orteils de la ville. Saviez-vous qu'en France, au XVIIe siècle, les chaussures gauche et droite avaient la même forme ? Ou que les Égyptiens anciens mettaient à leurs momies des chaussures faites en papyrus et en feuilles de palmiers ? Ou encore que, dans la Pologne du XIVe siècle, les bouts des chaussures étaient si longs et pointus que les gentils-hommes à la mode donnaient l'impression d'avoir des serpents aux pieds ?

Tout était à sa place, dans cette zone. Il y avait certes un vide à un endroit, mais je trouvai une fiche d'emprunt pour une paire de chaussures de sport pointure 46,5.

Inspectant un rayon de chaussures à semelles compensées provenant de la Venise de la Renaissance, je tournai à un angle et — surprise ! — tombai sur Marc, qui tenait une paire de bottines marron à la main.

— Oh ! Tu travailles donc bien dans ce rayonnage aujourd'hui ? lui lançai-je.

— Non, je suis au Cachot.

— Qu'est-ce que c'est ? m'enquis-je.

— Le Rayonnage 1.

— Que fais-tu ici, alors ?

— Je rapporte ça, répondit Marc en me montrant les bottines.

— Ah, d'accord. Tu veux que je cherche ta fiche d'emprunt ?

— Non, je... je n'en ai pas rempli. J'ai juste emprunté ces bottes pour un tout petit moment... Les miennes étaient humides, et j'avais froid aux pieds. Je me suis dit que personne ne remarquerait qu'elles étaient sorties. Garde ça pour toi, OK ?

— Pas de problème.

Était-ce le genre de requêtes suspectes auxquelles M. Mauskopf m'avait demandé de prêter attention ? Non, certainement pas : après tout, M. Mauskopf connaissait Marc ; c'était lui qui l'avait recommandé pour ce travail. Il m'avait même dit qu'il était ami avec son oncle. Si Marc faisait quoi que ce soit de suspect, mon professeur en saurait sûrement davantage que moi. En outre, voilà que le génial Marc Merritt me demandait une faveur, à moi ! Comment aurais-je pu refuser ?

— Merci, Elizabeth, dit Marc, avant de s'éloigner d'un pas pressé.

Quelques armoires plus loin, je découvris un épouvantable fouillis dans la section des cuissardes et des jambières en cuir. J'entrepris de les trier, mais je ne parvenais pas à comprendre la documentation qui leur était associée. Alors, je mis ma fierté dans ma poche et j'allai demander de l'aide à Aaron.

— Waouh ! Quelle pagaille ! s'exclama-t-il. On dirait la chambre de mon frère quand il n'arrive pas à trouver ses baskets. Emportons tout ce bazar devant, et essayons de le trier là où l'éclairage est meilleur.

Il empila le méli-mélo sur un diable, qu'il poussa jusqu'à l'Aire d'Entreposage Temporaire :

— Essaie de dénicher les étiquettes de ces articles. Moi, je vais voir qui les a empruntés en dernier.

Il commença à feuilleter les fiches dans le dossier des prêts. Soudain, il grogna, puis lança :

— Je m'en doutais !

— Quoi ?

— La dernière demande pour *II T&C 391.4636 B37* a été traitée par *MM* : *Marc Merritt*. Idem avec *II T&C 391.413 A44*.

— Cela ne signifie pas que c'est lui qui les a mal rangés, raisonnai-je. Il est possible qu'ils aient été rendus des semaines plus tard.

— Eh bien, ce n'est pas le cas. Ils ont été retournés le même jour.

— Est-ce que la fiche mentionne qui les a replacés ? m'enquis-je.

— Non, nous ne notons pas cette information.

— Alors pourquoi présumes-tu que c'est Marc ?

— Et toi, pourquoi présumes-tu que ce n'est pas lui ? rétorqua Aaron. Il travaillait dans ce rayonnage ce jour-là.

— Quelqu'un d'autre y était peut-être avec lui.

— Peut-être. Mais nous n'avons aucune preuve de la présence d'un autre employé.

— Il n'y a pas non plus la preuve que Marc était seul. Et quelqu'un aurait très bien pu mélanger tous ces articles plus tard. Qui sait ce qui s'est passé ? Il se peut que ce soit l'œuvre de la magasinière qui s'est fait renvoyer.

— Les preuves sont là, insista Aaron.

— Qu'est-ce que tu as contre Marc ? l'interrogeai-je.

— Personnellement, rien. C'est juste que je ne comprends pas pourquoi tout le monde lui passe toujours tout, uniquement parce que c'est une star du basket. On dirait que vous pensez qu'il est forcément irréprochable. Vous fermez les yeux sur tous les trucs louches qu'il fait.

Aaron était très énervé.

Eh bien, moi aussi, j'étais très énervée !

— Quels trucs louches ? le questionnai-je. Et c'est qui, «tout le monde» ? Anjali, par exemple ?

— Non, tout le monde ! Vous, les filles, vous êtes les pires, mais les bibliothécaires ne valent pas mieux que vous. Et je n'aime pas la façon que Marc a de toujours rôder autour de la Collection Grimm.

— Ah bon ? Et qu'est-ce qu'elle contient, la Collection Grimm ?

Ma question parut irriter Aaron encore plus.

— Oublie ça ! lâcha-t-il d'un ton sec. J'aurais dû me taire. Bon, je pars en pause. Laisse ce bazar. Je vais demander à un bibliothécaire de venir y jeter un œil.

Puis il sortit avec raideur par la porte coupe-feu.

Je réfléchis à ce qu'il avait dit. En fait, l'épisode de Marc avec les bottines était bel et bien louche. Et s'il avait négligé de remplir une fiche d'emprunt pour ces chaussures, n'était-il pas également possible qu'il ait négligé de remettre les cuissardes et les jambières en place ?

D'un autre côté, il avait rapporté les bottines aussitôt, ce qui était un geste tout à fait responsable. Sans doute Aaron était-il simplement jaloux de Marc.

C'était compréhensible. Si j'avais été un garçon, j'aurais été jalouse de lui, moi aussi.

La porte du rayonnage s'ouvrit, et une femme que je ne connaissais pas entra. Elle était grande et maigre, portait des lunettes et un chignon — la caricature de la bibliothécaire. Pourtant, c'était la première fois que je voyais une personne de cette profession avec cette allure.

— Elizabeth, n'est-ce pas ? Je suis Lucy Minnian, se présenta-t-elle. Aaron m'a dit que tu avais tout un fouillis à classer.

— Oui, j'étais en train de balayer les rayons quand je suis tombée sur ça…

La bibliothécaire avisa l'enchevêtrement d'objets, puis siffla doucement.

— Il vaut mieux que j'aille chercher Lee, décida-t-elle, avant de partir.

Peu de temps après, le docteur Rust arriva.

— Quel est le problème, ici ? m'interrogea-t-il.

— J'ai trouvé toutes ces pièces déplacées.

— Hum… Ça m'a l'air d'être l'œuvre de cette Zandra Blair. Elle semait le chaos partout où elle allait. Il nous a fallu un moment pour comprendre que c'était elle la fautive — elle était très douée pour rejeter la responsabilité sur les autres. Je suis content qu'elle ne travaille plus ici ! Voyons, des étiquettes étaient-elles attachées à ces objets ?

– Je n'en ai pas trouvé.

Le docteur Rust commença à trier les jambières, en séparant les lanières emmêlées.

– Si seulement nous disposions de moyens plus modernes, tels que des étiquettes électroniques, nous n'égarerions plus de pièces !

– Pourquoi n'utilisez-vous pas ce système, alors ? demandai-je. Parce que c'est trop cher ?

– Non, ce n'est pas la raison. Nous pourrions sans doute trouver les fonds nécessaires pour nous moderniser. Mais les membres du conseil d'administration se méfient beaucoup de la technologie – ils l'appellent la « magie moderne ».

– En quoi cela serait-il un problème ? Je trouve ça bien, moi, la magie moderne.

– C'est aussi mon avis. Mais eux préfèrent les vieilles méthodes.

D'une main, le docteur Rust porta une paire de cuissardes en cuir à son oreille, comme pour écouter un secret, puis il griffonna quelque chose sur une étiquette blanche, qu'il attacha à la boucle de l'une d'elles. Je l'observais attentivement, dans l'espoir de surprendre ses taches de rousseur en train de bouger, mais il faisait trop sombre pour les distinguer.

Le docteur Rust *écouta* une autre paire de jambières, les secoua et les colla de nouveau contre son oreille.

— Docteur Rust, puis-je vous poser une ques…

Je m'interrompis. Je connaissais sa réponse.

— Bien sûr, il faut toujours poser des ques…

— Qu'est-ce que la Collection Grimm ?

Il posa les jambières et me regarda d'un air grave pendant un long moment. Enfin, il déclara :

— Stan Mauskopf ne nous a jamais envoyé un mauvais magasinier.

Était-ce sa réponse ?

— J'apprécie vraiment qu'il ait une bonne opinion de moi. Je ferai tout pour continuer à la mériter, assurai-je.

— Je suis certain que tu réussiras, dit le docteur Rust. Oui, absolument certain.

Puis il prit une profonde inspiration.

— La Collection Grimm est l'une des Collections Spéciales du Rayonnage 1 — sans doute la plus spéciale de toutes, m'expliqua-t-il. Le fonds initial est parvenu à la bibliothèque en 1892 sous forme de legs de la part de Friedhilde Hassenpflug, une petite-nièce de Jacob et Wilhelm Grimm.

— Je les connais ! Je viens d'écrire une dissertation à leur sujet pour M. Mauskopf.

— Tu connais donc aussi leurs recueils de *Märchen* — des contes populaires et des contes de fées. Mais ils n'ont pas recueilli que des histoires. Ils ont aussi rassemblé une quantité considérable d'objets.

— Oh, c'est super ! Je savais que les frères Grimm aimaient l'Histoire, mais j'ignorais qu'ils s'intéressaient aussi à l'histoire des… des objets, des *choses*.

Le docteur Rust hocha la tête :

— Oui, cela s'appelle la « culture matérielle » : l'étude des liens que les objets physiques ont avec la société et l'Histoire. C'est une discipline académique relativement nouvelle, mais, dans un sens, elle a toujours été au cœur de la mission du Dépôt. Elle n'existait pas en tant que telle à l'époque des Grimm — qui étaient des visionnaires à de nombreux points de vue. Nous sommes très privilégiés de pouvoir nous occuper de leur collection.

— Quel genre d'objets collectionnaient-ils ?

— Des choses qui sont mentionnées dans les *Märchen*.

— Que voulez-vous dire ? Les pantoufles de Cendrillon, par exemple ?

— Des choses comme ça, oui.

Décelai-je une pointe de mélancolie dans la voix du docteur Rust ?

— Nous n'avons pas les vraies pantoufles de Cendrillon, mais c'est l'idée, nuança-t-il.

Je fus soulagée d'entendre que le docteur Rust n'était pas assez fou pour prétendre que le Dépôt abritait les véritables pantoufles de Cendrillon. S'il avait dit cela, il aurait vraiment beaucoup exagéré.

— Qu'avez-vous, alors? m'enquis-je.

— Oh, des fuseaux, de la paille, des haricots, des larmes. Un cercueil de verre. Un œuf en or, entre autres... Les Grimm étaient des collectionneurs sérieux et méthodiques. Bien entendu, au fil des ans, nous avons ajouté à la collection quantité d'objets liés à d'autres contes de fées et folklores. Je suis particulièrement fier de notre fonds français — nous possédons le meilleur après les *Archives Extraordinaires*[1] de Paris. Et la Collection Grimm contient également un nombre important de pièces en relation avec *Les mille et une nuits*.

— J'adorerais voir ça !

— Un de ces jours, peut-être. Nous aimons apprendre à connaître nos magasiniers pendant un certain temps avant de les laisser travailler dans nos Collections Spéciales. Certaines de leurs pièces sont très... puissantes.

Si ces objets étaient réellement ceux qui avaient inspiré les célèbres contes de fées, alors « puissant » était l'adjectif approprié, songeai-je. J'essayai d'imaginer l'impression que cela me ferait de toucher le fuseau à l'origine de *La belle au bois dormant*. Lorsque j'avais six ans, ma mère m'avait emmenée voir le ballet du

---

1. En français dans le texte.

même nom, composé par Tchaïkovski — c'est ce jour-là que j'étais tombée amoureuse de la danse classique et des contes de fées. Comme j'aurais voulu que ma mère soit toujours vivante ! J'aurais adoré voir l'expression de son visage quand je lui aurais parlé de la Collection Grimm.

Si seulement j'en avais connu l'existence avant d'écrire mon devoir pour M. Mauskopf ! Je me demandais ce que mon professeur pensait de tout cela. J'espérais pouvoir bientôt admirer ces objets. Je travaillerais dur et montrerais au Doc et aux autres que j'étais digne de confiance.

— Waouh ! Cette collection a l'air incroyable ! m'exclamai-je. J'aimerais beaucoup y travailler.

— Patience, souffla le docteur Rust. Comme dit le proverbe akan : « On ne mange un éléphant qu'une bouchée à la fois. »

5

Usagers particuliers
et bottes qui ne fonctionnent pas

Je reçus ma première paye deux semaines plus tard
– j'achetai donc de nouvelles tennis et même quelques
vêtements qu'il me manquait suite au départ de Hannah
à l'université... Je travaillais au Dépôt deux soirs par
semaine, plus le samedi.

Les jours suivants, je fus affectée au Rayonnage 5
(*V O : Outils*), au Rayonnage 4 (*IV M : Musique*) ainsi qu'au
Rayonnage 7 (*VII BA : Beaux-arts*). C'était amusant de sortir les râteliers à roulettes remplis de tableaux et de voir
la mosaïque de styles que ces derniers constituaient une
fois placés côte à côte. Des portraits cubistes côtoyaient
des scènes domestiques sentimentales et des paysages
héroïques. Les sculptures, très lourdes, étaient souvent
difficiles à manier. Heureusement, comme nous travaill-
lions à deux par rayonnage, il y avait toujours quelqu'un

pour m'aider. En général, c'était Marc, et parfois Josh, un garçon calme, de forte carrure.

Au bout de quelques semaines, je me surpris à regarder les choses ordinaires différemment : les chaises, les fenêtres, les roulottes à hot-dogs... Je remarquais leurs formes, leurs matériaux, leurs fonctionnements. Ainsi, je m'aperçus de la variété des portes des habitations, dans mon quartier : celles en chêne sculpté des bâtiments de grès brun-rouge, les portails en fer forgé des immeubles, et les grilles métalliques couvertes de graffitis des boutiques. Les objets m'en rappelaient soudain d'autres, qui se trouvaient souvent dans la collection du Dépôt : la fontaine située devant le Plaza Hotel[1] ressemblait à un coquetier du Rayonnage 9, le casque à vélo de mon père avait les mêmes courbes aérodynamiques qu'un tourne-disque du Rayonnage 4. J'avais l'impression d'avoir des yeux neufs. Mon père n'avait toujours pas trouvé le temps de venir visiter les lieux. Il ne savait pas ce qu'il perdait.

Après que j'eus rattrapé une erreur potentiellement grave au Rayonnage 9 – Josh s'apprêtait à ranger un chaudron pour faire fondre le plomb, du Rayonnage 5 (*V O : Outils*), avec les casseroles de la section ustensiles

---

1. Plaza Hotel : l'un des plus célèbres hôtels de New York, situé en face de Central Park.

de cuisine du Rayonnage 9 (*IX AM : Appareils Ménagers*) –, Mme Callender décida que j'étais prête pour travailler dans la Salle d'Examen Principale, la SEP.

Je commençai par un samedi froid et radieux. Je ne m'étais jamais rendue dans la Salle d'Examen Principale par une journée ensoleillée. Lorsque j'ouvris la porte du couloir sombre qui donnait sur la pièce, j'eus du mal à croire que je me trouvais dans le même bâtiment – ou dans n'importe quel bâtiment, d'ailleurs. Autour de moi, tout était inondé de la lumière du soleil qui filtrait à travers des feuilles, des fleurs et des branches d'arbres. Cette lumière scintillait sur des ruisseaux, des chutes d'eau et des amoncellements de neige. Elle luisait sur des rochers mouillés et sur des ailes de merles.

Au bout d'un moment, je compris ce que j'étais en train de regarder : pas un petit bois enchanté, mais les fameux vitraux de Tiffany. Les quatre murs de la SEP étaient recouverts de panneaux représentant des paysages de forêt. Au nord, il y avait l'hiver, avec des rochers voilés de givre et des branches noires qui se détachaient sur un ciel clair. À l'est, c'était le printemps : crocus, léger duvet de gazon, arbres en fleurs perdant des pétales qui semblaient tournoyer et flotter dans les airs. Au sud, l'été : épais tapis de hautes herbes, d'où dépassaient çà et là des oiseaux, et deux biches qui se penchaient pour boire dans un ruisseau mousseux. Enfin, à l'ouest, l'automne, dans sa flamboyance jaune et rouge. Je n'avais jamais rien vu d'aussi magnifique.

Environ une minute plus tard, je remarquai que Mme Callender me faisait signe du centre de la pièce, où les monte-charge et les conduites pneumatiques se rejoignaient derrière une superbe cloison en bois sculpté.

Elle sourit en voyant mon expression.

– C'est beau, n'est-ce pas ? me lança-t-elle. J'adore cet endroit. Tiffany était un vrai génie.

– C'est splendide ! m'exclamai-je.

Je repensai à mon père. Il ne savait vraiment pas ce qu'il ratait !

– Bon, maintenant, au travail ! annonça la bibliothécaire. Aujourd'hui, tu peux t'asseoir au bureau pour comprendre le fonctionnement de ce lieu. Les magasiniers postés dans les autres rayonnages t'enverront des articles que tu devras remettre aux emprunteurs. Et, toutes les trente minutes, tu effectueras une ronde de collecte : en faisant le tour de la salle avec le chariot, tu récupéreras les objets dont les usagers auront fini de se servir.

Je m'attendais à ce que le silence règne dans la SEP, comme dans n'importe quelle bibliothèque. Or, l'endroit était assez bruyant, surtout dans le box de préparation en bois sculpté où nous travaillions, deux autres magasiniers et moi. Les radiateurs sifflaient tels des lézards languissant d'amour, les monte-charge sonnaient lorsqu'ils arrivaient, et les tubes pneumatiques atterrissaient dans leurs paniers en cognant avec des bruits lourds et sourds, comme de petites météorites. Pendant ce temps-là, les vitraux chatoyaient et luisaient tout autour de nous. Étant donné que je n'arrêtais pas de les admirer, je perdais sans cesse le fil de mon travail.

Sarah, une magasinière blonde et grassouillette, était assise sur un tabouret à roulettes près d'une longue rangée d'au moins une dizaine de conduites pneumatiques. Chaque fois qu'un tube tombait dans un panier, elle se déplaçait sur son siège, d'un bout à l'autre de la rangée, pour trouver la conduite où l'introduire – chacune menant à un rayonnage différent. Elle travaillait si vite que j'en avais le vertige. J'étais contente de ne pas avoir son poste.

C'était fascinant, de voir les usagers en personne. Je me souvenais des noms de certains grâce aux fiches d'emprunt que j'avais traitées dans les rayonnages inférieurs. Tous portaient des gants en coton blanc, ce qui leur conférait un air étrangement solennel.

L'homme des studios de production Dark on Monday vint demander un autre pourpoint. Il était plus petit que je ne l'avais imaginé.

Au fond de la salle, sous les vitraux figurant l'hiver, étaient installées deux personnes à l'allure de sans-abri.

L'une d'elles, une demi-douzaine de sacs de provisions à ses pieds, sommeillait, la tête posée sur la table.

— Ils ont le droit de dormir ici ? demandai-je à Mme Callender.

Elle jeta un coup d'œil dans la même direction que moi.

— Ce n'est pas interdit — et puis, c'est juste Grace Farr. Parfois, l'hiver, des gens entrent au Dépôt pour se réchauffer. On peut les laisser dormir, sauf s'ils ronflent et dérangent les autres usagers. Si tu as un problème, demande à Anjali de t'aider, ou envoie-moi un pneu. Je serai en bas, au Rayonnage 6. Mais Grace ne te causera pas de souci ; c'est une amie.

— D'accord, acquiesçai-je, heureuse que le Dépôt laisse les gens se réchauffer dans ses locaux.

Une demi-heure plus tard, Anjali m'envoya collecter les objets dont les usagers n'avaient plus besoin. Le roulement de mon chariot réveilla Grace Farr quand je passai devant elle. Lorsqu'elle leva la tête, je reconnus ses yeux gris pâle. C'était la femme de la rue à qui j'avais donné mes tennis !

— Bonjour, la saluai-je, étonnée.

— Bonjour, me répondit-elle.

Elle m'adressa un clin d'œil, avant de reposer sa tête sur la table. Je continuai ma ronde.

Mes usagers préférés étaient deux hommes âgés, vêtus de costumes élimés mais bien repassés. Ils demandèrent un magnifique jeu d'échecs russe du XVIIIe siècle, sculpté dans de l'ivoire de morse, et l'emportèrent à une table d'angle, sous les vitraux représentant l'automne. Ils y passèrent le reste de mon service à jouer une partie intense.

Un autre usager, un homme de petite taille à la barbe soigneusement taillée, étudiait des globes terrestres. Il en avait emprunté six, qu'il avait alignés au centre de l'une des longues tables, sous une lampe. Il les faisait tourner dans tous les sens, scrutant les continents à travers une loupe et prenant des notes. Il paraissait se sentir comme chez lui. Lorsqu'il allait retirer un nouveau globe, il s'arrêtait pour échanger quelques mots avec les joueurs d'échecs. Et il ne cessait de lancer des coups d'œil à Anjali.

— Qui est cet homme ? Un cartographe ? demandai-je à ma collègue.

— Non, un antiquaire. Il me fiche la trouille, à toujours me fixer comme ça.

— Ouais, moi aussi, j'ai remarqué qu'il t'observait. Que fait-il avec tous ces globes ?

— Il essaie sans doute de savoir si un modèle ancien qu'il veut vendre est authentique, ou d'où il vient, ou encore quel prix en demander, supposa Anjali.

L'homme regardait sans arrêt dans notre direction, en fronçant les sourcils d'un air pensif. Il ne semblait pas vraiment admirer Anjali comme le faisaient souvent les garçons — il donnait plus l'impression d'évaluer un tableau qu'il envisageait d'acquérir.

Après que j'eus travaillé environ une heure, un homme vint emprunter une paire de bottes qui ressemblait beaucoup à celle que Marc avait prise le jour où ses pieds étaient mouillés. Était-ce la même ? La ressemblance était si frappante que j'en étais convaincue. Je vérifiai la cote, m'attendant à ce que cette pièce provienne du Rayonnage 2 — *Textiles et Costumes*. Pourtant, elle commençait par *I *CG*, préfixe que je n'avais encore jamais vu.

Peu de temps après, l'homme rapporta les bottes.

— Excusez-moi, mais vous ne m'avez pas donné les bonnes, se plaignit-il.

Je revérifiai l'étiquette qui était attachée aux lacets : *I *CG 391.413 S94*.

— Si, dis-je. L'étiquette correspond bien à la cote figurant sur votre fiche d'emprunt.

— Eh bien, ces bottes ont dû être mal étiquetées. Elles ne fonctionnent pas.

— Que voulez-vous dire par « elles ne fonctionnent pas » ? Ce n'est pas votre pointure ?

— Si, si. C'est juste qu'elles *ne fonctionnent pas*, répéta l'usager.

— Comment des bottes peuvent-elles *ne pas fonctionner* ?! m'étonnai-je.

Mon interlocuteur me dévisagea :

— Je pense qu'il vaudrait mieux que je parle à un
bibliothécaire. Pouvez-vous m'appeler votre responsable, s'il vous plaît ?

— Très bien.

J'allai montrer les bottes à Anjali.

— Où est le téléphone ? lui demandai-je. J'ai besoin de
joindre Mme Callender.

— Demande à Sarah de lui envoyer un pneu. Pourquoi ? Qu'y a-t-il ?

— Il y a un usager qui prétend que ces bottes ont été
mal étiquetées. C'est bizarre : il dit qu'elles ne fonctionnent pas.

— Quoi ? Montre-les-moi, fit Anjali, alarmée.

Je lui tendis les bottes.

— Oh, n'embêtons pas Mme Callender avec ça !
s'empressa-t-elle d'ajouter. Tu peux te débrouiller sans
moi pendant quelques minutes ? Je reviens tout de suite.

Elle alla à la fenêtre du box et s'entretint avec l'usager, puis sortit précipitamment.

J'avais du mal à suivre la cadence d'arrivage des
objets. Un monte-charge tintait alors que je sortais un
article d'un deuxième, puis le troisième monte-charge
sonnait à son tour et s'ouvrait. Les choses s'entassaient

continuellement pendant que je courais entre les monte-charge et le bureau. Je me demandais comment Anjali parvenait à faire ce travail avec autant de grâce.

Une file d'attente se forma devant la fenêtre du box, et les usagers se mirent à murmurer, émettant un bruit léger mais menaçant. Le petit homme barbu me regarda en fronçant les sourcils lorsque je laissai glisser l'un des globes, dont le pied heurta le bureau. Je fus soulagée quand Anjali revint avec une paire de bottes à la main.

— Ouf, te revoilà ! Je commençais à paniquer ! Ce sont les bonnes bottes, celles-ci ?

— Oui, elles avaient été mal rangées.

— C'est donc une autre paire ?

Anjali hocha la tête. J'avais pourtant l'impression que c'était la même. Elle s'excusa auprès de l'usager qu'elle avait fait patienter. Il prit les nouvelles bottes et les renifla. Après s'être entretenu à voix basse avec elle (le brouhaha ambiant m'empêcha d'entendre leur conversation), il partit avec les bottes, apparemment satisfait.

— Tout va bien ? interrogeai-je Anjali.

— Oui, j'ai réglé le problème. Tu n'auras pas besoin d'en parler à Mme Callender.

— D'accord.

Lorsque Mme Callender reparut avec Marc, Anjali sembla inquiète pendant quelques instants, mais elle se détendit quand Marc lui adressa un sourire rassurant.

Consultant son écritoire à pince, la bibliothécaire annonça :

— Marc, tu es en poste aux monte-charge. Sarah, à la fenêtre du box, d'accord, mon chou ? Et, Anjali, peux-tu montrer à Elizabeth comment on traite les tubes pneumatiques ? Je serai au Rayonnage 6, si vous rencontrez des difficultés.

Anjali me conduisit au tabouret à roulettes sur lequel Sarah était assise un moment plus tôt. Elle en tira un autre jusque devant l'enchevêtrement de conduites, où les tubes atterrissaient bruyamment.

— C'est un peu comme un standard téléphonique, m'expliqua-t-elle. Toutes les stations de routage des tubes pneumatiques disposent d'une conduite qui arrive ici. Quelques-unes sont reliées directement entre elles, mais la plupart ne le sont pas. Par conséquent, si quelqu'un souhaite envoyer, disons, un pneu du Rayonnage 4 au Rayonnage 7, ce tube doit transiter par nous.

— C'est beaucoup de travail, non ? devinai-je.

— Oui. Il faut expédier les tubes pneumatiques rapidement, sinon tout le système risque de devenir encombré, et il est alors facile de faire une erreur. Mais ne t'inquiète pas trop : si tu envoies un tube au mauvais rayonnage, on nous le renverra aussitôt.

Ce travail était épuisant, mais grisant, comme un jeu vidéo. Il y avait un millier de règles à mémoriser. Les tubes pneumatiques rouges allaient au Rayonnage 6, où se trouvaient les bureaux des bibliothécaires. Les objets transportés dans des tubes bleus étaient destinés au docteur Rust. Les tubes contenant des fiches d'emprunt devaient rejoindre le rayonnage approprié. Il fallut que j'apprenne par cœur quel rayonnage abritait quelles collections. Les outils étaient rangés au Rayonnage 5, les appareils ménagers au 9, les éléments périssables au 8.

— Qu'est-ce qu'on range, dans les *Éléments Périssables*? demandai-je à Anjali.

— Ce qui a une durée de vie limitée.

— Tu veux dire des trucs comme les ampoules électriques et les serviettes en papier?

— Non, ça, ce sont les *Objets Éphémères*, au Rayonnage 3. Enfin, je parle des serviettes en papier... Parce que les ampoules se trouvent ailleurs. Certaines sont au Rayonnage 5, *Outils et Instruments scientifiques*, tandis que d'autres sont au 9, *Appareils Ménagers*.

— Ah, OK! Et quels sont les éléments périssables, alors?

— Les plantes et les animaux.

— Quoi? m'exclamai-je. Tu plaisantes! C'est un zoo, ici, ou quoi? Est-ce que les gens peuvent emprunter, par exemple, une girafe?

— J'en doute, répondit Anjali avec un sourire. Je ne pense pas qu'il y ait de girafe dans la collection. De toute façon, si c'était le cas, elles seraient dans l'annexe.

— Quelle annexe ?

— L'annexe est un lieu hors site où l'on entrepose des objets gigantesques. Leurs fiches d'emprunt commencent par *A*. Comme celle-ci, tiens — ah, non, oups ! C'est *V*.

— Qu'est-ce que ça veut dire, *V* ?

— *Objets de Valeur*. Ils sont conservés dans les rayonnages où sont rangés les autres articles de la même catégorie, mais dans des pièces fermées à clé. Les magasiniers ne sont pas autorisés à traiter ces fiches. Seuls les bibliothécaires possèdent les clés. Nous devons donc envoyer les pièces dont la fiche de prêt commence par *V* au Rayonnage 6.

— Oh, d'accord. La perruque de Marie-Antoinette fait partie de ces articles, n'est-ce pas ? me rappelai-je. Mme Callender m'a montré cette pièce, qui est gardée dans une salle verrouillée, au Rayonnage 2.

— Exactement.

J'expédiai une demande pour une théière au Rayonnage 9, une deuxième pour une guitare au Rayonnage 4, et trois autres pour des chapeaux au Rayonnage 2.

Il me fallut un moment pour comprendre comment utiliser les conduites. Au début, je n'arrêtais pas de refermer leurs portes sur mon pouce. Pourtant, je finis par adopter un rythme propice à la méditation. Mes mains voletaient avec facilité du panier aux tuyaux.

Le sifflement, le cliquetis et le grincement des machines se mirent à m'évoquer les bruits de la forêt : le murmure d'une chute d'eau, le bruissement de feuilles d'arbres, le jacassement des écureuils. Du coin de l'œil, j'avais l'impression de voir des choses bouger sur les vitraux de la Salle d'Examen Principale – les oiseaux, les branches, l'eau –, même si je savais que c'était impossible.

Une fiche d'emprunt commençant par *I *LW* atterrit dans le panier.

– Que signifie *LW* ? demandai-je à Anjali.

– C'est le Legs Wells ; il jouxte la Collection Grimm. Envoie la fiche au Cachot – Rayonnage 1.

Encore le Cachot ! De toute évidence, c'était là qu'étaient conservées les pièces les plus intéressantes.

– Et que contient-il, ce Cachot ? m'enquis-je.

Anjali prit une profonde inspiration et détourna le regard. Devinant qu'elle se préparait à ne pas répondre à ma question, je m'empressai d'ajouter :

– Le docteur Rust m'a appris que la Collection Grimm regorge d'objets que les frères Grimm ont amassés lorsqu'ils écrivaient leurs contes.

J'espérais qu'Anjali prendrait cette information comme une autorisation à m'en révéler davantage.

– Le Legs Wells abrite-t-il lui aussi des articles en relation avec les contes de fées ? poursuivis-je.

— Pas tout à fait, non. Ce sont des pièces qui relèvent de la science-fiction. On a baptisé cette collection en souvenir de H.G. Wells, l'auteur de *La machine à explorer le temps*.

— Oh! Alors que contient ce legs? Une machine à explorer le temps, par exemple? demandai-je en plaisantant.

M'ayant entendu depuis le bureau, Marc lança un regard noir à Anjali.

— C'est difficile à dire, déclara celle-ci, évasive. Je ne connais personne qui l'ait essayée.

— Essayé quoi?

— La machine à explorer le temps.

— Parce qu'il y a bien une machine à explorer le temps? m'étonnai-je.

Cela paraissait insensé.

— Qu'y a-t-il d'autre dans ce legs?

— Oh, je ne sais pas... Beaucoup de choses. C'est vraiment le domaine d'Aaron. Interroge-le à ce sujet si ça t'intéresse. Il est une sorte d'expert en science-fiction.

Comme si Aaron allait accepter de me dévoiler quoi que ce soit!

— D'accord. Mais quel est le thème de cette collection? Des choses qui ont inspiré des romans de science-fiction célèbres?

— Oui, exactement.

— Et ces pièces appartenaient-elles à H.G. Wells?

— Quelques-unes, oui.

— Et les autres, c'est quoi?

— Des rayons rétrécissants, des fusées miniatures...
C'était une plaisanterie, forcément!

— Ces choses fonctionnent-elles? m'enquis-je, entrant dans le jeu d'Anjali.

— Eh bien, les fusées, oui. Ce n'est pas difficile de fabriquer une fusée miniature. J'en ai moi-même conçu une l'année dernière, pour la fête de la science de mon lycée.

— Et les rayons rétrécissants?

— D'après toi?

— Qu'y a-t-il d'autre, en bas? demandai-je.

— Où ça, dans le Cachot? Eh bien, il y a le Jardin des Saisons. La Chrestomathie de Gibson[1] et le Corpus de Lovecraft[2], qui sont tous deux des acquisitions relativement récentes.

À ce moment-là, Marc vint à notre poste.

— Tu es en train de lui parler de ça? dit-il à Anjali, d'une voix inquiète.

---

1. William Gibson est né en 1948 aux États-Unis. Auteur de romans de science-fiction, dont la *Trilogie de la Conurb*, il est à l'origine du mouvement cyberpunk.
2. Howard Phillips Lovecraft (1890-1937) est un écrivain américain célèbre pour ses récits d'horreur, fantastiques et de science-fiction.

— Pas de panique, Marc. Le Doc lui a déjà parlé de la Collection Grimm.

— Est-ce qu'il lui a donné sa clé ?

Anjali me regarda en haussant les sourcils d'un air interrogateur.

— Quelle clé ? demandai-je.

— Anjali ! gronda Marc.

— Ne t'en fais pas, le rassura Anjali. C'est une bonne magasinière. J'ai de l'intuition pour ce genre de chose — je t'ai bien reconnu, toi, n'est-ce pas ?

— Si tu le dis…, fit Marc d'un ton dubitatif.

— Quelle clé ? demandai-je à nouveau.

— Tu le sauras bien assez vite, si Anjali a raison, affirma Marc.

— Alors, qu'y a-t-il dans le *crestobidule* Gibson et le Corpus de Lovecraft ? Et dans le Jardin des Saisons ? insistai-je.

— La Chrestomathie de Gibson contient principalement de la technologie informatique et des logiciels, m'informa Anjali.

— Ah bon ? J'aurais cru que tout ça se trouverait au Rayonnage 5 : *Outils*.

— La plupart, oui. Mais les… trucs spéciaux sont conservés en bas.

— Quelle sorte d'objets figure dans le machin de Gibson, alors ?

— Dans la Chrestomathie ? De l'intelligence artificielle, des virus d'ordinateurs intéressants…

— Et dans le Jardin des Saisons ?

— Je ne sais pas trop, répondit Marc. Je n'y suis jamais allé. Cet endroit est censé être aussi incroyable que les vitraux de Tiffany.

Je notai dans un coin de ma tête qu'il faudrait que j'aille jeter un œil à ce jardin, si jamais c'était possible.

— Et le Corpus de Lovecraft, qu'est-ce que c'est ? m'enquis-je.

— Ne parle pas de ça ! me rabroua Marc. Tu ne devrais même pas y penser. Anjali n'aurait jamais dû mentionner son existence devant toi. N'y descends surtout pas !

— Pourquoi ? Que contient-il ?

— Je suis sérieux. Ne t'approche pas du Corpus de Lovecraft ! Ce lieu n'apporte que des ennuis !

Je devais absolument descendre au Cachot bientôt ! Même à supposer que Marc et Anjali me fassent marcher en prétendant que le Dépôt abritait quelques pièces extraordinaires, tous les articles vraiment fascinants — et peut-être dangereux — se trouvaient apparemment dans les Collections Spéciales, au Rayonnage 1. Je devais à tout prix les voir.

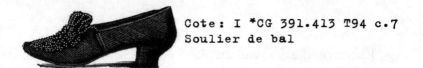
6

La Collection Grimm

Le samedi suivant, Mme Callender m'envoya au Rayonnage 2 avec un diable chargé de retours du service «Costumes» de l'Opéra de la Ville. Cela faisait une heure que j'emballais des robes pailletées dans des housses en mousseline, en me disant qu'au moins c'était plus glamour que de ranger mon linge à moi, lorsque j'entendis une voix aiguë et insistante. Je levai les yeux et vis un petit garçon.

J'eus l'impression que quelqu'un avait réalisé une copie exacte de Marc Merritt, en miniature. Cet enfant était habillé exactement comme Marc : il portait un jean, un sweat-shirt à capuche et des baskets immaculées. Il avait les mêmes grands yeux marron et les mêmes cils longs et recourbés. Ses joues étaient plus rondes, sa peau plus foncée, et ses bras et ses jambes proportionnellement plus courts, mais il avait le même menton ferme et le même froncement de sourcils déterminé.

— J'ai envie d'aller, me dit-il.

— Où as-tu envie d'aller ? lui demandai-je. Et par où es-tu arrivé ?

Une pensée folle me traversa l'esprit. Peut-être y avait-il réellement un rayon rétrécissant dans le Legs Wells, et Marc avait été pris dedans. Peut-être ce garçonnet était-il Marc !

— J'ai envie d'aller, répéta le mini-Marc. Il va y avoir un accident.

Il se balançait d'un pied sur l'autre.

— Oh ! Tu veux dire que tu as envie d'aller aux toilettes ? compris-je soudain.

Il acquiesça énergiquement.

— OK, retiens-toi. C'est par là, lui indiquai-je.

Si l'acide présent sur les doigts était nuisible aux pièces de la collection, j'imaginais l'effet de l'urine dessus ! Je me hâtai de conduire le petit garçon aux toilettes, au bout du couloir.

— Ça, c'est *les toilettes des filles*, objecta-t-il en désignant le pictogramme d'une personne avec une jupe triangulaire.

— Oui, mais je ne peux pas t'emmener dans les toilettes des hommes, car moi, je suis une fille. Ce n'est pas grave. Viens.

J'ouvris la porte. Il hésita, puis entra.

— Tu veux que je t'aide ? lui proposai-je.

Il hocha la tête. Me sentant ridicule d'en avoir seulement envisagé la possibilité, j'espérais de tout mon cœur que cet enfant n'était pas Marc. Dans le cas contraire, y aurait-il situation plus embarrassante?

Bien sûr, un rayon rétrécissant pourrait réduire quelqu'un, mais pas le transformer en un garçon de trois ans. Je trouvai cette pensée rassurante, jusqu'à ce qu'il me vienne à l'esprit qu'une machine à explorer le temps serait peut-être capable d'une telle prouesse.

«Ne sois pas bête», me raisonnai-je.

— J'ai fini, annonça le mini-Marc.

Je reboutonnai son pantalon.

— Allons te laver les mains, dis-je en le soulevant pour qu'il atteigne le robinet.

Ensuite, il utilisa le sèche-mains plus longtemps qu'il ne me parut nécessaire.

— Viens, bonhomme, il faut que je retourne travailler, et ta maman va se demander ce qui t'est arrivé.

Il se laissa conduire dans le couloir à contrecœur. Là, il courut à toute vitesse. Je le rattrapai:

— Hé! Où vas-tu?

— Il faut que je trouve mon *fer*.

— Minute, papillon! Où est ta maman? Je devrais peut-être t'emmener voir Mme Callender.

— Il faut que je trouve mon *fer*! Mon *FER*! Mon *FER*! s'énerva le petit garçon.

— Hé, calme-toi, mon trésor. Qu'est-ce qu'il y a ?
Tu as faim ?

Je m'agenouillai et le pris par les épaules. Il se dégagea en s'agitant et se mit à trépigner.

— Où est mon *fer* ? Je veux mon *fer* ! répéta-t-il.

— Andreas ? Andreas ? Où es-tu ?

Comme par magie, Marc Merritt apparut au bout
du couloir. Grandeur nature. Un sentiment de gêne
m'envahit lorsque je me rappelai avoir imaginé qu'il
avait été modifié par un rayon rétrécissant.

L'enfant courut vers lui, ses petits pieds martelant le
sol, et se jeta dans ses jambes, en criant :

— Mon *fer* !

Marc se baissa et l'étreignit :

— Mon frère toi-même ! Où étais-tu passé ? Je t'avais
pourtant demandé de ne pas bouger ! Tu m'as fait peur !
Ne disparais plus jamais comme ça, d'accord ?

— Pardon, *fer*. J'avais envie d'aller, expliqua Andreas.
Cette fille m'a emmené.

Marc leva les yeux et sembla seulement s'apercevoir
de ma présence. Son regard n'était pas vraiment amical.
Marc avait souvent l'air arrogant, mais, cette fois, j'eus
l'impression qu'il m'accusait de quelque chose.

— Je l'ai emmené aux toilettes, me justifiai-je. Il m'a
dit qu'il allait y avoir un accident. C'est ton frère ?

– Ouais. Ouais, il s'appelle Andreas. Merci, me murmura Marc, s'adoucissant un peu. Dis merci à Elizabeth, Andreas.

– Merci, Libbet! s'exclama Andreas.

– Tu t'es lavé les mains? demanda Marc.

– Oui, j'aime bien la chose avec le vent. Ça fait «fffffffffff, fffffffffff, fffffffffff». C'est dans les toilettes des filles.

Marc le balança sur ses épaules aussi facilement que s'il soulevait un chaton.

– OK, frérot, allez, je t'emmène à la crèche! Dis au revoir à Elizabeth.

– Au revoir, Libbet! s'écria Andreas, en me faisant un signe de la main.

– Au revoir, Andreas.

– Merci, Elizabeth, de t'être occupée d'Andreas, répéta Marc, plus chaleureusement. Désolé qu'il t'ait dérangée.

C'était agréable d'entendre Marc Merritt me remercier. Je l'observai s'éloigner dans le couloir, son petit frère sur ses épaules.

Je remarquai qu'il portait de nouveau une paire de bottines marron. Je me surpris à me demander si c'étaient les siennes. Ou étaient-ce les mystérieuses bottes qui avaient été mal rangées...?

«Arrête!» m'ordonnai-je.

Si je souhaitais devenir amie avec mes collègues, je devais leur faire davantage confiance.

Je finis de ranger les robes d'opéra et retournai vers l'Aire d'Entreposage Temporaire en traînant bruyamment mon diable.

Aaron était assis à son bureau habituel. Il réparait quelque chose sous une lampe à éclairage vif, qui jetait des ombres marquées sur ses pommettes.

— Anjali ? fit-il, avant de lever les yeux.

— Non, c'est seulement Elizabeth, répliquai-je d'un ton légèrement irrité.

Son visage s'assombrit.

— Oh ! Salut, Elizabeth.

Je discernai de la déception dans le ton de sa voix. Comme c'était flatteur !

— Que fais-tu ? l'interrogeai-je.

— Je reprise une chaussette, me répondit-il en me la montrant.

— C'est quoi, cette bosse, à l'intérieur ?

— Un œuf de chaussette.

— Un œuf de chaussette ? Je ne savais pas que les chaussettes pondaient des œufs.

— Seules les meilleures chaussettes pondent des œufs. Je ne peux pas porter celles qui sont bon marché, qui courent les rues ; elles me donnent des cloques.

— *D'accooord...*! Et cet objet fait-il partie de la Collection Grimm? m'enquis-je.

— Bien sûr que non. C'est juste un œuf de chaussette ordinaire, répliqua-t-il sèchement.

— Je parlais de la chaussette.

— Pourquoi cette chaussette ferait-elle partie de la Collection Grimm? Et pourquoi poses-tu sans arrêt des questions sur cette collection?

— Parce que ça te rend fou, et parce que tu es comique quand tu râles, rétorquai-je. Alors, cette chaussette, elle est dans la Collection Grimm, oui ou non?

— Non, elle sort de mon propre tiroir à chaussettes. Elle a un trou. Mon orteil en dépassait; c'était très inconfortable.

— Oh!

Malgré moi, j'étais assez impressionnée. Combien de garçons se donnaient la peine de raccommoder leurs chaussettes trouées?

— Non, mais, sérieusement, qu'est-ce qu'un œuf de chaussette? redemandai-je.

Aaron enfonça la main dans sa chaussette et en sortit l'œuf. Il ressemblait à n'importe quel œuf de poule, sauf qu'il était en bois.

— Tu le mets dans la chaussette pour l'étirer là où il y a le trou, de sorte à pouvoir le repriser de façon régulière, m'expliqua Aaron.

— Ah, je comprends. C'est astucieux. Je me demande qui a inventé cette technique. Crois-tu que les premiers œufs à chaussette étaient de vrais œufs?

— Sûrement pas. Ils sont trop fragiles. Ce serait assez dégoûtant si l'on cassait un œuf dans sa chaussette!

— Alors, d'après toi, qu'est-ce qui servait d'œuf à chaussette, au début?

Aaron haussa les épaules.

— Des pierres rondes, sans doute, supposa-t-il. Si ça t'intéresse vraiment, tu pourrais jeter un coup d'œil à la collection d'œufs.

— La Collection d'Œufs? Comme il y a la Collection Grimm?

Aaron s'étrangla de rire:

— Mais non! Je voulais juste parler des différents œufs qui se trouvent dans le Dépôt.

— Parce qu'il y a des œufs, ici?

— Évidemment. Il y en a même de toutes les sortes.

— Tu veux dire des œufs durs? Des œufs au plat?

— Non. Des œufs de Pâques ukrainiens, des œufs de Chine — de faux œufs qui incitent les poules à pondre —, des œufs d'autruche, sur lesquels on a peint des scènes, et même quelques œufs de dinosaure fossilisés.

— Waouh! Comment sont-ils, ceux-là? m'enquis-je.

— Gros et ronds.

— Est-ce qu'on pourrait s'en servir pour repriser des chaussettes ? demandai-je.

— Oui, si on avait des pieds gigantesques, répondit Aaron, en regardant les miens avec un grand sourire.

Étant un peu susceptible sur le sujet de la taille de mes pieds, je me sentis rougir.

Pour dissimuler mon embarras, je demandai à Aaron :

— Comment sais-tu que ce sont des œufs de dinosaure et non les œufs de l'oiseau géant ?

— Quel oiseau géant ? fit Aaron, manifestement alarmé.

— Celui dont on dit qu'il suit les gens et vole les objets qu'ils ont empruntés au Dépôt.

Aaron plissa les yeux d'un air soupçonneux :

— Qui t'a parlé de ça ? Marc ?

— Non, Anjali.

— Oh ! Eh bien, elle n'aurait pas dû. Et toi, tu ne devrais certainement pas plaisanter là-dessus !

— Pourquoi pas ? Tu crois sincèrement qu'il y a un oiseau géant qui dérobe des pièces du Dépôt ?

— Peut-être. Mais ce n'est pas un sujet de plaisanterie pour autant...

— Elizabeth ? appela quelqu'un derrière moi.

— Anjali ! s'exclama Aaron, avec le même plaisir qu'un enfant qui entend arriver la camionnette du vendeur de glaces.

Il n'avait pas cette voix lorsqu'il s'adressait à moi. Je décidai de le haïr.

— Salut, Aaron ! Ça t'embête si je t'emprunte Elizabeth une minute ? demanda Anjali.

— Pourquoi as-tu besoin d'elle ? Je pourrais peut-être t'aider, moi ? proposa Aaron, plein d'espoir.

— Ce sont des trucs de filles, expliqua Anjali.

Et elle m'entraîna dans un recoin sombre près de la salle *V*.

— J'ai besoin d'un coup de main pour... une chose personnelle, me confia-t-elle.

— Pas de problème ! Qu'est-ce que c'est ?

— Encore ces bottes. Il faut que tu m'aides à les redescendre dans la Collection Grimm avant qu'un usager les demande. Mme Minnian m'attend au Rayonnage 6 en ce moment même. Elle m'a envoyée ici pour prendre ce diable.

— D'accord, acceptai-je.

Pourtant, je ne comprenais pas pourquoi Anjali ne pouvait pas simplement poser les bottes sur le chariot des retours, avec le reste des articles à remettre en rayons.

— Mais est-ce qu'il ne vaudrait pas mieux que ce soit Aaron qui le fasse ? suggérai-je. Il connaît le Cachot comme sa poche et, visiblement, il meurt d'envie de te rendre service.

– Non ! Et surtout, ne lui dis rien ! Il a décidé qu'il était de son devoir de tout raconter aux bibliothécaires. En plus, il déteste Marc, pour une raison que j'ignore. Tu ne parles à personne du service que je te demande, hein ? Promis ?

Anjali semblait complètement paniquée.

– Promis.

Je ne voyais pas vraiment quel était le rapport entre cette affaire et Marc, mais remettre des bottes à leur place ne me paraissait pas sorcier. Après tout, ce n'était pas comme les voler. En outre, j'étais flattée qu'Anjali me demande un service – et encore plus flattée qu'elle me fasse confiance pour garder un secret.

– Merci, Elizabeth ! Je te revaudrai ça.

Elle me tendit un sac à provisions. J'y jetai un coup d'œil et vis les fameuses bottes.

– Emporte-les au Rayonnage 1, Collection Grimm, *I *CG 391.413 S94*, reprit-elle. Tu te rappelleras leur cote ? Attends, je vais te l'écrire. À leur place, il y a une autre paire qui leur ressemble exactement. Échange les bottes et rapporte les autres ici, au Rayonnage 2. Elles se rangent dans cette allée, avec l'ensemble des bottes, cote *II T&C 391.413 S23*, comme le dit l'étiquette. Pense bien à intervertir les étiquettes.

– OK. Donc, je peux entrer comme ça dans la Collection Grimm ? La salle n'est pas fermée à clé ?

— Si. Il te faut une clé. Et un mot de passe.

— Est-ce la clé dont tu m'as parlé dans la SEP ? Celle que je n'ai pas encore ?

— Oui, la clé de la Collection Grimm. Elle est unique, et je ne suis censée la prêter à personne. Tu en prendras grand soin, n'est-ce pas ?

— Je te le promets.

— Tiens, voilà.

Anjali ôta une barrette de ses cheveux et me la tendit.

— Pourquoi me donnes-tu ta barrette ? demandai-je.

— C'est la clé.

— Ça, une clé ?

Je retournai l'accessoire. Il avait toujours l'air d'une barrette.

— Elle est... déguisée. Pour des raisons de sécurité. Quand tu arriveras devant la Collection Grimm, plaque-la contre la porte et chante ceci :

Dehors, c'est dehors ; fermé, c'est fermé,

Tourne la clé, enlève le verrou.

Pousse la porte, dévisse les écrous,

À présent, tout est bien : je suis entré.

Anjali avait une voix mélodieuse.

— Qu'est-ce que c'est ? Un truc de reconnaissance vocale ? m'enquis-je.

— Quelque chose dans le genre, oui. Maintenant, chante cette petite formule pour que je sois certaine que tu l'as mémorisée. Il faut bien connaître l'air.

— Tu peux me l'écrire, s'il te plaît ?

Anjali griffonna les paroles à la hâte sur un bout de papier.

— Ne le perds pas, me conseilla-t-elle en me le donnant. Je pourrais avoir de gros ennuis si une personne malintentionnée tombait sur ces lignes.

Je m'exerçai à chanter correctement les quatre vers.

« Pas terrible... », constatai-je.

Ce n'était pas surprenant que M. Theodorus ne me choisisse jamais pour chanter des solos dans la chorale.

— La porte de la salle de la Collection Grimm reconnaîtra-t-elle ma voix ? questionnai-je Anjali.

— Elle réagit aux paroles et à l'air de la chanson, pas à la voix. Cependant, cela fonctionne uniquement quand on a la clé.

— Anjali ! appela Aaron de l'avant du rayonnage.

— Ça alors ! m'exclamai-je. C'est de la sécurité sophistiquée ! Comment ça marche ?

— Un instant, Aaron ! Je reviens tout de suite ! cria Anjali.

Elle paraissait inquiète et impatiente.

— Je ne peux pas te l'expliquer maintenant, me dit-elle. Mais, écoute, c'est important : une fois que tu seras dans la Collection Grimm, ne touche à rien ! Ses objets ont l'air anodins, mais un grand nombre d'entre eux sont très dangereux.

— Je serai prudente, assurai-je.

— Bien. À présent, dépêche-toi. Et ne te fais pas prendre ! Si, par malheur, ça se produit, rejette la responsabilité sur moi, en prétendant que je t'ai dit que le Doc voulait que tu ailles dans la Collection Grimm. Je confirmerai ta version, et il y aura une chance pour qu'on nous croie. Mais, je t'en prie, ne te laisse pas attraper.

— Anjali ?

Surgissant de l'obscurité, Aaron se dirigea vers nous :

— Mme Minnian a besoin du diable. Je peux t'aider à le remonter, si tu veux...

— J'arrive, assura Anjali. Merci beaucoup, Elizabeth. Je te revaudrai ça, me murmura-t-elle, avant de suivre Aaron dans le couloir.

Je restai donc seule avec les bottes mystérieuses. Je mis la barrette dans mes cheveux pour ne pas la perdre et appuyai sur un interrupteur. Je sortis les chaussures de leur sac pour les examiner. C'était une paire de bottes en cuir marron quelconques, démodées, un peu éraflées, et éculées. Elles ne m'iraient sans doute pas, puisque Marc les portait. À mon grand désespoir, j'ai des pieds immenses pour une fille, mais certainement pas aussi immenses que ceux d'un basketteur. Pourtant, lorsque je les posai près de mes pieds, les bottes parurent être à ma pointure. Bizarre. Je fus tentée de les essayer pour le vérifier, mais le tic-tac de la minuterie me rappela qu'Anjali m'avait demandé de me dépêcher. Prise d'une impulsion soudaine, je portai les bottes à mon nez comme j'avais vu les usagers le faire à l'étage, en me grondant en même temps :

« Beurk, Elizabeth ! Qu'est-ce qui te prend de renifler ces vieilles godasses ? »

Je fus alors surprise de sentir quelque chose.

Enfin, je m'attendais à sentir *quelque chose*, évidemment : du vieux cuir, de la vieille laine, voire de vieux pieds – mais pas ça. Si l'odeur était légère, la sensation qu'elle me procurait était très forte : elle me submergea comme le souvenir de... de quoi ? Une pluie d'été sur le goudron ? Du pain de seigle grillé chez ma grand-mère ? Un parfum de fleurs, fragile, pareil à des bulles de savon ? Non, c'était plutôt une substance épaisse, telle que du lait... mais saumâtre... non, citronné... Je reniflai de plus en plus profondément, traquant l'odeur qui échappait peu à peu à mes souvenirs, comme une écharde que l'on tente désespérément d'ôter de la plante de son pied avec une aiguille et une pince à épiler. La sensation était à présent presque aussi douloureuse. Sentais-je des huîtres ? De la marjolaine ? Les gaz d'échappement d'un moteur d'avion ? Du bois ?

Je sursautai lorsque, soudain, la lumière s'éteignit. Je fourrai les bottes dans leur sac et descendis en hâte au Rayonnage 1. Au Cachot.

Je pensais découvrir un lieu sinistre. Or, malgré son surnom — bien sinistre, lui —, le Rayonnage 1 était lumineux et ordinaire. En tout cas, il évoquait beaucoup moins un cachot que le Rayonnage 2. Des tubes fluorescents éclairaient les allées, bourdonnant légèrement, comme s'ils s'ennuyaient. À droite et à gauche s'étendaient les meubles de rangement métalliques habituels, parmi lesquels étaient intercalés les tout aussi habituels classeurs et bureaux en chêne. Les monte-charge ronronnaient dans l'Aire d'Entreposage Temporaire, exactement comme dans les autres rayonnages. Et, de temps en temps, un tube pneumatique traversait les conduites en produisant un bruit lourd et sourd. Je vis une seule différence entre le Cachot et le reste des étages de la bibliothèque : certaines portes étaient closes, et il y avait des zones délimitées par des grilles en métal, qui ressemblaient au local à vélos au sous-sol de mon ancienne école.

Un manteau était accroché à une patère dans la zone d'entreposage, mais il n'y avait personne en vue. Il valait mieux que je remette les bottes à leur place avant que le propriétaire de ce manteau revienne, songeai-je. Mais par où était la Collection Grimm ? Je consultai le plan mural. Aux extrémités du rayonnage, des inscriptions (*ChrG*, *CL*, *JdS*...) signalaient la présence de plusieurs salles. Tout à l'ouest, je repérai *CG*. Ce devait être la Collection Grimm. Je descendis l'allée en vitesse.

Je m'attendais à arriver devant une entrée spectaculaire, dans l'esprit des vitraux de Tiffany ou du bureau sculpté de l'accueil. Or, la porte de la Collection Grimm était aussi quelconque que le reste du rayonnage. En effet, c'était juste un battant en métal, banal, pareil aux autres, assez éraflé et sur lequel était peinte au pochoir, en noir brillant, l'inscription : *CG – Coll. Grimm*.

J'appuyai sur la poignée (une simple barre, qui facilite l'ouverture des portes pour les handicapés), mais celle-ci ne bougea pas. J'enlevai la barrette de mes cheveux et la plaquai contre la porte en chantant à voix basse :

— *Dehors, c'est dehors ; fermé, c'est fermé,*
Tourne la clé, dévisse le verrou.
Pousse la porte, enlève les écrous,
À présent, tout est bien : je suis entré.

Je me sentais bête.

J'essayai de nouveau la poignée. En vain.

Je rechantai les quatre vers, plus fort. Toujours rien.

Anjali m'avait-elle fait une farce ? Pourtant, elle avait semblé si sincère, et si réellement paniquée. Entendant des bruits de pas dans l'allée, je paniquai à mon tour.

J'étais presque certaine d'avoir chanté le bon air. Peut-être m'étais-je trompée dans les paroles ? Je sortis le morceau de papier de ma poche et vérifiai le petit poème. Une main sur la poignée, je chantai à nouveau :

— *Dehors, c'est dehors ; fermé, c'est fermé,*
Tourne la clé, enlève le verrou.
Pousse la porte, dévisse les écrous,
À présent, tout est bien : je suis entré.

Cette fois-ci, je perçus un léger déclic. Lorsque j'appuyai sur la barre, la porte s'ouvrit. J'entrai discrètement et la refermai derrière moi.

La pièce avait l'air ordinaire : elle était équipée des mêmes étagères métalliques et des mêmes meubles de rangement que le reste de la bibliothèque, des mêmes lumières fluorescentes. Pourtant, quelque chose était différent. Derrière le bourdonnement habituel des néons et des tubes pneumatiques, je discernai un vrombissement plus sourd.

Puis je sentis une odeur. C'était exactement celle que j'avais sentie dans les bottes. Quoique... Me tenant toujours près de la porte, je reniflai l'air, comme hypnotisée. Était-ce une odeur de citrouille crue ? D'huile de paraffine ? De sang ?

Je sursautai en entendant un tube traverser à toute vitesse une conduite au plafond. Je me rappelai alors ce que j'étais venue faire : je devais ranger des bottes, et je n'avais pas de temps à perdre.

La section des chaussures — *CG 391.413* — occupait une allée entière. Les frères Grimm, ou les personnes qui avaient continué leur collection d'objets, avaient apparemment un faible pour les chaussures. La plupart n'étaient pas en bon état. Sur une étagère du bas, je comptai douze paires de petits souliers sophistiqués aux semelles percées, semblables à ceux de mon histoire préférée des douze princesses qui dansent[1].

Était-il possible que ce soient les souliers qui avaient inspiré ce conte de fées ? D'ailleurs, ces princesses avaient-elles réellement existé ?

Je sentis un frisson parcourir tout mon corps, comme lorsque j'avais contemplé la perruque de Marie-Antoinette. Non pas que cette histoire recueillie par les frères Grimm eût pu être vraie, avec sa cape d'invisibilité et ses bosquets magiques peuplés d'arbres en or et en argent. En revanche, pourquoi les princesses elles-mêmes n'auraient-elles pas pu être des jeunes filles comme moi, en chair et en os, qui adoraient danser ? En tout cas, une chose était sûre : des personnes réelles, avec de vrais pieds, avaient porté ces chaussures jusqu'à

---

1. Le conte évoqué est intitulé *Le bal des douze princesses*. Il est présenté à la fin de cet ouvrage, en page 497.

les trouer, car elles étaient aussi usées que mes chaussons de danse de l'année passée. J'aurais tant aimé les montrer à ma mère ! Elle aurait été aussi ébahie que moi.

À côté, il y avait un autre ensemble de chaussures tout usées, aux semelles de fer, et trouées aux talons. Au-dessus, je vis des pantoufles de verre. Le docteur Rust ne m'avait-il pas dit que le Dépôt ne possédait pas les pantoufles de Cendrillon ? Celles-ci y ressemblaient énormément. Cependant, elles étaient beaucoup, beaucoup trop petites pour *moi*. Une jeune fille réelle avait-elle inspiré l'histoire de Cendrillon, aussi ? Une vraie Cendrillon ! Étais-je en train de rêver ?

Il y avait également des chaussures en métal, dont une horrible paire en fer, tachée de vieux sang, semblait-il. (Beurk ! J'espérais que c'était seulement de la rouille.) Des paires et des paires de bottes. Des sabots en bois, sculptés en forme de petits bateaux avec des dragons en figure de proue. Une paire de sandales aux lanières élimées, sur les talons desquelles étaient fixées des ailes abîmées, pliées comme celles d'un pigeon endormi. Lorsque je tendis la main, les ailes remuèrent. Je tressaillis et retirai ma main, me rappelant l'interdiction d'Anjali. Elles avaient certainement bougé à cause d'un courant d'air.

Les « bottes-leurres » étaient précisément à l'endroit qu'Anjali m'avait indiqué : dans le second meuble de rangement, sous la cote *I *CG 391.413 S94*. Elles ressemblaient à s'y méprendre à celles qui se trouvaient dans mon sac en plastique. Si j'avais mélangé les étiquettes, j'aurais été parfaitement incapable de les différencier.

Hormis par leur odeur, peut-être ? Je reniflai les bottes que j'avais sorties du meuble. Elles sentaient le cuir et la poussière, avec des nuances de pieds parfumés au fromage. Je les posai et respirai la paire qu'Anjali m'avait donnée. À présent, leur mystérieuse odeur était si forte que mes yeux en larmoyèrent.

Je permutai les étiquettes et plaçai les bottes d'Anjali dans le meuble de rangement. Elles se fondirent parfaitement dans le décor, à l'image d'une pièce de puzzle que l'on assemble aux autres. Cela m'ôta mes scrupules. En effet, le service qu'Anjali m'avait demandé était pour le moins douteux... Il me faisait penser aux « requêtes suspectes » que j'avais promis de rapporter à M. Mauskopf. Mais il était évident que les bottes à l'odeur si puissante étaient les bonnes, celles qui possédaient une grande valeur – et j'aidais à présent à les réintégrer dans la collection, pas à les voler. Mon geste ne pouvait pas être si blâmable que cela, n'est-ce pas ?

Soudain, je perçus un léger bruit. Des pas ! Quelqu'un venait ! Aussi silencieusement que possible, je fermai le meuble de rangement et cherchai du regard une cachette.

Contre le mur, il y avait des panneaux coulissants en maille métallique, pareils à ceux qui portaient les tableaux au Rayonnage 7. Je me faufilai derrière et me fis aussi plate et immobile que je le pus, comme pour essayer de ressembler à une peinture.

Il s'en fallut de peu. En regardant sur le côté, à travers le grillage, je vis Mme Minnian, la bibliothécaire maigre à lunettes, qui descendait l'allée à grandes enjambées, dans ses chaussures plates et pointues. Elle s'arrêta juste devant le meuble où je venais de replacer les bottes.

Elle l'ouvrit et sortit ces dernières. Elle passa le bout de ses doigts dessus en fronçant les sourcils, puis les porta à son nez pour les renifler. Le front toujours ridé, elle leva la tête et huma l'air.

J'eus l'horrible impression qu'elle allait me repérer à mon odeur.

Je me figeai et retins mon souffle.

À mon grand soulagement, elle referma l'armoire et remonta l'allée. Elle fit une halte devant un autre meuble, puis reprit le chemin de la sortie. La porte se ferma dans un déclic après son départ.

J'expirai mais restai cachée pendant une bonne minute, pour être certaine qu'elle ne reviendrait pas.

Malheureusement, lorsque j'arrivai devant la porte, je compris que mon soulagement avait été prématuré. Elle était verrouillée.

7

Un différend avec un miroir

Tout en chantant le petit poème, j'appuyai bruyamment sur la poignée et posai la barrette sous différents angles, mais rien ne fonctionnait. Me trompais-je encore dans les paroles? Je ne le pensais pas — je répétais exactement la formule qui avait ouvert la porte précédemment.

C'était peut-être ça, le problème. Je n'étais pas dehors cette fois-ci, mais dedans. Il fallait peut-être que je le dise à la porte. Pleine d'espoir, je chantai :

— *Dedans, c'est dedans ; fermé, c'est fermé,*
  Tourne la clé, enlève le verrou.
  Tire la porte, dévisse les écrous,
  À présent, tout est bien : je suis sortie.

Je pris une profonde inspiration et appuyai de nouveau sur la poignée.

Toujours rien.

Allez, aux oubliettes ma promesse de garder le secret ! À présent, il était l'heure de paniquer.

Je cognai sur le battant. J'en eus mal aux mains, pourtant mes coups s'entendirent à peine. Je cognai plus fort et me fis mal aux orteils en tapant dans la porte. Malgré cela, je distinguai uniquement le bourdonnement des lumières et, derrière, le même vrombissement étrange.

Mon portable ne captant pas, j'arpentai les allées du Cachot à la recherche d'un téléphone pour appeler à l'aide, en vain. Je ne vis que des étagères métalliques et des meubles de rangement pleins d'objets sinistres. L'endroit n'avait pas d'autre porte, ni de fenêtre.

Et si un incendie se déclarait ? Et si le plafond s'effondrait ? Et si je restais coincée ici pour toujours ?

Je m'assis et m'adossai au mur, essayant de me calmer. Je fis l'inventaire des vivres que j'avais sur moi : une barre de céréales et une bouteille d'eau à moitié vide dans la poche de ma veste — au moins, si je devais passer la nuit ici, je ne mourrais ni de faim ni de soif. Quelqu'un viendrait forcément, me convainquis-je. Le pire qui pouvait m'arriver, c'était de m'ennuyer pendant quelques heures, d'être découverte ici et de perdre mon travail.

Mais comment ferais-je si j'avais besoin d'aller aux toilettes ?

Aussitôt, ma vessie se manifesta.

Bon, il n'y avait peut-être pas de toilettes dans la Collection Grimm, mais il y avait sûrement quelque chose que je pourrais utiliser – un chaudron de sorcière, par exemple. Je consultai le catalogue de la bibliothèque et trouvai trois chaudrons, sous les cotes *I *CG 133.44 H36*, *I *CG 133.44 M33* et *I *CG 133.44 T47*. Ils étaient rangés avec les bols et les balais, dans des meubles faisant face au râtelier à tableaux.

Je tendis la main vers le plus petit chaudron – pas pour m'en servir tout de suite, juste pour m'assurer que je pourrais le faire plus tard, au cas où mon besoin deviendrait trop pressant. C'est alors que l'interdiction d'Anjali me revint en mémoire. Si ma collègue paniquait à la simple pensée que je touche les articles, comment réagirait-elle si j'en utilisais un comme pot de chambre ?! D'un autre côté, cet usage ne serait peut-être pas si inapproprié que cela, songeai-je amèrement : l'urine d'une jeune fille terrifiée semblait être précisément le genre d'ingrédients que les sorcières aimaient verser dans leurs chaudrons.

Un bruit sourd résonna à l'avant de la salle, me faisant sursauter.

Lorsqu'il se reproduisit, je le reconnus : c'était celui d'un tube pneumatique qui tombait dans le panier de l'Aire d'Entreposage Temporaire.

Bien sûr ! Je pouvais envoyer un pneu à Anjali pour lui demander de me faire sortir d'ici. Je m'en voulais de ne pas y avoir pensé plus tôt. *Anjali, au secours, je suis enfermée!* écrivis-je sur une fiche d'emprunt vierge. Je ne donnai pas plus de détails, au cas où ce mot ne tomberait pas dans les bonnes mains. J'inscrivis *Anjali Rao, Salle d'Examen Principale* sur la fiche, et introduisis celle-ci dans un tube vide, que je glissai dans une conduite. Il disparut après une petite résistance, comme une souris aspirée dans le gosier d'un serpent.

Maintenant que j'avais agi, je me sentais beaucoup plus calme. Je flânai, ouvrant des meubles de rangement et jetant des coups d'œil à l'intérieur, en prenant soin de ne toucher à rien. Je découvris un tas d'objets hétéroclites : des couteaux, des peignes, des lacets, des cannes, des lampes et des bouteilles. Toutes sortes de coquilles : d'œufs, de fruits à coque, de coquillages. Une armoire entière remplie de balles, principalement en or, mais aussi en bois, en caoutchouc, ou en pierre rouge, noire ou bleue. Des robes taillées dans des tissus en cuivre, en argent et en or ; des robes parsemées de pierres brillantes, d'autres en écailles de poisson, en plumes ou en peaux d'animaux que je ne pus identifier. De nombreux objets allaient par trois, dans différentes combinaisons : un objet en cuivre, un en argent et le troisième en or ; ou un en laiton, un en argent et le dernier en or ; ou encore, un en argent, un en or et un pailleté de diamants. Des boîtes. Des cages minuscules. Un four presque aussi imposant que le plus grand monte-charge, capable de contenir un enfant de taille moyenne, et qui donnait la chair de poule.

Si seulement il y avait eu un monte-charge, ici ! J'aurais peut-être pu rentrer dedans en m'y ratatinant. Malheureusement, le monte-charge le plus proche se trouvait de l'autre côté de la porte.

Enfin, un tube tomba dans le panier. Je courus le récupérer et j'en sortis un bout de papier, sur lequel je lus : *Je n'arrive pas à croire que j'aie oublié de t'apprendre le poème pour sortir ! Je suis TELLEMENT désolée ! C'est exactement le même que pour entrer, sauf qu'il faut le chanter en commençant par la fin. Tu dois aussi chanter l'air dans l'autre sens.*

J'essayai aussitôt :

— *Entré suis-je : bien est tout, présent à.*

Écrous les dévisse, porte la pousse,

Verrou le enlève, clé la tourne.

Fermé c'est, fermé ; dehors c'est, dehors.

Malgré mes efforts, je ne réussis pas à chanter l'air à l'envers.

Je décidai d'adresser un second message à Anjali : *Ça ne marche pas. Je suis nulle en musique.* Elle me répondit immédiatement : *OK. Envoie-moi la clé. Je descendrai te chercher dès que possible.*

J'enveloppai la barrette soigneusement, la collai à l'intérieur d'un tube, que j'introduisis dans une conduite.

L'air pressurisé l'aspira dans un souffle d'air qui, cette fois, me fit penser à un soupir de soulagement.

Comme je m'ennuyais et m'impatientais, j'allai de nouveau flâner pour me distraire. Du coin de l'œil, je vis quelque chose bouger derrière moi. Je me retournai vivement et me figeai sur place.

Je constatai, rassurée, que c'était juste moi – enfin, mon reflet dans un grand miroir accroché au râtelier à tableaux. Avais-je réellement cette mine sombre et défaite ?

Je me fis une grimace et dis :

— *Miroir, miroir joli, qui est la plus belle du pays ?*

Les lèvres de mon reflet remuèrent, et une voix parfaitement identique à la mienne me répondit :

— *Tu ne le sais toujours pas, Eliza ?*

Alors écoute ça : ce n'est pas toi.

Je me considère comme une personne assez sensée. J'ai grandi à New York ; j'ai en vu, des choses ! Je ne suis pas le genre de fille qui confond les contes de fées avec la réalité. Cependant, dès que j'entendis le miroir parler, je sus que ce n'était pas le fruit de mon imagination – c'était réellement de la magie. Je le sus avec autant de certitude que l'on connaît sa droite et sa gauche, que l'on reconnaît la voix de sa mère, que l'on sait qu'il faut retirer sa main d'une plaque de cuisinière chaude avant même que son cerveau n'enregistre la douleur. Mon cœur se mit à battre d'excitation – d'excitation, mais pas de doute.

À peine avais-je accepté l'idée que j'étais en présence de magie que d'autres éléments prirent leur place dans mon esprit, jusqu'à former un puzzle. Je pouvais presque les percevoir s'emboîter les uns dans les autres : cela faisait un léger cliquetis étincelant, semblable à des cristaux de glace tombant dans une rue. Les taches de rousseur mobiles du docteur Rust, la porte ensorcelée – tout était magique. Je frissonnai ; les battements de mon cœur s'accélèrent encore. Les bottes aussi étaient sûrement magiques. C'était certainement la raison pour laquelle Marc les avait empruntées, et pourquoi il était si important que je les remette à leur place. Et cette odeur pénétrante et fuyante, c'était l'odeur de la magie.

Je regardai autour de moi. Tout, tout ici devait être magique ! Les bottes, les livres, les tables, les télescopes – chaque objet possédait sans nul doute quelque pouvoir spécial ! Et le miroir... Je lui fis face de nouveau. Mon reflet était effrayant ; il affichait un petit sourire narquois, froid et cruel. Je n'étais peut-être pas la plus belle de toutes, mais, au moins, j'étais certaine de ne pas avoir un visage qui exprimait la méchanceté. Le miroir me donnait-il délibérément cette apparence ?

– Ne m'appelle pas Eliza. Mon nom, c'est Elizabeth, répliquai-je d'un ton brusque, surmontant ma peur.

J'avais toujours détesté ce diminutif, « Eliza ». C'était ainsi que mes demi-sœurs m'appelaient pour me taquiner, en prenant généralement un accent britannique[1].

Cette fois, le miroir ne me répondit pas.

S'il était réellement celui de la belle-mère de Blanche-Neige, ce n'était pas surprenant qu'il fût si désagréable – il avait l'excuse d'appartenir à quelqu'un de cruel. J'eus des fourmillements sur tout le corps. Dans les contes de Grimm, il n'y avait pas que des sorcières et des pommes empoisonnées. Dans certains, il y avait de la magie bienveillante et des bonnes fées, comme la marraine de Cendrillon. Y avait-il des objets bienveillants, ici ?

Soudain, cette magie environnante me fit peur et m'oppressa. Pas étonnant que le docteur Rust eût qualifié les articles de la collection de « puissants » !

J'observais de nouveau mon environnement. Sur le mur coulissant – près du miroir qui avait des opinions très arrêtées – étaient accrochés plusieurs autres miroirs et environ une dizaine de tableaux. L'un d'eux représentait un bateau, un autre un dragon, un troisième un vieil homme laid au regard mauvais. Il y en avait un qui était si sombre que je ne pus en voir le sujet. Aucune de ces peintures ne semblait particulièrement bienveillante, surtout pas la dernière, qui était même menaçante.

---

1. Allusion au personnage principal de la comédie musicale *My Fair Lady*.

Apparemment, Anjali n'était pas pressée de venir me délivrer. Y avait-il quelque chose, dans la Collection Grimm, que je pourrais utiliser pour sortir de là ? Un tapis volant, éventuellement ? J'avais du mal à croire que je pensais sérieusement à un tel objet. Cependant, même si j'en trouvais un, je serais toujours coincée ici – se déplacer sur un tapis volant à l'intérieur d'une pièce ne servirait pas à grand-chose.

Je réfléchis à d'autres objets magiques décrits dans les contes de fées. Quel coup de chance d'avoir fait ce devoir sur les frères Grimm ! me dis-je, mais était-ce vraiment de la chance ? Qui aurait pu croire que toutes les heures que j'avais passées, enfant, à rêvasser en lisant mes livres de contes de fées seraient récompensées ?

Il y avait la cape d'invisibilité du *Bal des douze princesses* – si je la dénichais, peut-être n'aurais-je plus qu'à me cacher ensuite près de la porte et à sortir furtivement, la prochaine fois qu'un bibliothécaire entrerait. Ma mère et moi adorions cette histoire, avec la trappe dans le sol de la chambre des princesses, par où elles filaient chaque nuit pour aller danser avec les douze beaux princes. Elles dansaient jusqu'à trouer leurs souliers. J'enviais particulièrement la plus jeune. Elle avait une vie sociale active, était très courtisée par les garçons, et ses grandes sœurs avaient envie de passer du temps avec elle – même si elle devait partager sa chambre avec elles onze.

Bien sûr, il existait d'autres accessoires magiques qui seraient plus efficaces qu'une cape d'invisibilité. Les contes de fées regorgeaient d'objets qui accomplissaient les vœux. En général, ils avaient le pouvoir d'en exaucer trois : il fallait donc bien y réfléchir. Lorsque j'étais petite, je passais des heures à imaginer les souhaits que je formulerais si je me retrouvais devant l'un de ces objets – exactement ce que j'avais la chance de vivre aujourd'hui.

Quel serait le meilleur vœu ? Un médicament qui soigne le cancer ? Le bonheur pour tous les habitants de la Terre ? La paix dans tous les pays, pour toujours ? Les personnages des contes de fées avaient tendance à gaspiller leurs vœux avec des choses ridicules, comme des envies de boudin, ou le désir de se transformer en âne et de nouveau en humain. Parfois, les souhaits se retournaient contre eux. Par exemple, quelqu'un désirait recevoir un sac de pièces d'or, mais celui-ci lui tombait sur la tête et le tuait.

Par conséquent, même si je dégottais une bague magique, je n'étais pas sûre d'avoir le courage de m'en servir. Et si je faisais le vœu de sortir de la Collection Grimm pour que mon corps soit finalement emporté dans une housse mortuaire ? !

Tout cela était tellement bizarre ! J'avais envie de m'enfuir de cette pièce inondée de magie et de réfléchir calmement, dans un endroit sûr et normal, un endroit qui sentirait la vie de tous les jours – la poussière, les odeurs de cuisine, par exemple –, pas les relents changeants de l'ensorcellement. En outre, si l'on m'avait accordé trois vœux dans la vie réelle, je savais exactement ce que j'aurais changé : j'aurais souhaité que ma mère soit toujours en vie, que mon père redevienne comme avant, et que ma meilleure amie, Nicole, habite encore à New York.

Je jetai un coup d'œil au miroir derrière moi. Mon reflet affichait le même sourire narquois.

Mais où donc était Anjali ? J'en avais assez d'être coincée ici !

Tiens, cela rimait. Je répétai à voix haute :

— *J'en ai assez d'être coincée ici.*

Mais où est donc Anjali ?

Mon reflet haussa un sourcil et me répondit :

— *Liz, ne sois pas bête.*

Elle est là où elle doit être.

— En fait, je ne te parlais pas à toi. Mais au *tableau* à côté de toi, mentis-je. Et ne m'appelle pas « Liz » non plus. Mon nom, c'est Elizabeth.

Le miroir ne dit rien, mais je remarquai un mouvement sur la toile voisine : ses motifs obscurs commencèrent à se transformer de façon incohérente et incompréhensible. Cela ne ressemblait à aucun effet spécial que j'avais vu au cinéma ou sur un écran d'ordinateur, mais davantage aux formes que l'on voit quand on appuie sur ses paupières fermées avec ses doigts, ou aux images d'un rêve qui s'estompent tandis que l'on essaie de s'en souvenir au réveil.

À mon grand étonnement, les motifs du centre de la peinture se reconstituèrent et formèrent une photo d'Anjali, qui apparut totalement débordée, dans la Salle d'Examen Principale. J'eus presque le vertige à la regarder glisser rapidement sur son tabouret et introduire les tubes pneumatiques dans les conduites. Il semblait y avoir beaucoup de travail, là-haut ; pas surprenant, donc, qu'Anjali n'ait pu se libérer pour venir me délivrer.

— Waouh ! Tu peux me montrer tout ce que je te demande ?... Mon amie Nicole, par exemple ?

Pas de réponse.

Peut-être fallait-il que je fasse des rimes ?

— *Tableau, mon beau tableau,*
    Veux-tu bien me montrer Nico ?

Dans le miroir de la belle-mère de Blanche-Neige, mon reflet leva les yeux au ciel avec l'air méprisant de quelqu'un qui s'ennuie.

— Bon, d'accord, désolée, j'ai un peu triché sur le prénom, reconnus-je.

Je réfléchis un moment.

— *Jolie peinture, ne fais pas la folle.*
    Mets-moi en contact avec Nicole.

Cette fois-ci, cela fonctionna. Le même effet vertigineux se reproduisit, disloquant l'image d'Anjali dans des formes géométriques aléatoires, qui se brouillèrent, avant de former une nouvelle scène : Nicole et ses copines de Californie. Elles faisaient du shopping, essayaient des vêtements et riaient en silence – du moins, moi, je ne les entendais pas. Cependant, j'imaginais très bien leurs éclats de rire. C'était comme regarder une émission de téléréalité minable, sans le son. Je me sentis plus seule et plus vulnérable que jamais.

— *J'en ai marre !*
C'est Anjali que je veux voir.

Pas de changement d'image. Sans doute à cause de la mauvaise rime. Je réessayai :

— *Merci, ça suffit !*
Remontre-moi Anjali !

Nouveau tourbillon visuel, puis je revis ma collègue au poste de routage des tubes pneumatiques. Ensuite, j'entendis un déclic, suivi d'un grincement : la porte s'ouvrait enfin. Sauf que ce ne pouvait pas être Anjali qui venait à mon secours puisqu'elle se trouvait en ce moment à l'étage, dans la SEP.

— *Arrête ! Disparais !* ordonnai-je entre mes dents au tableau.

Heureusement, il accepta cette rime imparfaite et redevint obscur, tandis que je me cachais à nouveau.

8

Un questionnaire
à choix multiples
et un pince-notes

— Elizabeth, tu es là ?

Je reconnus la voix de Marc. Je sortis à pas de loup de ma cachette. Il se tenait à l'autre bout de la pièce, bloquant la porte avec sa longue jambe.

— Dépêche-toi ! me pressa-t-il.

Une fois dehors, je fus si soulagée que tout mon corps se détendit.

Marc monta l'escalier deux ou trois marches à la fois pendant que je courais en haletant derrière lui. J'étais en meilleure condition physique quand je faisais de la danse classique !

Il m'attendit au troisième palier.

— Allez ! Tu n'intégreras jamais l'équipe, à ce rythme-là ! me dit-il.

— Quelle équipe ?

Il me regarda de la tête aux pieds, puis répondit :

— Je ne sais pas... L'équipe B féminine de flânerie ?

— Où allons-nous ?

— À la Conservation.

— Où est-ce ?

— Au dernier étage.

— On ne peut pas prendre l'ascenseur ?

— Toi, si. Mais pas moi, mon entraîneur me tuerait.

Sur ce, il s'envola de nouveau.

Enfin, j'atteignis la dernière marche. À droite, il y avait le couloir qui menait à la SEP, et, à gauche, des pièces que je ne connaissais pas. Nous tombâmes sur Mme Callender. Elle, dont le visage était d'ordinaire avenant, fronçait les sourcils.

— Elizabeth ? Mais où étais-tu passée ? m'interrogeat-elle. Je te cherchais partout. Tu n'es pas censée être au Rayonnage 2 ?

Je ne savais pas quoi lui répondre — en plus, j'étais trop essoufflée pour prononcer le moindre mot. Heureusement, Marc prit la parole :

— Mme Minnian ne vous l'a pas dit ? Je dois emmener Elizabeth à la Conservation pour qu'on effectue les réparations en retard.

— Oh ! Non, elle ne m'en a pas parlé, mais j'ai bien peur que ça doive encore attendre. Le docteur Rust souhaite voir Elizabeth. Elle remontera t'aider quand ils auront fini.

Elle inscrivit quelque chose sur son écritoire à pince, avant de se tourner vers moi :

— Descends, mon chou. Le docteur Rust t'attend.

Elle dut remarquer mon désarroi, car elle ajouta avec un sourire :

— Pourquoi fais-tu cette tête ?

— Quelque chose ne va pas ? m'inquiétai-je.

— Oh, non ! C'est tout le contraire. Ne te tracasse donc pas. Nous avons pensé que tu étais prête pour l'étape suivante, c'est tout. Ou, du moins, pour l'étape suivante avant l'étape d'après — ou... Enfin, je vais laisser le docteur Rust t'expliquer tout ça. Descends maintenant, mon chou.

— D'accord.

Je m'empressai de m'exécuter, toujours soucieuse.

Le docteur Rust leva les yeux lorsque je frappai à sa porte ouverte.

— Ah, Elizabeth ! Entre. Assieds-toi, assieds-toi. Voyons, tu travailles ici depuis janvier, n'est-ce pas ?

Je hochai la tête.

— Martha Callender te trouve travailleuse, et Stan Mauskopf ne tarit pas d'éloges sur ta personnalité. Un ou deux usagers m'ont également dit du bien de toi. Par conséquent, nous pensons qu'il est peut-être temps de te donner un peu plus de responsabilités. Te sens-tu prête ?

Non, pas vraiment ; je me sentais plutôt coupable. Le docteur Rust et Mme Callender avaient-ils discuté de mon noble caractère au moment même où je visitais clandestinement la Collection Grimm ?

Je m'éclaircis la voix :

– C'est très gentil de la part de M. Mauskopf et de Mme Callender. Quel genre de responsabilités ?

– Nous en discuterons après que tu auras passé le test. Son résultat m'aidera à choisir le poste le plus adéquat pour toi.

– Très bien. De quelle sorte de test s'agit-il ? Je vais de nouveau devoir trier des boutons ?

Le Doc sourit :

– Non, cette fois, c'est un test classique : un questionnaire à choix multiples, pour être précis. Je vais te trouver un endroit tranquille où tu pourras travailler.

Nous descendîmes le couloir et pénétrâmes dans une petite pièce pourvue d'un bureau, situé près de la fenêtre.

– Et voilà ! fit le docteur Rust en me tendant une liasse de feuilles liées par un pince-notes. Tu disposes de trois quarts d'heure pour réaliser cet examen. Assure-toi de bien répondre à toutes les questions. As-tu un crayon à papier numéro 2 ?

— Je crois que oui.

Je fouillai dans mon sac à dos et en ressortis le crayon que la sans-abri m'avait donné, celui avec lequel j'avais rédigé mon devoir d'histoire. J'en étais venue à le considérer comme mon crayon porte-bonheur.

— Parfait, dit le docteur Rust. Je reviendrai dans quarante-cinq minutes exactement.

Les questions du test étaient étranges, comme, par exemple, celles-ci :

7. Un charpentier a trois fils. L'aîné construit un palais en albâtre et en porphyre. Le cadet construit un tribunal en granit et en grès. Le benjamin, une petite maison avec une coquille de noix et une enveloppe de maïs. Combien de clous les trois fils utilisent-ils ?

A. π

B. L'infini moins un

C. Un de trop

D. Un de moins

8. Un enfant veut t'offrir un coffret et te demande de choisir entre un coffret en or et un en plomb. Lequel prends-tu ?

A. Celui en or

B. Celui que l'enfant tient dans sa main gauche

C. Celui sur lequel un papillon de nuit s'est posé

D. Une rivière souterraine

Je mâchouillais mon crayon et fixais ma feuille. Je n'avais aucune idée des bonnes réponses. Je ne devinais même pas quelles étaient les fausses, alors que, dans la plupart des questionnaires à choix multiples, j'éliminais aussitôt une ou deux réponses au moins. Je ressentais une nervosité semblable à celle que l'on éprouve quand on rêve que le sujet qui tombe, en devoir surveillé à l'école, est celui sur lequel on a fait l'impasse.

Une ou deux minutes s'écoulèrent.

Bon, me secouai-je, je n'avais pas d'autre choix que de faire de mon mieux.

J'étudiai attentivement la liste des questions, les unes après les autres. Je fermai les yeux, me représentai les différentes réponses avec le maximum de réalisme, et laissai mon cœur décider. Lorsque celui-ci n'avait pas d'avis, je m'en remis à mon crayon pour cocher les cases.

Enfin, j'arrivai à la fin du test, mais il y avait encore deux pages attachées par le pince-notes. Sur la première était rédigée une liste : *serviettes en papier, liquide vaisselle, lessive, pistaches, lait, carottes, sardines, piment de Cayenne…* Était-ce la liste de courses du Doc ?

Je consultai la seconde feuille. En haut, dans la même police de caractères que les questions du test, il était écrit : *Examen qualifiant niveau deux du Dépôt, 209v04 Solutions.* En dessous apparaissait une liste de réponses, qui semblaient correspondre aux questions de l'examen que j'étais en train de passer.

Le Doc m'avait donné le corrigé par mégarde !

Un sentiment de culpabilité m'envahit. Pourtant, je n'étais pas responsable de la négligence du docteur Rust !

En parcourant la feuille des yeux, je découvris avec horreur que je n'avais pas répondu correctement à une seule question. Les solutions que donnait le corrigé étaient toutes prudentes et manquaient d'originalité.

Je commençai à effacer ma réponse à la première question, pour la remplacer par celle du corrigé, avec la gomme de mon crayon à papier. Celui-ci ne sembla pas apprécier. Il fit une horrible traînée sur la feuille – rose, comme une coupure infectée.

« La couleur de la tricherie », songeai-je.

Avec l'impression d'avoir échappé de peu à une catastrophe, je retournai mon crayon et cochai de nouveau la case que j'avais choisie initialement : *D. De tout mon cœur.* J'étais soulagée d'avoir pris la décision de ne pas tricher, mais aussi déçue. Maintenant que je savais que je n'obtiendrais pas cette promotion, je me rendais compte à quel point je la voulais.

Soudain, la porte s'ouvrit.

– Elizabeth ? Tu as terminé ? me demanda le docteur Rust.

Je lui rendis mon formulaire de réponses, ainsi que les deux autres feuilles.

— Je crois que vous m'avez donné le corrigé, avouai-je.

— En effet ! grommela le Doc. Oh, et c'est ici que je retrouve ma liste de courses ! Des sardines ! Je savais que j'avais oublié quelque chose d'important ! Bon, voyons tes réponses : CDD, ADC, BAB, CCB, ACB... Excellent ! C'est un score presque parfait.

— Comment ça, « presque parfait » ? Je n'ai eu qu'une bonne réponse !

Le Doc sourit ; des taches de rousseur se déplacèrent sur une de ses pommettes.

— Une seule réponse fausse, tu veux dire. Ce corrigé présente une liste de *fausses* réponses. Tu as réussi l'examen haut la main.

— C'est vrai ?

— Absolument. Tu as répondu correctement, et sans tricher. Bravo, Elizabeth Rew ! À présent, je suis heureux de te donner la clé de la Collection Grimm. Garde-la soigneusement et sers-t'en avec sagesse.

Le Doc retira le pince-notes des feuilles du questionnaire et me le mit dans la main.

— C'est ça, la clé ? Un pince-notes ?

— Exactement.

— Mais...

Bon, puisque la clé d'Anjali était une barrette, la mienne pouvait bien être un pince-notes.

— Comment ça marche ? m'enquis-je.

— Viens en bas avec moi ; je vais te montrer.

*

— ... *À présent, tout est bien : je suis entré*, chantai-je, en appuyant mon pince-notes contre la porte sur laquelle je m'étais énervée à peine une heure plus tôt.

Le Doc fut impressionné par la vitesse à laquelle j'avais mémorisé le petit poème, et par le calme avec lequel j'appris que la pièce était remplie d'authentiques objets magiques. Évidemment, je m'abstins de lui avouer que j'avais déjà visité ce lieu.

J'eus plus de difficultés pour ressortir, mais je chantai l'air correctement après six ou sept tentatives. Mon professeur de musique aurait été fier de moi.

— Et si j'oublie la chanson pour sortir ? Resterai-je coincée ici ? demandai-je au docteur Rust.

La panique que j'avais ressentie lors de ma récente mésaventure refit surface. J'espérais que le Doc ne se doutait de rien !

— Ce système n'enfreint-il pas les règles de protection contre les incendies ?

— Techniquement, je suppose que oui. Mais, si un incendie se déclare, la Collection Grimm est justement l'endroit où il faut être. Car c'est la salle la plus sûre du Dépôt — en plus du Jardin des Saisons, bien entendu, si l'on peut appeler cela une « salle ». Tu t'apercevras qu'il y a des objets très puissants, ici, qui sont dotés d'un instinct de conservation tout aussi puissant. De plus, les dispositifs de sûreté que nous avons mis sur la porte repoussent la plupart des menaces naturelles.

Comme par hasard, juste à ce moment-là, la porte s'ouvrit. Je sursautai, mais ce n'était que Mme Callender. Elle me serra dans ses bras :

— Félicitations, Elizabeth ! Tu vois, mon chou, je t'avais dit de ne pas t'inquiéter ! Boule de gomme ? Vas-y, prends-en deux — tu les mérites. Le docteur Rust t'a-t-il fait visiter ?

— Pas encore, répondit celui-ci. Vous voulez m'aider ?

— Volontiers ! Par où commençons-nous ? Voyons... Elizabeth, as-tu un conte de fées préféré ?

— Oh, j'en ai plein ! Mais si je devais n'en choisir qu'un, ce serait *Le bal des douze princesses*. J'adore cette histoire.

— Eh bien, tu as de la chance. C'est par ici...

Je suivis Mme Callender à travers les allées, jusqu'aux rayons des chaussures. Je ne pus m'empêcher de jeter des coups d'œil nerveux aux bottes que je venais de remettre en place. Elles n'avaient pas bougé ; elles avaient l'air quelconques et inoffensives.

— Et voilà !

Avec un grand geste de la main, Mme Callender désigna les douze paires de souliers qui m'avaient intriguée précédemment, ceux dont les semelles étaient trouées.

— Ce sont les souliers des princesses ? demandai-je.

La bibliothécaire acquiesça.

— Vingt-quatre d'entre eux, en tout cas, précisa-t-elle.

— Puis-je les toucher ?

— Ne te prive pas, m'autorisa-t-elle en me tendant un escarpin violet en soie. Ce soulier est celui de la douzième princesse.

L'odeur de magie était si forte, et j'étais encore si troublée par mes récentes péripéties que je ne savais plus si je ressentais de l'excitation ou les effets de la magie.

— Est-ce que… ? Enfin…, bafouillai-je.

— Oui ?

— Est-ce que ces chaussures sont… vous savez… magiques ?

— Non.

— Oh !

J'étais déçue. N'empêche, la chaussure que j'avais dans la main n'était pas n'importe quelle chaussure. C'était celle que la princesse la plus jeune avait portée pour danser, tandis que le soldat découvrait comment elle et ses sœurs sortaient discrètement chaque nuit…

Même si ces souliers n'étaient pas magiques, les voir en vrai était absolument extraordinaire.

— Vous n'avez pas la cape d'invisibilité du soldat, celle qu'il a utilisée pour suivre les princesses au bal? questionnai-je.

Le Doc et Mme Callender échangèrent un regard.

— Nous n'en sommes pas certains, reconnut enfin le Doc. Elle est censée être ici, mais personne ne la trouve.

— A-t-elle été mal rangée?

— Nous l'ignorons, répondit Mme Callender. Il se pourrait juste qu'elle soit invisible.

— Oh! Mais la Collection Grimm contient d'autres objets magiques, non?

— Oui, beaucoup.

— Pourrais-je en voir un?

— Bien sûr, accepta le Doc. Voyons, que vais-je te montrer...? Te souviens-tu de *L'esprit dans la bouteille*[1]?

— C'est le conte dans lequel un écolier laisse sortir un esprit d'une bouteille, n'est-ce pas? L'esprit menace de lui couper la tête, alors le garçon l'amène par la ruse à retourner dans la bouteille, en le raillant et en lui disant qu'il le croit trop gros pour y tenir...

— Oui, c'est ça, approuva le Doc. Et te rappelles-tu ce que l'esprit donne à l'élève pour le remercier de l'avoir libéré la seconde fois?

_____

1. Ce conte est présenté en fin d'ouvrage, à la page 501.

Je secouai la tête.

— Viens, je vais te montrer.

Nous descendîmes de nouveau les allées, passâmes devant des rayons de bouteilles en verre, de bols de toutes les formes et de toutes les tailles, devant des dizaines de rouets, et plein d'autres objets encore. Enfin, nous arrivâmes face à un coffre rempli de tissus soigneusement pliés et étiquetés. Le Doc en sortit un chiffon, qu'il déplia en le secouant. Il était sale et déchiré.

— Attendez, Lee! Testez-le d'abord! conseilla vivement Mme Callender.

— Ne vous inquiétez pas; c'est bien ce que j'ai l'intention de faire! Voilà pourquoi j'ai choisi ce linge. Je veux montrer à Elizabeth à quel point les articles de cette pièce peuvent être dangereux. Elizabeth, tu as vu les bouteilles devant lesquelles nous sommes passés?

J'opinai du chef.

— Si tu ouvrais la mauvaise sans réfléchir, un esprit risquerait de s'en échapper et de te couper la tête.

— Et pourquoi ne pourrais-je pas la lui faire réintégrer, comme dans l'histoire? demandai-je.

— Ce truc ne fonctionne qu'une fois, m'apprit le Doc. Les esprits ont retenu la leçon — ils ne tomberont plus jamais dans ce piège. Par conséquent, ne crois pas qu'il y ait quoi que ce soit d'inoffensif ou de gérable, ici. Tout est dangereux, d'une manière ou d'une autre.

Mme Callender acquiesça.

— Même les articles qui paraissent sûrs, enchérit-elle. Comme, par exemple, la marmite du conte *La bonne bouillie*[1]. Quand on lui dit : « *Cuis, petit pot, cuis !* », elle fait une bouillie de millet sucrée. Ça semble totalement anodin, tu es d'accord ?

— Oui, je me souviens de cette histoire, fis-je. Personne n'ordonna à la marmite d'arrêter de cuire jusqu'à ce qu'elle eût rempli de bouillie la quasi-totalité des maisons du village. Et les villageois durent manger cette bouillie pour pouvoir se frayer un chemin jusqu'à chez eux. L'histoire ne raconte pas si quelqu'un s'est noyé dedans.

— Bon, vous pouvez lui montrer le chiffon, Lee, décida Mme Callender.

Le Doc sortit un couteau de poche, le déplia et — à ma grande horreur — entailla profondément la base de son index.

— Martha, pouvez-vous prendre le relais ? demanda-t-il en lui tendant le chiffon. Je ne voudrais pas mettre du sang partout.

— Bien sûr, accepta Mme Callender en s'emparant du bout de tissu. Elizabeth, aurais-tu un petit objet à me donner, dont tu n'as pas besoin ? Une pièce, un crayon ?

---

1. Ce conte est présenté en fin d'ouvrage, à la page 498.

Dans la poche de mon sweat à capuche, je trouvai un gland que j'avais ramassé dans le parc, quelques semaines plus tôt.

– Ça ira ?

– Parfait.

Mme Callender frotta le gland avec le chiffon. Il ne se produisit rien. Elle retourna le chiffon et, avec l'autre côté, renouvela son geste. Elle leva le gland, sourit et me le rendit.

Il était à présent lourd et froid, gris-blanc et brillant. Il était en argent.

– Waouh ! m'exclamai-je, les yeux écarquillés. Il est si... beau ! On dirait un parfait petit gland en argent.

– *C'est* un parfait petit gland en argent, confirma le Doc.

– Maintenant, donnez-moi votre main, Lee. Elizabeth, regarde bien.

Je m'arrachai à la contemplation des minuscules écailles en argent de la calotte du gland, et reportai mon regard sur les bibliothécaires. Mme Callender avait saisi la main du Doc, qu'elle frottait avec le chiffon.

La coupure du docteur Rust se referma ; on aurait dit qu'elle n'avait jamais existé.

– Waouh ! répétai-je. Puis-je voir votre doigt ?

Le Doc me montra son index. Aucun signe de coupure.

— Je me rappelle le reste de l'histoire, maintenant, dis-je. Un côté du linge transforme les choses en argent, et l'autre côté guérit les blessures.

— C'est exact, approuva le Doc. Et, si Martha s'était trompée de côté, j'aurais maintenant une main en argent. Joli, mais inutile.

— Donc, ce bout de tissu pourrait sauver des vies ! m'écriai-je. Pourquoi est-il enfermé ici ? Pourquoi ne le donnez-vous pas à un hôpital, par exemple ?

— En effet, il sauverait des vies, reconnut le Doc. Sauf qu'il en coûterait aussi. Pas seulement parce qu'il transformerait les gens en êtres d'argent, mais parce qu'il provoquerait tant de guerres qu'il ne pourrait jamais guérir les blessures qu'elles causeraient.

— Ceci est la leçon du jour ! conclut Mme Callender, qui replia le chiffon et le remit dans le coffre. Non seulement les objets de cette collection sont extrêmement dangereux, mais avoir connaissance de leur existence l'est également.

— Absolument, confirma le Doc. Souviens-toi, Elizabeth : ne parle à personne de la magie qui est présente ici. Au mieux, les gens ne te croiraient pas. Au pire, ils te croiraient.

— Ne vous inquiétez pas, je garderai le secret. Cependant, beaucoup de gens doivent déjà être au courant de cette magie. D'abord vous, et maintenant moi... De plus, j'ai vu des usagers consulter des pièces de la Collection Grimm lorsque j'étais dans la Salle d'Examen Principale. Qui sont-ils ? Savent-ils que ces objets sont magiques ?

— Oui, admit le Doc. Il existe une vaste communauté — quoique fermée et dont tu fais désormais partie — de gens qui reconnaissent la magie et qui la pratiquent.

— Ces personnes empruntent-elles des articles de la collection ?

— Oui, les membres de la communauté peuvent obtenir des privilèges d'emprunt, me révéla le docteur Rust.

— Même les magasiniers ?

— Certains.

— Waouh ! m'exclamai-je.

Vous imaginez avoir chez vous un linge magique capable de transformer les choses en argent ? Ou une cape d'invisibilité ?

— Puis-je emprunter des objets magiques, moi aussi ? m'enquis-je.

— Un jour, je l'espère. Mais n'anticipe pas trop. D'abord, prends le temps d'assimiler ce que tu viens de découvrir.

— D'accord, me résignai-je.

De toute façon, je n'étais pas sûre d'être prête pour les responsabilités qu'un tel emprunt entraînerait.

— Vous ne lui parlez pas de... Vous savez ? demanda Mme Callender au docteur Rust.

– Si.

Le docteur Rust se tourna vers moi.

– Elizabeth, malheureusement, ces derniers temps, il y a eu des vols dans la Collection Grimm, m'expliqua-t-il. Et, maintenant, nous découvrons que des objets qui semblent nous appartenir se retrouvent sur le marché ou dans des collections privées.

– Quelqu'un vole les pièces de la collection? répétai-je. C'est horrible!

– Oui. Et parfois il semble que les voleurs remplacent les articles qu'ils dérobent par des faux.

– Oh, non!

«Des faux, comme les bottes "non magiques" qu'Anjali m'a demandé d'échanger contre les vraies pour Marc!» songeai-je.

Marc était-il...? J'écartai cette idée en frémissant.

– Mais en quoi puis-je vous être utile, moi? interrogeai-je le docteur Rust.

– Nous avons besoin d'employés dignes de confiance, qui possèdent un regard avisé. Si tu remarques quoi que ce soit d'incongru, préviens-nous, s'il te plaît.

– Bien sûr, je n'y manquerai pas, assurai-je. Et comment choisissez-vous les magasiniers à qui vous faites passer l'examen?

– C'est un ensemble de plusieurs choses. En ce qui te concerne, par exemple, nous observons ta manière de travailler. Nous prenons en compte les recommandations que nous ont adressées d'anciens magasiniers ou d'autres membres de la communauté, comme Stan Mauskopf.

— Pourtant, la magasinière que nous avons récemment dû renvoyer nous avait été recommandée par Wallace Stone, un usager de la bibliothèque, objecta Mme Callender.

— Je ne veux pas rejeter la responsabilité sur Wallace. Il a été bouleversé quand je lui ai annoncé que nous avions été obligés de nous séparer de Zandra. Il l'a très mal pris. C'est l'un de nos donateurs les plus généreux.

— Qu'a fait Zandra? questionnai-je.

— Non seulement elle répandait le chaos partout où elle passait, mais, en plus, nous l'avons surprise à substituer un vase banal à un vieux vase de valeur, révéla le Doc.

— C'était un vase magique?

— Non, juste un vase de la dynastie Ming, du Rayonnage 7, m'expliqua Mme Callender. Mais c'est déjà une faute très grave!

— Wallace Stone s'en voulait tellement de s'être trompé sur Zandra qu'il a fait don au Dépôt d'un incroyable ensemble de porcelaines, ajouta le Doc. En tant que marchand de tableaux et antiquaire, il nous a énormément aidés à compléter nos collections. Après notre déconvenue avec Zandra, je lui ai assuré que nous ne le considérions pas comme responsable ; il a tenu malgré tout à se faire pardonner.

– Donc, aujourd'hui, malgré le départ de Zandra, des objets disparaissent toujours, conclus-je. Ça ne pourrait pas être elle qui continuerait à voler ?

– Je ne le pense pas. Mais il est improbable qu'elle ait travaillé seule. Une jeune fille telle que Zandra n'aurait pas su comment s'y prendre pour revendre un vase Ming. Quiconque était derrière ces vols a dû trouver un moyen ou un autre d'accéder au Dépôt – et à la Collection Grimm, ce qui est encore pire.

– Anjali m'a dit qu'une autre magasinière avait disparu. Que lui est-il arrivé ? demandai-je.

– Oui, Mona Chen, me répondit le docteur Rust. C'était l'une de nos plus précieuses employées. Elle a réussi tous les examens haut la main. En outre, elle avait d'excellentes idées sur la manière de sécuriser les fiches d'emprunt de la Collection Grimm. Nous essayons de la retrouver.

– Où pensez-vous qu'elle est allée ? Vous a-t-elle rendu la clé ?

– Oui, confirma Mme Callender. Elle l'a remise à Lucy Minnian. Elle a raconté que sa famille déménageait, sans toutefois préciser où. En outre, il est surprenant qu'elle ne donne pas de nouvelles. La plupart de nos anciens employés, surtout les magasiniers des Collections Spéciales, restent en contact avec le Dépôt.

– Vous pensez qu'elle va bien ?

– Je l'espère, fit Mme Callender. Nous avons annoncé sa disparition à notre communauté, dans l'espoir qu'un membre ait bientôt des informations à son sujet.

– Qu'entendez-vous, au juste, par « notre communauté » ? m'enquis-je.

– Nous sommes un groupe fermé, expliqua le docteur Rust. Nous autres, bibliothécaires, sommes pour la plupart d'anciens magasiniers, qui nous retrouvons à collaborer avec d'autres anciens employés partis travailler dans des structures qui sont liées : des dépôts, des universités ou des instituts de recherche. La plupart des gens qui sont passés par ici n'ont pas envie de couper leur lien avec cet établissement.

Le docteur Rust accompagna ses paroles d'un geste de la main en direction des rayons.

Je comprenais parfaitement. Et je souhaitais ne jamais rien faire qui compromette mes chances de faire partie de cette communauté. Mais cette conversation au sujet des objets qui disparaissaient m'effrayait, étant donné la... – comment appeler cela ? – l'irrégularité de Marc avec les bottes. L'irrégularité de Marc, et le fait que je l'avais aidé.

– Enfin, Elizabeth, nous sommes heureux de t'avoir parmi nous, affirma le Doc. Et, s'il te plaît, ouvre grand les yeux et informe-moi si tu remarques quoi que ce soit de suspect. Je peux compter sur toi ?

Je déglutis, puis je répondis par l'affirmative.

— Merci. Et encore toutes mes félicitations pour tes excellents résultats à l'examen ! ajouta-t-il.

— Oui, félicitations, Elizabeth, répéta Mme Callender. Bon, maintenant, je vais te conduire à la Conservation pour que tu donnes un coup de main à Marc.

Tandis que nous passions devant le mur de tableaux, j'aperçus du coin de l'œil quelque chose bouger. Je me retournai. C'était mon reflet dans le miroir de *Blanche-Neige*.

Alors que j'étais totalement immobile, mon image dans le miroir porta un index sur ses lèvres, m'adressa un sourire malicieux, puis me fit un clin d'œil.

9

La Salle de Conservation

La Salle de Conservation était un grenier long, spacieux et lumineux, éclairé par une lucarne exposée au nord. Elle était fraîche ; des courants d'air passaient par les côtés de cette fenêtre, à travers laquelle on voyait, haut dans le ciel, filer des nuages blancs. Des objets gisaient en tas, soigneusement étiquetés. C'était le genre d'endroit où l'on aurait pu imaginer la treizième fée avec son fuseau empoisonné, sur le point de tendre un piège à la Belle au bois dormant[1].

Marc leva les yeux lorsque j'entrai.

— Merci, Elizabeth, dit-il d'un ton sérieux. Tu m'as vraiment tiré d'embarras. Je suis désolé que tu sois restée coincée en bas.

---

1. Dans la version des frères Grimm, les bonnes fées de *La belle au bois dormant* sont au nombre de douze, contrairement à la célèbre adaptation de Walt Disney, dans laquelle elles ne sont que trois.

– Ce n'est pas grave.

J'étais sincère. Être remerciée par Marc Merritt valait toutes les conversations avec des miroirs impolis et toutes les pensées loufoques sur l'utilisation des chaudrons de sorcières à des fins hygiéniques. En outre, que l'on m'introduise dans ce lieu magique et secret valait plus que toutes ces choses réunies.

– Si tu avais seulement attendu une heure ou deux, j'aurais pu entrer toute seule dans la Collection Grimm : le Doc vient de m'en donner la clé, déclarai-je fièrement.

– C'est vrai ? C'est génial ! Félicitations, Elizabeth ! Bienvenue dans le cercle restreint !

Il me tendit la main. Il avait une poigne ferme, magnifique.

– Mais, écoute…, commençai-je.

J'hésitai. Devais-je lui avouer être gênée de l'avoir aidé à enfreindre les règles ? Je n'avais pas envie de mettre notre amitié en péril. Ce n'était pas comme si j'avais des tonnes d'amis ! Avant même d'avoir reçu la clé, j'avais ressenti des affinités avec ce lieu. M. Mauskopf et le Doc me faisaient confiance, et j'avais l'impression que je leur étais redevable – ainsi qu'au Dépôt. Maintenant que j'avais vu la magie de la Collection Grimm et qu'on m'avait confié la clé de cette salle, je devais à cet endroit de prendre soin de lui du mieux possible.

C'est pourquoi je continuai :

— Le Doc m'a révélé qu'il y avait eu des vols, ici, récemment. M. Mauskopf, qui m'a encouragée à postuler au Dépôt, m'en a parlé aussi. Tous les deux m'ont demandé d'être vigilante et de les informer si je voyais quoi que ce soit de suspect. Tu n'es pas... ? Tu ne... ?

Je ne savais pas comment exprimer mes pensées avec tact.

— Je ne... quoi ? Tu me demandes si c'est moi qui vole des objets, c'est ça ? fit Marc.

Il avait le regard hautain, tel un prince incriminé pour une faute à laquelle il n'aurait jamais pu s'abaisser.

— Eh bien, je ne veux pas t'accuser, mais... Je ne sais pas... Ils me font confiance, et moi, je t'ai aidé, alors je tiens juste à m'assurer que...

— Je suis désolé — tu as raison, dit Marc. Je reconnais que les apparences jouent contre moi. Pourtant, rassure-toi, je ne ferais jamais rien qui puisse nuire au Dépôt. C'est comme chez moi, ici. Le Dépôt... fait presque partie de moi.

Il semblait si sincère que je mis mes doutes de côté.

— OK, je suis navrée. N'empêche que tu dois me dire ce qui se passe. C'est toi qui m'as entraînée dans cette histoire, et c'est à cause de toi que je suis restée enfermée dans une pièce effrayante ! Ce n'était pas rien. Tu me dois des explications.

— Ouais, d'accord. En fait, j'emprunte les bottes de sept lieues[1]. Je dois aller chercher Andreas chez ma tante, dans le Bronx, et le déposer à la crèche, à Harlem — tout ça entre mon entraînement de basket et mon travail ici. En métro, je mettrais des heures à effectuer ces trajets. Avec les bottes, je me déplace en moins de deux.

— Tu plaisantes ! Les vraies bottes de sept lieues ?! Donc, tu les prends au lieu de la ligne A !

Marc sourit :

— Oui, c'est beaucoup plus amusant. Et, comme je te l'ai dit, beaucoup plus rapide. On n'est jamais coincé entre deux stations.

— Oui, mais... C'est de la *magie* !

— En effet, reconnut Marc. Tu t'y habitueras.

OK, il était idiot de ma part de m'attendre à ce que « Mister Cool » exprime de l'étonnement, même devant de la véritable magie. Je me conseillai donc intérieurement d'être cool, moi aussi.

— Combien mesure une lieue ? l'interrogeai-je.

— Environ quatre kilomètres.

— Tu parcours donc vingt-huit kilomètres à chaque pas ? Le Bronx n'est pas si loin que ça...

— Ouais. Ce qui est délicat, c'est de faire des petits pas.

---

1. Cet objet est issu d'un conte populaire, retranscrit par Charles Perrault sous le titre *Le Petit Poucet* en 1697, et par les frères Grimm sous le titre *Le voyage du Petit-Poucet* en 1812.

Cela semblait effectivement délicat, mais, si quelqu'un contrôlait les déplacements de ses pieds, c'était bien Marc.

— Tu n'as pas peur qu'Andreas le dise à quelqu'un ?

Marc haussa les épaules :

— Qui va croire un enfant de trois ans lorsqu'il raconte que son frère est capable de voler ?

— Mais je ne comprends pas : pourquoi n'empruntes-tu pas les bottes officiellement ? Tu as des privilèges d'emprunt, non ?

Marc hocha la tête :

— J'ai bien essayé, au début, mais les pièces de la Collection Grimm sont surveillées de manière très stricte. On ne peut pas les emprunter plus d'une fois par mois. En plus, il faut laisser une caution importante, sans parler des amendes qui sont appliquées en cas de retard.

— Et pourquoi dois-tu déposer Andreas à la crèche ? Pourquoi tes parents ne le font-ils pas ? insistai-je.

— Ils sont très occupés, répondit Marc brièvement.

— Désolée, je ne voulais pas…, m'excusai-je en baissant la voix.

— Ce n'est pas grave… C'est ma faute, je n'aurais pas dû te parler si sèchement. Nous ferions mieux de travailler. Tu sais coudre ?

Il me conduisit à une table sur laquelle était empilé du linge.

Je secouai la tête.

— Ce n'est vraiment pas le genre de choses pour lesquelles je suis douée, me justifiai-je.

— Bon, d'accord. Tu vas apprendre aujourd'hui. Nous devons recoudre toutes ces pièces avant de les remettre dans les rayons.

— Elles proviennent de la Collection Grimm ? m'enquis-je.

— Non. Ce sont juste quelques-uns des habituels inestimables trésors du Dépôt.

Marc cousait étonnamment bien. Il était presque aussi habile avec une aiguille qu'avec un ballon de basket. Pas moi — surtout lorsque j'étais distraite par des pensées sur la magie et par la présence de Marc Merritt tout près de moi... Le ciel commençait à s'assombrir et mes doigts étaient criblés de piqûres quand je réussis enfin à assembler les côtés d'une tunique déchirée.

Je pensai à tous les personnages féminins de contes de fées à qui les travaux de couture avaient posé des problèmes. La mère de Blanche-Neige, qui désirait avoir une fille aux lèvres aussi rouges que le sang de son doigt piqué par une aiguille. La Belle au bois dormant et le fuseau qui lui avait été fatal. Et la victime du *Nain Tracassin*[1], enfermée avec l'impossible tâche

---

1. Ce conte est présenté en fin d'ouvrage, à la page 505.

de transformer de la paille en or en la filant comme de la laine. J'éprouvai plus que jamais de la compassion pour elles.

— Montre-moi ça, dit Marc.

Je lui tendis la tunique. Il éclata de rire :

— Ah oui, en effet, tu ne te sous-estimes pas ! Eh bien, c'est en forgeant qu'on devient forgeron !

— Où as-tu appris à coudre aussi bien ?

— Là où toi-même tu apprendras. Tous les magasiniers doivent acquérir cette compétence.

— Et qui t'a enseigné la couture ? insistai-je.

L'esquisse d'un sourire rêveur flotta sur son visage.

— Anjali, répondit-il.

À cet instant, la porte s'ouvrit, et, comme si Marc l'avait fait apparaître par magie, Anjali entra.

— C'est mortel au Rayonnage 2 ! se plaignit-elle. Alors Mme Callender m'envoie voir si vous avez besoin d'aide — à moins que vous ayez déjà fini ?

— Ha ! Avec cette « Miss Dix-Pouces » ? Tu rêves ! plaisanta Marc en me faisant un clin d'œil.

— C'est sympa ! pouffa Anjali. Tu devrais plutôt être super-poli avec Elizabeth, car tu lui dois une fière chandelle. Ne t'inquiète pas, Elizabeth, je me rappelle, il n'y a pas si longtemps, quand Marc avait cinq doigts de pied à chaque main. Tu n'as qu'à l'appeler « Caca-d'Orteil », tu verras s'il apprécie.

Marc et Anjali échangèrent un grand sourire.

Anjali prit un vêtement brodé en soie – était-ce la grande cape de cérémonie d'un seigneur ou un peignoir de bain sophistiqué ? – et choisit une bobine dans une nuance de bleu sarcelle. Elle fit passer le fil à travers le chas d'une aiguille et se mit à coudre rapidement en faisant de minuscules points. À la voir, cela semblait très facile.

— Au fait, Elizabeth, je suis vraiment désolée d'avoir oublié de t'indiquer comment sortir de la Collection Grimm, dit-elle, concentrée sur son ouvrage. Je me suis sentie stupide.

— Ce n'est pas grave. Tout s'est bien terminé.

— Je sais. N'empêche que je suis quand même désolée.

— Enfin, si tu avais attendu juste un peu, j'aurais pu me servir de ma propre clé – le Doc vient de me la donner.

— Waouh ! Félicitations !

Anjali posa le vêtement en soie et me serra dans ses bras.

— Et c'est quoi ? Oh, un pince-notes ? Cool !

— Ça me fait penser que je dois te rendre ta barrette, intervint Marc en lui tendant l'accessoire.

Anjali releva ses cheveux et les attacha avec.

— Comment était Zandra, la magasinière qui s'est fait renvoyer ? m'enquis-je. Le Doc et Mme Callender m'ont parlé d'elle.

— Je ne l'aimais pas, avoua Anjali. Seul le *matériel* l'intéressait : les vêtements, les lecteurs MP3. Elle voulait toujours s'acheter les choses les plus récentes et les plus chères. Je n'ai pas été très étonnée quand on l'a surprise à voler.

— Mais pourquoi voulait-elle dérober un vase ? m'étonnai-je. Ça n'a pas de sens.

— Je sais, admit Anjali. Qu'aurait-elle bien pu faire avec un vase Ming ? Elle projetait certainement de le vendre.

— Elle était trop bête pour penser à ça toute seule, commenta Marc. Je parie qu'elle travaillait pour quelqu'un.

— Qui ? demandai-je.

— C'est la grande question, répondit Marc.

— Et l'autre magasinière, celle qui a disparu ?

— Mona ? Je l'aimais bien, elle, continua Anjali. Mais quelque chose l'effrayait. Avant de partir, elle était devenue très nerveuse ; elle n'a jamais voulu expliquer pourquoi. Puis, un jour, elle a rendu sa clé et a juste... disparu.

— C'était peut-être cet oiseau gigantesque qui l'effrayait ? C'est tellement incroyable ! Du moins, je n'y croyais pas avant de découvrir la Collection Grimm.

— Je sais, c'est pour ça que j'avais hésité à t'en parler, marmonna Anjali. Je pensais que tu me prendrais pour une folle. Mais, à présent, tu as vu la magie de tes propres yeux. Et, si tu y réfléchis bien, il y a plein d'oiseaux gigantesques et de créatures fantastiques dans les contes de fées.

Je me rappelai combien le miroir de *Blanche-Neige* était effrayant, bien que ce ne fût qu'un miroir.

— D'accord. Que sais-tu au sujet de cet oiseau ? questionnai-je Anjali.

— J'ai entendu des usagers en parler. Et puis, il y a ce que ce marchand de tableaux louche m'a dit, un jour.

— L'homme qui n'arrête pas de te regarder ?

Anjali acquiesça :

— Il m'a conseillé de me méfier si je voyais un énorme oiseau, et de ne pas me promener seule en transportant quoi que ce soit de précieux. Il m'a souvent proposé de me raccompagner chez moi.

— Bouuuh ! m'exclamai-je. Tu es sûre qu'il n'a pas dit ça juste pour… euh… t'aborder ?

— Moi, je peux te raccompagner chez toi chaque fois que tu le souhaites, proposa Marc. Tu n'as pas besoin d'un vieil obséquieux pour s'occuper de toi. J'espère que tu le lui as fait comprendre.

— J'ai décliné sa proposition, précisa Anjali. N'empêche qu'il avait l'air sérieux au sujet de l'oiseau, et les usagers qui étaient près de lui le croyaient. Les joueurs d'échecs russes ont affirmé avoir interrompu une partie au Washington Square Park parce que l'oiseau avait tenté de les attaquer. Et, juste avant la disparition de Mona, je pense avoir vu quelque chose planer dans le ciel.

— Où était-ce ? Est-ce que tu en as informé le Doc ?

Anjali secoua la tête.

— C'était en dehors du Dépôt, répondit-elle. Mais je n'ai pas eu le temps de voir précisément ce que c'était.

Elle finit sa couture et coupa le fil avec des ciseaux.

— Bon, n'en parlons plus. Ça me donne la chair de poule... Sinon, est-ce qu'il y a des trucs amusants à réparer ? interrogea-t-elle avec une gaieté résolue.

— Va voir dans le meuble, lui dit Marc.

— Qu'entends-tu par « amusants » ? m'enquis-je.

— Magiques.

Anjali se dirigea vers une imposante armoire grise à double porte, à l'autre bout de la pièce.

— C'est ici qu'on met les articles de la Collection Grimm qui ont besoin d'être réparés, m'expliqua-t-elle.

Elle détacha sa barrette de ses cheveux, qui tombèrent en cascade, et appuya le petit accessoire contre la poignée en chantant :

— *Ouvre-toi,*

Que je remette les choses en bon état !

La porte accepta la rime imparfaite et s'ouvrit.

— Oh, nous avons de la chance ! se réjouit Anjali. Petite-table-sois-mise ! Quelqu'un a faim ?

— C'est le modèle français ou allemand ? se renseigna Marc.

— Allemand. Le modèle français a été emprunté, comme d'habitude.

— Qu'est-ce que c'est, « Petite-table-sois-mise » ? m'enquis-je.

Anjali sortit de l'armoire une petite table en bois :

— Tu ne connais pas le conte de Grimm intitulé *Petite-table-sois-mise,* ou *l'Âne-à-l'or* et *Gourdin-sors-du-sac*[1] ? Lorsque tu le lui demandes, la petite table se couvre de nourriture.

— Mais elle est cassée, puisqu'elle est entreposée ici ? supposai-je.

— Ça m'étonnerait. Elle a sans doute juste besoin d'un bon nettoyage, comme chaque fois.

Anjali lut un bout de papier attaché à l'un des pieds de la table :

— Ouais. Quelqu'un y a renversé de la bière, fait tomber du boudin noir ou quelque chose comme ça. Nous allons devoir la frotter, alors nous ferions bien de casser la croûte avant. *Petite table, sois mise !*

En un clin d'œil, il y eut tant de plats fumants sur la table qu'elle s'incurva légèrement en son centre et produisit un petit grincement.

___

1. Ce conte est présenté en fin d'ouvrage, à la page 507.

— Waouh! Ça a l'air bon! Mais... Enfin... A-t-on le droit de faire ça? objectai-je. Ne sommes-nous pas censés ne toucher à aucun article magique?

— Là, c'est le même principe que pour la traite des vaches. La table devient nerveuse si elle reste trop longtemps sans nourrir personne, m'expliqua Anjali. Et, de toute façon, il faudra bien qu'on la touche pour la nettoyer.

Anjali souleva le couvercle d'un plat. Une forte et appétissante odeur de chou emplit la pièce.

— Vous voulez commencer par les saucisses ou les pommes de terre? demanda Anjali.

— Par les saucisses! décida Marc.

— D'accord...

Anjali souleva d'autres couvercles et farfouilla dans les mets avec une fourchette:

— Tu as le choix entre *Blutwurst*, *Zervelatwurst*, *Bockwurst*, *Plockwurst*, *Leberwurst*, *Knackwurst* et, bien sûr, *Bratwurst*. Et ça, c'est quoi? *Weisswurst*, je pense.

— Mets-m'en une de chaque, s'il te plaît, dit Marc.

Anjali lui tendit une assiette débordante de *Würste*.

— Et toi, Elizabeth?

— Mmm, je ne raffole pas des saucisses. Je prendrai juste des pommes de terre.

— Très bien. Des *Kartoffelbällchen*, *Kartoffeltopf*, *Kartoffelkroketten*, *Kartoffelbrei*, *Kartofellknödel*, *Kartoffelkrusteln*,

Kartoffelnocken, *Kartoffelpuffer*, *Kartoffelklösse* ou des *Karto-ffelschnitz*? Ou bien des *Schmorkartoffeln*? Ou alors des frites?

— Je ne sais pas — choisis pour moi?

— Tiens, je vais te servir des *überbackene Käsekartoffeln* ; ce sont mes préférées. Il y a du fromage avec.

— Merci.

Je goûtai les tendres rondelles de pommes de terre servies avec une sauce au fromage crémeuse. C'était délicieux, et très riche.

— Comment se fait-il que tu connaisses tous ces termes? m'étonnai-je.

— J'ai fait des recherches. Je voulais savoir ce que nous mangions, répondit Anjali en soulevant d'autres couvercles.

— C'est typique d'Anjali — elle adore faire des recherches, dit Marc. Est-ce qu'il y a des *Spätzle*?

— Qu'est-ce que c'est? l'interrogeai-je.

— Des sortes de pâtes faites maison en forme de bou-lettes, m'expliqua Anjali. Oh, il y a du *Hasenpfeffer*! J'adore ça!

— C'est quoi?

— Un ragoût de lapin assaisonné au poivre noir.

Anjali s'en servit une assiette :

— Mmmm! Ne dites rien à mes parents — nous sommes végétariens, à la maison.

– J'en veux bien, moi aussi, réclama Marc.

– Il y a une chose que je ne comprends pas, avouai-je en prenant une autre bouchée de pommes de terre au fromage. Si ces objets magiques sont si puissants, comment se fait-il que des gens ne s'en emparent pas pour conquérir le monde ? À moins que ce soit déjà arrivé ? Ce serait la motivation des voleurs ?

– Je me posais les mêmes questions, au début où je travaillais ici, me confia Anjali. D'abord, un grand nombre de ces articles ne sont pas aussi puissants qu'ils le paraissent. Ensuite, nous disposons de la technologie moderne, maintenant.

– Ouais, approuva Marc. Certes, des épées et des bâtons magiques peuvent passer des gens à tabac, mais ce n'est rien comparé aux armes à feu et aux bombes.

– On peut aussi mentionner la corne de bélier enchantée te permettant de parler à quelqu'un qui se trouve à des kilomètres de toi, ajouta Anjali. Ce n'est pas comme si les téléphones portables n'existaient pas. N'oublions pas le tapis volant. C'est chouette, mais on a déjà les avions. Ces objets sont extraordinaires ; les collectionneurs les adorent. Cependant, ils ne seraient pas très utiles pour conquérir le monde.

– Vous avez raison, mais il y a certainement des choses dans la collection qui n'ont pas encore été inventées dans la vie réelle. Je pense à la cape d'invisibilité. Ou à la chandelle du conte de Grimm intitulé *La lumière bleue*[1], où le nain apparaît chaque fois que le soldat allume sa pipe avec la lumière magique et réalise ses vœux. Une telle lumière serait drôlement utile pour dominer le monde!

— C'est vrai. Sauf que la plupart de ces pièces magiques sont capricieuses — personne ne peut les contrôler.

— Prendrez-vous un dessert? proposa Marc.

— Peut-être devrions-nous… euh… travailler un peu d'abord, suggéra Anjali en regardant de nouveau dans le meuble de rangement. Voici une paire de sandales volantes. On dirait qu'il faut remplacer les boucles.

— Des sandales *volantes*? répétai-je.

— Absolument, confirma Anjali en les levant à hauteur d'yeux.

Ces chaussures avaient des ailes aux talons. Elles ressemblaient à celles dont les ailes avaient bougé lorsque j'avais voulu les toucher. Je me demandai comment elles étaient arrivées si vite ici.

— Je m'en occupe, se dévoua Marc, qui ouvrit le tiroir d'un meuble et farfouilla parmi des boucles.

— Et voici la cuvette qui déborde! annonça Anjali en tenant une bassine en pierre remplie d'eau, qui dégouttait par le fond. Il me faut du mastic.

---

1. Ce conte est présenté en fin d'ouvrage, à la page 503.

— Va voir dans le meuble de fournitures, suggéra Marc.

— Ça y est, j'ai trouvé. Elizabeth, peux-tu me donner un coup de main ?

— Bien sûr.

Je tins le récipient au-dessus du lavabo pendant qu'Anjali le réparait. C'était assez incroyable d'utiliser du gel en silicone ordinaire pour calfater une cuvette magique qui débordait continuellement.

— Merci, Elizabeth, je crois que ça ira comme ça... Marc ! Qu'est-ce que tu fabriques ?

Marc, qui avait enlevé ses chaussures, était en train d'enfiler les sandales ailées.

— Je dois m'assurer que les boucles tiennent, non ?

Il sauta en l'air et glissa en avant tel un patineur sur glace volant. À le voir, on avait l'impression qu'utiliser ce nouveau moyen de locomotion était un jeu d'enfant.

— Vous avez besoin de quelque chose qui se trouve là-haut ? demanda-t-il.

Je le regardai, les yeux écarquillés. Des grains de poussière se mirent à pleuvoir sur nous. J'éternuai et me frottai les yeux.

— Désolé, Elizabeth, s'excusa-t-il.

Puis il effectua un looping et atterrit de façon théâtrale.

— Des sandales *volantes* ! m'exclamai-je de nouveau, éberluée.

– Tu veux essayer ?

– Moi ? Vraiment ?

– Bien sûr.

– Mais... Mais il ne faut pas avoir une compétence spéciale... ? Je ne sais pas..., bafouillai-je.

Marc éclata de rire.

– Ce n'est pas aussi difficile que ça en a l'air, m'assura-t-il. Tu vas vite t'habituer. Je vais te montrer.

Il déboucla les sandales, puis me les tendit. Bien que ses pieds fussent beaucoup plus grands que les miens, les sandales m'allaient.

« C'est vraiment magique », me dis-je.

– Comment ça marche ? m'enquis-je.

– Saute le plus haut possible et actionne les ailes. Pour cela, il faut en quelque sorte remuer les talons.

J'essayai. Je m'étais élevée à environ quinze centimètres au-dessus du sol lorsque mes pieds se dérobèrent brusquement sous moi, me faisant atterrir brutalement sur les fesses.

Marc pouffa, mais Anjali le dévisagea en fronçant les sourcils, alors il reprit son sérieux.

– C'était un bon début, Elizabeth. Arrange-toi seulement pour que ton corps suive tes pieds, me conseilla-t-il. Garde ton poids centré juste au-dessus d'eux.

– Tu ferais mieux de l'aider, lui enjoignit Anjali en me hissant sur mes jambes.

Je fis une nouvelle tentative, cette fois avec Marc derrière moi, qui me tenait le haut des bras. Étrangement, sa proximité était aussi enivrante que les sandales ailées que je portais.

Il me poussa en avant et vers le haut. J'avançai en titubant, puis je reculai. Je faillis retomber ; il plongea, me rattrapa et me remit droite.

Après deux chutes, je commençai à comprendre comment ces chaussures magiques fonctionnaient. Ça ressemblait au patinage, mais on glissait encore plus — mes pieds risquaient de s'envoler dans deux fois plus de directions.

— Qu'est-ce que vous fichez ? interrogea une voix depuis la porte.

Je sursautai et... chutai.

Heureusement, comme j'étais assez loin au-dessus du sol, je ne me cognai pas la tête. Je me retrouvai juste suspendue en l'air, la tête en bas, les ailes de mes talons battant frénétiquement.

Dans l'embrasure de la porte, Aaron grogna.

— Oh, salut, Aaron ! Tu nous as fait peur, dit Anjali.

— Pourquoi Elizabeth flotte-t-elle en l'air, la tête en bas ? Pourquoi lui montrez-vous ces trucs ?

— Ne t'inquiète pas, Aaron, je suis au courant pour la magie, déclarai-je. J'ai réussi l'examen et le Doc m'a donné la clé.

Je l'extirpai de ma poche et l'élevai – enfin, la baissai – pour la lui montrer.

– Le Doc t'a donné une clé, et la première chose que tu fais, c'est jouer avec la magie ?

Aaron s'était exprimé d'un ton aussi sévère que celui que M. Mauskopf employait lorsqu'il rendait des interrogations écrites.

– Je ne suis pas en train de jouer, me défendis-je avec autant de dignité que je pus trouver en moi dans cette position. Marc a réparé ces sandales, et je les testais.

Aaron se pencha, si bien qu'il me regardait à présent à l'endroit :

– Oh, tu les « testais », hein ? Je dois dire qu'il est un peu difficile de te prendre au sérieux quand tes cheveux sont dressés sur ta tête. Même si tu es mignonne, comme ça. On dirait un balai avec un visage.

– Merci – tes cheveux aussi sont rigolos, répliquai-je, assez puérilement.

Je baissai les bras et fis descendre mon corps sur la table de travail. J'eus un peu de mal à faire obéir mon pied droit. Aaron s'esclaffa.

– Tu veux un dessert ? lui offrit Anjali pour le distraire. Nous allions justement en prendre un.

– Eh bien… Peut-être un tout petit.

– *Petite table, débarrasse-toi !* commanda Anjali.

Tous les *Kartoffel*-choses et *Kartoffel*-machins, les trucs-*Wurst* et autres bidules-*Schnitz* s'évaporèrent en un clin d'œil, laissant des gouttes et des miettes dans leur sillage. Anjali essuya la table avec une éponge d'un air indifférent et ordonna :

— Le dessert, à présent, je te prie. *Petite table, sois mise !*

La table grinça de nouveau. Même dans mes rêves d'enfant les plus fous, je n'avais jamais vu autant de gâteaux, de tartes et de puddings.

Marc et Aaron se servirent.

— Qu'est-ce qui te ferait plaisir, Elizabeth ? demanda Anjali.

— Tous ces desserts sont si appétissants ! Peut-être le gâteau au chocolat, dans le coin, avec les cerises et la crème ?

— Et une part de *Schwarzwälder Kirschtorte*, une ! annonça Anjali, en me tendant une assiette, avant de se servir elle-même du strudel aux pommes. Alors, Aaron, quoi de neuf ? Tu es venu ici parce que tu cherchais quelque chose ?

— Juste toi, répondit Aaron. Je veux dire, je me demandais où tu étais passée, ajouta-t-il, avec un peu de raideur. La bibliothèque est à présent fermée au public. Le Doc verrouillera bientôt l'ensemble du Dépôt.

Anjali consulta sa montre :

— Oh, tu as raison. Le temps file. *Petite table, débarrasse-toi !* Désolée, petite chose. Je te nettoierai à fond une prochaine fois, promit Anjali en la tapotant.

Je l'aidai à ranger la table dans le meuble, et nous rassemblâmes tous nos affaires pour nous préparer à partir.

Soudain, Anjali hurla.

— Quoi ? Qu'y a-t-il ?

— Anjali !

Les garçons coururent vers elle. Pointant un doigt vers la lucarne, une main sur son cou, Anjali cria :

— Là ! L'oiseau ! Il est là !

10

Une mystérieuse menace

Derrière la lucarne, il y avait bien une forme sombre, mais il était difficile de la distinguer sur le ciel du soir. En revanche, nous discernions clairement un bec crochu et d'énormes yeux jaunes. Puis, battant de ce qui ressemblait à des ailes géantes, la chose disparut.

Je m'aperçus que je tremblais.

— Waouh, ça, c'est ce qu'on appelle un oiseau gigantesque ! s'écria Marc d'un ton paniqué. Ça va, Anjali ?

— Oui. Je suis juste effrayée.

— Il n'est pas question que tu rentres chez toi seule, décida-t-il. Je vais te raccompagner.

— Marc, tu n'en as pas le temps !

— Moi, si, affirma Aaron.

Je remarquai que personne ne proposait de me raccompagner, moi.

— Vous pensez que cet oiseau poursuit Anjali ?
demandai-je.

— C'est possible ; elle l'a déjà vu une fois, répliqua Marc.

— Nous ferions mieux d'en informer les bibliothécaires, estima Anjali. Il faudrait qu'ils soient au courant.

Lorsque nous sortîmes de la Salle de Conservation, le
Doc était déjà parti, mais nous trouvâmes Mme Callender
au Rayonnage 6.

— Oh, c'est vraiment terrifiant ! s'exclama-t-elle,
après que nous lui eûmes raconté l'incident. Que faisait
cet oiseau ? Il regardait juste par la fenêtre ? Ou a-t-il
essayé d'entrer ?

— Il regardait par la lucarne, répondit Anjali. Et il
s'est envolé dès que je l'ai vu. D'après vous, qu'est-ce
qu'il voulait ?

— Étiez-vous en train de travailler sur les objets d'une
Collection Spéciale ?

— Oui, sur les sandales ailées et Petite-table-sois-mise
— le modèle allemand.

— Eh bien, ceci est très troublant, jugea Mme Callender.
Nous devons en parler au docteur Rust au plus vite. Et
vous feriez bien de redoubler de prudence. Vous rentrez
ensemble ?

— Bonne idée, approuvai-je. Rentrons ensemble.

— Oui, mon chou, fit la bibliothécaire. Restez grou-
pés et faites bien attention à vous.

Nous sortîmes tous les quatre dans le froid et pressâmes le pas. L'immeuble d'Anjali était seulement à quelques pâtés de maisons de là. Lorsque nous atteignîmes l'angle de sa rue, une bourrasque glaciale nous fit claquer des dents. Je remontai mon col et enroulai mon écharpe autour, ce qui n'empêcha pas le vent de pénétrer dans mon manteau.

— Pourquoi ne recouds-tu pas le bouton qui manque ? me questionna Anjali.

— Tu as vu comment je couds !

— Tu aurais dû me le dire quand nous étions au Dépôt ; je te l'aurais fait.

— Merci. Peut-être que je te demanderai ce service la semaine prochaine.

— Tu sais quoi ? Monte chez moi ; je vais le recoudre maintenant, proposa Anjali.

— Oh, ce serait super. Tu es sûre ?

— Oui, c'est très facile.

— Merci, Anjali !

Nous dîmes au revoir aux garçons devant la porte d'Anjali. Elle habitait l'un des majestueux immeubles de Park Avenue. Je passais souvent devant et jetais des coups d'œil furtifs aux halls dorés tapissés de marbre, mais je n'étais jamais entrée dans l'un d'eux. Un portier vêtu d'un uniforme à boutons en cuivre et coiffé d'une casquette s'avança en hâte pour nous ouvrir.

— Bonsoir, mademoiselle Anjali, dit-il.

— Bonsoir, Harold, répondit-elle.

Mon amie ne montra pas la moindre gêne, comme si des hommes en uniforme lui ouvraient les portes et l'appelaient « mademoiselle Anjali » tous les jours. Ce qui devait effectivement être le cas.

L'ascenseur était garni de lambris en bois de citronnier et de bancs recouverts de cuir. Il nous conduisit au quatorzième étage. Il y avait des peintures aux murs et un vase rempli de fleurs fraîches sur une petite table. Anjali poussa une porte sur la droite. Une délicieuse odeur épicée se répandit sur le palier.

— Anjali ? C'est toi ? appela quelqu'un à l'intérieur de l'appartement.

— Salut, maman ! J'amène une copine.

Anjali accrocha son manteau dans un placard près de l'entrée et prit le mien sur son bras. Nous enfilâmes un couloir qui débouchait sur un vaste salon. La mère d'Anjali se leva d'un bond quand elle nous vit et vint vers nous avec la même démarche alerte que sa fille. Elle portait une jupe et un pull classiques, des chaussures d'apparence onéreuse, ainsi que des rubis aux oreilles. Elle était environ six fois plus belle que n'importe laquelle des mères que j'avais déjà vues. J'aurais été très intimidée si elle n'avait pas souri aussi chaleureusement.

— Maman, je te présente Elizabeth.

— Elizabeth Rew, c'est ça ? Je suis Krishna Rao, fit la mère d'Anjali en me tendant la main. Je suis si contente de te rencontrer enfin ! Anjali m'a tant parlé de toi !

— Ah bon ?

— Oh, oui !

Elle avait une voix aiguë comme sa fille, avec un accent mélodieux.

— Je sais que tu travailles au Dépôt avec Anjali, que tu fréquentes le lycée Fisher et que tu es une grande amatrice de basket. Ai-je oublié quelque chose ? C'est très gentil de ta part d'avoir invité Anjali au match de basket. Elle attend cet événement avec impatience.

Elle me serra la main une dernière fois avant de la lâcher. Je jetai un coup d'œil à Anjali, qui semblait tendue.

— Les matchs de mon lycée ne sont rien comparés à ceux de Fisher, commenta-t-elle. Fisher est tellement plus grand que Wharton ! Et, bien sûr, Wharton étant une école de filles, Fisher ne joue pas vraiment dans la même catégorie que nous...

— C'est vrai, confirmai-je. En plus, nous avons quelques joueurs sensationnels dans notre équipe. Par exemple, notre ailier, qui est une véritable star, affirmai-je d'un ton plein de sous-entendus. Je crois que vous savez qu...

Anjali secoua légèrement la tête avec un air paniqué, alors je rectifiai le tir :

— … qu'on s'amuse, aux matchs de basket !

— Tu restes dîner avec nous, n'est-ce pas ? m'invita Mme Rao avec son grand sourire. Tu aimes la nourriture épicée ?

— Oh, je… je ne sais pas.

Je dévisageai Anjali, en essayant de deviner si j'étais réellement la bienvenue. Elle hocha la tête de façon presque imperceptible.

— Je veux dire… oui, j'aime la nourriture épicée.

— Eh bien, appelle tes parents et préviens-les, me répondit Mme Rao.

« Ça leur est bien égal, où je mange ! » songeai-je.

Je téléphonai quand même chez moi, et tombai sur Cathy : « Tu étais censée nettoyer la baignoire ce soir, mais tu pourras le faire demain. »

— Ma belle-mère dit qu'il n'y a pas de problème, informai-je ensuite Mme Rao. Merci beaucoup.

— Parfait ! Anjali, demande à Aarti de ne pas trop épicer le plat. Nous ne souhaitons pas effrayer Elizabeth la première fois qu'elle vient chez nous.

La chambre d'Anjali était assez vaste pour disposer d'un grand lit double, d'un bureau, d'un petit canapé, d'un fauteuil et de deux bibliothèques qui montaient jusqu'au plafond.

– Donc, nous allons à un match de basket...,
commençai-je.

Anjali s'assit dans le fauteuil et ouvrit une boîte à
couture sombre, sculptée avec minutie et marquetée d'ivoire et de nacre. Elle se pencha au-dessus, de
manière que je ne puisse plus voir son visage.

– J'espère que ça ne te dérange pas. Je voulais
rejoindre Marc et le regarder jouer, se justifia-t-elle.
Mais mes parents... Mes parents préféreraient que
je sorte avec des garçons indiens. Ou avec personne.
Personne, de préférence.

– Bien sûr que nous pouvons y aller ensemble. En
plus, je serai contente de ne pas être seule.

Anjali releva la tête :

– Merci. Du fond du cœur. Tu l'as, ce bouton ?

Je le lui tendis. Dès qu'elle le toucha, elle parut très
surprise.

– C'est le bouton de ton manteau ? Où l'as-tu acheté,
ce manteau ?

– Il me vient de ma demi-sœur. Mais j'ai perdu le
bouton d'origine. C'est le docteur Rust qui m'a donné
celui-ci quand j'ai réussi le test du tri.

– Oh ! Je devrais peut-être coudre un bouton ordinaire, alors ! Je crois en avoir un qui irait avec ton
manteau, dit-elle en me rendant le mien.

Je le scrutai plus attentivement et compris qu'il ne s'agissait en effet pas d'un bouton ordinaire : je perçus une légère odeur qui me rappela la Collection Grimm. Où le docteur Rust avait-il eu ce bouton ? Quels étaient les pouvoirs de ce petit objet ?

— Non, je voudrais que tu couses celui-ci, insistai-je. Le docteur Rust me l'a certainement donné pour mon manteau — il est assorti aux autres boutons.

Anjali approcha la tête de sa lampe de lecture et passa un fil dans le chas d'une aiguille.

Tandis que je l'observais, quelque chose passa à la limite de mon champ de vision, de l'autre côté de la fenêtre. À quel étage étions-nous ? Au quatorzième ? Un son s'échappa de ma gorge, moitié hoquet de peur, moitié cri.

— Quoi ? Qu'y a-t-il ? s'inquiéta Anjali.

Je désignai la fenêtre du doigt.

Anjali bondit de son fauteuil et baissa le store d'un coup sec. Puis elle ferma les rideaux.

— Qu'est-ce que tu as vu ?

— Je n'en suis pas sûre. Je pense que c'était encore cet oiseau gigantesque. Est-ce que Marc avait raison ? Est-ce qu'il te suit ?

— Il n'y a plus rien, maintenant, constata Anjali en jetant un coup d'œil par les fentes du store.

Je la rejoignis près de la fenêtre :

— J'ai peut-être rêvé. Nous sommes toutes les deux nerveuses.

C'est alors que j'entendis le petit bruit d'une démarche traînante, derrière la porte. J'eus un second hoquet de peur. Anjali virevolta.

— Jaya ! hurla-t-elle.

D'un bond, elle traversa sa chambre et voulut claquer la porte. Trop tard. Il y avait un pied dans l'embrasure — un pied assez grand, chaussé d'une tennis terminant une jambe maigre. Bombant la poitrine, Anjali parut elle-même se transformer en un faucon au plumage noir et aux yeux brillants de colère.

— Dehors ! cria-t-elle d'une voix stridente.

La tennis ne bougea pas d'un pouce.

— Jaya ! J'ai dit : « Dehors ! »

— Anjali ! gémit la voix au-dessus de la tennis. Qu'est-ce qui te suit ?

— Toi, visiblement. Sors de ma chambre.

— Je ne suis pas dans ta chambre.

— Ton pied, si, insista Anjali en essayant de repousser l'intrus avec le sien.

— Ne m'écrase pas le pied ! Je vais le dire à maman !

— Très bien, vas-y ! Enlève ton pied de ma porte et précipite-toi dans les jupes de ta mère.

Le pied était toujours là.

— Allez, Anjali, laisse-moi entrer ! J'ai envie de rencontrer ta copine. Je te promets de m'asseoir sagement dans un coin ; tu ne sauras même pas que je suis là. Si quelque chose d'effrayant te suit, j'ai le droit de le savoir. Je pourrais t'aider. Ou c'est peut-être même moi qui suis poursuivie.

— Ouais, c'est ça ! Tu es poursuivie par un mangeur d'enquiquineuse.

— Allez, Anjali ! S'il te plaît...

— Laisse-la entrer, intervins-je. Qu'est-ce que ça peut faire ?

Anjali marqua un silence, l'air froissée.

— Ceci est une grosse erreur, commenta-t-elle en ouvrant lentement la porte.

Deux genoux, deux coudes, surmontés d'yeux noirs aux sourcils assez fournis, eux-mêmes surmontés d'une tignasse brune hérissée, entrèrent d'une façon théâtrale et se jetèrent sur le lit.

— Jaya ! Enlève tes tennis de ma couette !

Jaya bougea légèrement, de façon que sa chaussure dépassât juste du bord du lit. Elle tourna les sourcils vers moi :

— Tu es Elizabeth, hein ? Tu vas au lycée qui a une bonne équipe de basket. Je peux aller au match, moi aussi ?

— Non, refusa Anjali.

— Mais je veux voir Marc jouer !

— Jaya ! Espèce d'ignoble petite espionne !

— Oh, ne t'inquiète pas, je ne dirai rien à papa et maman. C'est qui, ce Marc, au fait ? Ton amoureux ?

— Descends de mon lit ! Je suis sérieuse ; descends ! répéta Anjali en s'avançant brusquement.

Cela m'amusait de voir combien sa sœur la faisait tourner en bourrique. Était-ce la même jeune fille posée et imperturbable que j'admirais au Dépôt ?

— Anjali a un amoureux ! Anjali a un amoureux ! chanta Jaya en donnant des coups de pied en l'air.

Anjali semblait prête à la mettre en charpie.

— Tu joues au basket, Jaya ? m'empressai-je d'intervenir. J'ai l'impression que tu ferais une bonne basketteuse.

— Ah bon ? s'étonna Jaya, qui se rassit en me regardant. Pourquoi ?

— Tu es grande pour ton âge, et tu as les jambes et les bras longs. Lève-toi, que je te voie mieux.

Jaya sauta sur ses pieds, laissant la couette toute froissée.

— Attrape !

Je lui lançai un petit coussin en dentelles que j'avais pris sur le canapé. Elle le saisit au vol et me le renvoya.

— Doucement, soufflai-je en le lui relançant. Il faut manier le ballon avec précision et maîtrise. Oui, tu serais douée. Tu n'es pas seulement grande pour ton âge ; tu es rapide, aussi.

— Qu'est-ce qui te fait dire que je suis grande pour mon âge ? Tu sais quel âge j'ai ?

— Dix ans, répondis-je.

Jaya parut déçue :

— C'est Anjali qui te l'a dit ?

— Non, tu ressembles à une fille de dix ans.

— Si je ressemble à une fille de dix ans et si j'ai réellement dix ans, comment puis-je être grande pour mon âge ? Si j'étais si grande que ça, je passerais plutôt pour une fille de douze ans.

— Tu as l'air d'une grande fille de dix ans.

Anjali commençait à s'impatienter. N'empêche, sa petite sœur ne parlait plus de Marc. À présent, elle se déplaçait dans la pièce en sautillant, faisant mine de marquer des paniers avec le coussin.

— Pose ça ; tu vas casser quelque chose, lui ordonna Anjali.

— Regarde, fis-je à Jaya.

Je formai un cercle avec mes bras. Jaya y lança le coussin, que je gardai. J'enlevai mes chaussures d'un coup de pied, je m'étendis sur le canapé et coinçai le coussin sous ma joue. Jaya fit la moue, puis flâna dans la chambre, en tripotant des bibelots.

— Ne touche pas à ça, Jaya ! C'est fragile.

— C'est l'éventail de tante Shanti ? demanda la fillette en inspectant les deux côtés de l'accessoire.

Il était en santal, sculpté avec minutie et orné de plumes stylisées.

— Oui, repose-le.

Jaya me rejoignit nonchalamment sur le canapé et m'éventa. L'air ainsi produit dégagea une légère odeur, troublante mais familière. Du santal, oui... mais quoi d'autre ? La senteur fraîche qui flotte dans l'air après un orage ? Du vinyle ? Du pain grillé ?

— Je peux regarder ça une seconde ? demandai-je.

Jaya me considéra avec méfiance :

— Pourquoi ?

— Je veux vérifier quelque chose.

— Promets-moi que tu vas me le rendre.

— On verra, répondis-je.

La curiosité de Jaya l'emporta sur son esprit de contradiction : elle me donna l'éventail. J'agitai l'objet devant mon visage et en reniflai le dos, le devant et la poignée. Il était magique — cela ne faisait pas l'ombre d'un doute. Je dévisageai Anjali et lui demandai :

— Qu'est-ce que c'est ?

Elle haussa les épaules :

— Du santal ?

Ne souhaitait-elle pas parler devant sa sœur, ou ne savait-elle réellement rien ? Je rendis l'éventail à Jaya.

— Remets-le en place, lui ordonnai-je. Doucement.

Non sans surprise, je vis Jaya m'obéir, tout en reniflant elle-même l'objet au passage. Puis elle tendit la main vers une boîte marquetée posée sur la même étagère.

— Non, lui interdit Anjali, d'une voix posée, cette fois-ci.

Il était clair qu'elle ne plaisantait pas — cela n'échappa pas à Jaya, qui stoppa son geste.

— Laisse ça, insista Anjali.

— Mais je veux juste voir ce qu'il y a dedans !

— Laisse ça, je te dis. Je ne rigole pas. Tante Shanti m'a révélé que cette boîte était sans fond ; ta douleur le sera aussi quand je te frapperai, si jamais tu la touches !

Anjali racontait-elle des craques ou était-elle sérieuse ? Et pourquoi sa famille possédait-elle ces objets magiques ?

Après tout, qu'est-ce qui était le plus bizarre : que les Rao détiennent des objets magiques ou que la magie existe tout court ? En outre, chez eux, il y avait beaucoup de choses qu'on ne voyait pas chez les autres : des tables sculptées, des boîtes marquetées, des compositions florales sophistiquées... Je me demandai quelles étaient les propriétés magiques de l'éventail.

Jaya leva les yeux au ciel et se jeta sur le canapé, près de moi.

— Alors, qu'est-ce que c'est, le truc terrifiant qui te poursuit ? demanda-t-elle à sa sœur, sur le ton de la conversation.

— Oh, Jaya, va-t'en ! Tu n'as pas de devoirs à faire ?

— Je les ai déjà faits. Alors, c'est quoi ?

— Rien du tout.

— Dans ce cas, pourquoi Elizabeth a-t-elle crié ?

— Elle n'a pas crié.

Jaya se tourna vers moi et m'interrogea :

— Est-ce que quelque chose de terrifiant est à tes trousses ? Parce que je connais un bon sortilège pour être protégé.

— C'est vrai ? fis-je.

— Il me faut un bout de ficelle, un fil, un ruban, ou un truc de ce genre-là.

Tout à coup, ses quatre membres tout en longueur jaillirent du canapé. Jaya se rua sur la boîte à couture d'Anjali, en sortit de la laine fuchsia, dont elle coupa un bout avec les dents.

— Oh, Jaya, tu es dégoûtante ! protesta Anjali.

Elle noua le fil avec lequel elle avait recousu mon bouton et le coupa soigneusement à l'aide de petits ciseaux.

Jaya ignora son commentaire.

— Tends ton bras, m'ordonna-t-elle.

Elle enroula deux fois le bout de laine autour de mon poignet. Puis, se mordant la lèvre inférieure, elle en passa les extrémités tantôt dessus tantôt dessous, en faisant des boucles autour de ses doigts. Enfin, elle saisit un bout dans chaque main — me pinçant légèrement au passage — et déclama :

— *Avec ce grigri,*
Du mal sois à l'abri !

Sur ce, elle serra fort le nœud et me sourit fièrement. Je regardai mon poignet. Il était entouré d'un bracelet en laine rose vif qui se terminait par un gros nœud, et dont les bouts étaient légèrement effilochés et humides de salive.

— Merci, Jaya, murmurai-je.

— N'enlève pas ce bracelet. Aussi longtemps qu'il restera à ton poignet, tu devrais être protégée — de la magie malfaisante, en tout cas. Je ne pense pas que ça fonctionne contre les agressions et les accidents de voiture.

— Qui t'a appris ça ? la questionna Anjali. Tante Shanti ?

— Non, Mlle Bender.

— Qui est Mlle Bender ? m'enquis-je.

— Notre prof de couture, répondirent les deux sœurs en chœur.

— Vous prenez des cours de couture ? m'étonnai-je.

— Bien sûr, confirma Jaya. Toutes les élèves de Wharton apprennent à coudre. La couture constitue une partie importante de l'éducation d'une jeune fille.

Elle donnait l'impression de ressortir le laïus de son enseignante.

– C'est Mlle Bender qui m'a recommandée quand j'ai postulé pour travailler au Dépôt, m'expliqua Anjali.

– Oh, je vois.

Si ce professeur de couture enseignait aux filles Rao des procédés magiques pour éloigner le mal, peut-être M. Mauskopf serait-il lui aussi en mesure de m'en apprendre davantage, songeai-je. Pourrais-je le lui demander ? Comme ce travail au Dépôt changeait ma vie ! En positif, car il y apportait de la magie. Et – encore plus important – grâce à lui, j'avais maintenant des amis. Mais en négatif également, à cause de cette même magie. Le genre de magie funeste et effrayante – celle qui vous fait peur au point de créer en vous une obsession : éviter le mal.

Soudain, quelqu'un frappa à la porte :

– Anjali ? Jaya ? Le dîner est prêt !

Les Rao mangeaient avec les doigts, ce qui, contre toute attente, n'était pas sale – pas du tout. Ils se tenaient à table avec beaucoup d'élégance, se servant dans le plat à l'aide de morceaux de pain plat ou de boulettes de riz qu'ils avaient préalablement formées avec leurs doigts. M. Rao me vit regarder mon assiette avec nervosité.

– Aarti ne t'a pas donné de fourchette ? me demanda-t-il. Je suis navré, j'aurais dû le lui préciser ; j'ai manqué d'égards. Aarti ! Veuillez apporter des couverts à notre invitée !

M. Rao était un homme corpulent, cordial et plein d'autorité. Sa fille cadette lui ressemblait beaucoup, en dépit de sa minceur et de ses cheveux hérissés.

– Veux-tu boire quelque chose, Elizabeth ? Du soda au gingembre ? me proposa-t-il.

– Oui, s'il vous plaît. J'adore ça.

– Du soda au gingembre, Aarti, je vous prie !

– Moi aussi, j'en veux ! réclama Jaya en se levant d'un bond.

– Reste assise, Jaya. Aarti va en apporter, dit Mme Rao.

Nous mangeâmes une sorte de ragoût de haricots, une espèce de soufflé et un légume que je ne connaissais pas. Tout était délicieux ; j'acceptai volontiers d'en reprendre. Je regrettai que le dîner se terminât et j'eus un peu peur de rentrer seule chez moi, dans les rues froides et sombres où l'oiseau rôdait peut-être. Anjali proposa de me raccompagner jusqu'au métro, mais, bien sûr, je refusai.

Je touchai nerveusement le fil de laine autour de mon poignet et boutonnai mon manteau jusqu'en haut, en le serrant bien contre mon cou. Par chance, le ciel demeura vide sur tout le trajet. Manifestement, ce n'était pas moi que l'oiseau poursuivait.

11

Une plume et une clé

Le lundi suivant, au lycée, j'allai trouver M. Mauskopf, qui, apparemment, cherchait aussi à me voir.

— Elizabeth, quand dois-tu aller travailler au Dépôt? me demanda-t-il.

— Demain.

— Bien. Pourras-tu donner ceci au docteur Rust de ma part?

Il me tendit un paquet assez grand, enveloppé dans du papier marron et attaché avec de la ficelle.

— Remets-le à Lee en mains propres. C'est très important. Ne le confie à personne d'autre. Je peux compter sur toi?

— Bien sûr.

— Et ne l'ouvre pas.

— Évidemment que non!

Comme si c'était mon genre d'ouvrir le courrier des gens !

— Merci, Elizabeth. Comment ça marche, au Dépôt ?

— Super ! J'adore ce travail. On m'a donné la clé de la Collection Grimm.

— Oui, Lee me l'a dit. Félicitations ! Ce n'est pas quelque chose qu'il fait à la légère, tu sais. Si tout continue à bien se passer, tu bénéficieras bientôt des privilèges d'emprunt.

— Vous croyez ? Ce serait génial ! C'est fou, toutes les choses que la collection abrite !

M. Mauskopf sourit.

— Oui. J'étais époustouflé, moi aussi, au début. Tu te rends compte quel honneur c'est de s'en occuper, n'est-ce pas ? C'est également une grande responsabilité. Ce n'est pas toujours facile.

— Oui, je le sais. Monsieur Mauskopf, je voulais vous dire… : il est arrivé une chose étrange. Vous vous souvenez des rumeurs au sujet d'un énorme oiseau ? Eh bien, je crois que je l'ai vu, avec les autres magasiniers, Marc, Anjali et Aaron. Il planait au-dessus de la lucarne de la Salle de Conservation. Ensuite, quand je suis allée chez Anjali, je pense l'avoir revu.

— Tu as vu l'oiseau ? ! Dis-moi… de quelle taille était-il ?

— Plus grand que moi. Ce n'était pas un oiseau ordinaire, c'est certain.

M. Mauskopf eut l'air inquiet :

— Je suis content que tu m'en aies informé. Si cela te rassure, j'en parlerai à Griffin. Il gardera un œil sur toi.

— Griffin ? Votre chien ?

J'avais envie de demander à mon professeur à quoi cela servirait, mais j'eus peur de paraître impolie.

— Absolument. Et tu ferais mieux de prendre cela.

Avec deux de ses longs doigts osseux, M. Mauskopf sortit de sa poche de poitrine une petite plume marron et sale.

— Merci. Qu'est-ce… Qu'est-ce que j'en… ?

— Garde-la sur toi. Et, quand tu seras en difficulté, lance-la au vent. Mais, surtout, n'oublie pas de prendre soin de ce colis.

J'aurais voulu lui poser d'autres questions. Hélas, la seconde sonnerie retentit, et je dus courir pour ne pas arriver en retard au cours de français.

Le paquet de M. Mauskopf ne rentrant pas dans mon sac, je le tins sous le bras, en agrippant fermement la ficelle avec mes doigts gantés. Une légère odeur s'en dégageait, pareille à celle des piscines, qui me rappelait l'été. Des piscines et des bananes… Non, c'était autre chose. Les balançoires construites avec des pneus, peut-être ?

J'allai dans le centre-ville en descendant la Cinquième Avenue, qui longeait le parc. En chemin, tout en admirant le soleil couchant qui peignait des ombres violettes sur la neige, j'essayai d'identifier chacun des composants de l'odeur de la magie. Ça me faisait du bien de marcher ; le froid qui me pinçait les joues était vivifiant. Une volée de corbeaux passa au-dessus de ma tête, se découpant contre l'astre déclinant. Quelque chose de curieux dans ce groupe d'oiseaux attira mon attention ; je m'arrêtai et levai les yeux. L'un d'entre eux paraissait trop grand pour être un corbeau. Était-ce un faucon ? Je ne pouvais plus le voir, mais j'avais un mauvais pressentiment, comme chez Anjali. J'accélérai l'allure, tout en me tordant le cou pour regarder derrière moi.

L'énorme oiseau réapparut. Il tourna sur lui-même et piqua, se dirigeant droit sur moi. Je me mis à courir.

Alors, quelque chose d'encore plus grand surgit de derrière un bouquet d'arbres et traversa le ciel. Ce n'était pas un oiseau – cette silhouette était plus rectangulaire, telle celle d'un cheval ou d'un lion. À présent, j'avais donc deux poursuivants. Je paniquai, courus plus vite, tout en les surveillant par-dessus mon épaule au lieu de regarder devant moi. J'entrai ainsi en collision frontale avec quelqu'un. Mon paquet vola dans les airs. Je m'étalai à plat ventre dans la neige, mais, au moins, j'étais vivante et je n'avais été heurtée que par un humain.

— Est-ce que ça va ? me demanda l'homme qui se tenait au-dessus de moi, une main tendue.

Il m'aida à me relever.

— Je suis désolée ! m'excusai-je en enlevant la neige de mes vêtements. Oui, je vais bien. Est-ce que je vous ai fait mal ?

L'individu sourit. Il avait une petite barbe soigneusement taillée.

— Non, non, absolument pas. Tu étais drôlement pressée, dis donc ! commenta-t-il.

Il se pencha pour ramasser les enveloppes et les paquets qu'il avait laissés tomber. À cet instant, je le reconnus : c'était l'usager de la Salle d'Examen Principale qui fixait souvent Anjali.

— Oui, je...

Je m'interrompis, jetai des coups d'œil alentour, mais ne vis aucun oiseau nulle part.

— Je suis vraiment navrée, répétai-je. Je ne regardais pas où j'allais.

— Il n'y a pas de mal.

— Est-ce que c'est mon paquet ? demandai-je.

L'homme portait plusieurs grands colis enveloppés de papier marron, semblables à celui que M. Mauskopf m'avait confié.

— Non, je ne pense pas — par contre, j'en ai bien un de trop.

— Le mien était adressé au docteur Rust, du Dépôt d'Objets Empruntables de la Ville de New York, précisai-je.

– Oh, quelle coïncidence étonnante ! Justement, je m'y rendais !

L'homme me montra l'un des colis, adressé lui aussi au docteur Rust.

– Je me disais bien que ton visage ne m'était pas inconnu. Tu es l'une des magasinières, n'est-ce pas ? Je me souviens de t'avoir vue au Dépôt. Je peux emporter ton paquet et le donner au docteur Rust en même temps que les miens.

– Non ! m'écriai-je d'une voix paniquée et impolie. Non, merci, ça ira. Je dois le remettre moi-même au docteur Rust.

– Je t'assure, cela ne me dérange pas ; en plus, il arrivera plus vite. Je vais de ce pas au Dépôt. Crois-moi, ton paquet sera plus en sécurité avec moi.

Il hésita avant de poursuivre :

– Dis-moi, est-ce que tu travailles dans la Collection Grimm ?

– Quoi ? Pourquoi voulez-vous le savoir ?

– Ah, donc la réponse est oui. Ne t'inquiète pas, tu n'es en train de trahir aucun secret. Je connais tout de la collection, affirma-t-il pour me rassurer.

– N'empêche que j'ai besoin de mon paquet.

– Oui, bon... À ce propos... Je ne voudrais pas te faire peur, mais il y a eu des vols dans la Collection Grimm. Certaines personnes ont signalé que... qu'une grande créature volante les avait menacées ou leur avait même arraché des objets des mains. Et je crois que nous avons tous les deux vu ce qui te suivait, à l'instant.

— Vous avez vu l'oiseau ?! m'écriai-je en frissonnant. Il est parti, maintenant ?

— Pour le moment, oui. Seulement, je suis convaincu que tu seras plus en sécurité si tu me laisses me charger de ton colis. Il se peut que cette créature soit à la recherche d'un paquet similaire.

— Pourquoi ne vous poursuivrait-elle pas, *vous*, dans ce cas ?

L'homme sourit de nouveau :

— C'est possible. Sauf que je suis plus vieux et que j'ai plus l'habitude de… enfin… de ce genre de situation. Je suis capable de me défendre. Et puis, je m'en voudrais terriblement s'il t'arrivait malheur.

— Merci, fis-je. C'est gentil de votre part. Mais je ne peux pas accepter. J'ai promis de remettre ce paquet au docteur Rust en mains propres. Puis-je le récupérer, s'il vous plaît ?

Mon interlocuteur haussa les épaules :

— Tiens, voilà.

Il me tendit l'un des colis. Le nom du docteur Rust était inscrit à l'encre marron sur l'emballage, et il était attaché avec de la ficelle – comme celui que M. Mauskopf m'avait confié. Pourtant, quelque chose clochait.

Je le reniflai. Il sentait le papier marron humide..., les pétards..., le tabac du diable[1]... Il sentait la magie, mais la mauvaise magie.

— Ce n'est pas mon paquet, objectai-je.

— Bien sûr que si.

— Non, vous avez dû le confondre avec l'un des vôtres. Le mien, c'est celui-ci, affirmai-je en désignant le colis coincé sous son bras.

— Pas du tout. Celui-ci est à moi, prétendit l'homme.

— Montrez-le-moi, exigeai-je.

Je lâchai le premier paquet et attrapai le deuxième.

L'homme le tint fermement tandis que je le tirais vers moi. Le bouton du haut de mon manteau, celui qu'Anjali avait recousu, entra en contact avec sa main. Ses doigts se déplièrent lentement, tremblant un peu, comme s'ils agissaient contre leur volonté. Enfin, je récupérai mon colis. L'homme grogna. Un instant, j'eus l'horrible impression qu'il allait... je ne sais pas... *m'attaquer*.

Puis il se ressaisit. Il ramassa le colis qu'il avait tenté de me donner.

— Je suis désolé, dit-il. Je voulais juste te protéger. Mais tu es une jeune fille têtue. Courageuse, aussi. Fais attention. J'espère que tu resteras à l'abri du danger.

Sur ces mots, il s'éloigna à grands pas dans la neige.

---

1. Tabac du diable : plante vivace qui se développe dans les marais ou les bois humides, et qui dégage une odeur désagréable.

Arrivée chez moi, je fermai la porte de ma chambre à clé et posai le paquet sur mon bureau. Je ne parvenais pas à me débarrasser de la peur que m'avait donnée cette rencontre dans le parc. J'inspectai le colis. La neige avait fait couler l'encre marron sur le papier d'emballage, mais je reconnaissais tout de même l'écriture de M. Mauskopf. C'était bien la sienne, non ? Je ne m'étais pas trompée de paquet ? Je le reniflai. Oui, il semblait magique. Je trouvai qu'il sentait la magie d'été – un peu le pin, un peu le sel et les œillets. Cependant, l'autre était manifestement magique, lui aussi. Peut-être fallait-il que j'ouvre ce paquet pour examiner ce qu'il contenait, songeai-je.

À peine cette pensée m'avait-elle traversé l'esprit que je fus prise d'une envie irrésistible de la mettre à exécution. Je savais pourtant que c'était idiot. À quoi cela me servirait-il ? N'ayant aucune idée de ce que M. Mauskopf avait mis dans son colis, l'ouvrir ne me donnerait pas la certitude qu'il s'agissait bien du sien. Je violerais donc ma promesse pour rien. Toutefois, ma curiosité était si grande qu'elle en devenait presque intenable. Et si je soulevais juste un coin pour jeter un coup d'œil furtif à l'intérieur ? Presque contre mon gré, mes doigts se glissèrent vers le paquet.

– Arrête, Elizabeth ! m'ordonnai-je à voix haute.

Je mis le colis sous clé dans un tiroir de mon bureau, verrouillai violemment mon esprit et me concentrai sur les verbes irréguliers que je devais apprendre.

Le lendemain, au Dépôt, je frappai à la porte du docteur Rust.

— Bonjour, monsieur Rust. Avez-vous un moment? M. Mauskopf m'a demandé de vous apporter cela.

— Merveilleux! Merci, Elizabeth.

Le Doc retourna le paquet et considéra l'emballage froissé et l'encre qui avait bavé.

— Tu ne l'as pas ouvert? me demanda-t-il.

— Non, répondis-je, me sentant vaguement coupable, comme si je mentais. Mais je l'ai fait tomber. Dans la neige. J'espère que cela ne l'a pas abîmé. Ça a été compliqué de l'apporter jusqu'à vous – c'est de cela que je voulais vous parler.

— Il fallait s'y attendre...

Le Doc sortit un coupe-papier, semblable à un petit poignard, à l'aide duquel il défit l'emballage. À l'intérieur du colis, il y avait une boîte en bois toute simple.

— Commençons par regarder là-dedans, d'accord? suggéra-t-il.

Je tendis le cou. Le Doc souleva le couvercle, révélant une grande quantité de poupées en papier entassées les unes sur les autres. Sous mes yeux stupéfaits, couche après couche, elles se gonflèrent, s'animèrent, pour finalement sauter hors du coffret. Ensuite, elles se lancèrent dans des acrobaties hallucinantes, dansant dans la pièce à toute vitesse, de la même manière que les taches de rousseur du Doc se déplaçaient sur son visage.

Deux de ces acrobates posèrent un crayon sur une agrafeuse et s'en servirent comme d'une balançoire à bascule, se catapultant l'une après l'autre dans les airs. Un deuxième duo escalada la lampe de bureau en se dandinant et plongea dans la carafe placée au-dessous. Un troisième couple déroula du ruban adhésif de son dévidoir et en colla l'extrémité sur la lampe. Il tint fermement les deux bouts du scotch pendant qu'une demi-douzaine d'autres poupées s'amusaient à le traverser en exécutant chacune leur tour une série de sauts, de flips et de roues, comme des gymnastes sur une poutre.

— C'est bien ; tu as dit la vérité, commenta le Doc.

— Évidemment. Mais comment le savez-vous ?

Le Doc sourit.

— Essaie de remettre ces poupées dans le coffret, me dit-il.

— D'accord.

Je me tournai vers les petites créatures en papier.

— Ça suffit, maintenant. Retournez dans la boîte ! leur ordonnai-je.

Sans tenir aucun compte de ce que je venais de leur demander, elles s'alignèrent pour danser un quadrille.

— Allez, maintenant, rentrez ! répétai-je.

Je leur présentai le coffret ouvert, de façon aussi engageante que possible.

M'ignorant toujours, elles commencèrent à cabrioler sur toute la longueur du bureau. Rapidement, avant qu'elles puissent m'échapper, j'attrapai le couple meneur et le déposai délicatement dans la boîte. Hélas, le couvercle ne fermait pas — les têtes des danseurs étaient trop grosses. Je dus lâcher les poupées et essayer d'en saisir d'autres. Ces bonshommes en papier n'étaient pas très coopératifs ! Ils se donnèrent la main et évitèrent, en sautillant, toutes mes tentatives pour les attraper.

— J'abandonne, finis-je par déclarer.

— Ces petites créatures sont fougueuses, n'est-ce pas ? plaisanta le Doc.

Il sortit une baguette d'un tiroir et tapa doucement les danseurs l'un après l'autre. Au simple contact du bâton, les poupées perdirent leur épaisseur et s'aplatirent en voletant sur le bureau, de nouveau aussi fines que du papier. Le Doc les empila dans le coffret, dont il rabattit le loquet d'un coup sec.

Heureusement que je n'avais pas ouvert cette boîte ! Ni laissé l'homme barbu me la prendre.

— Docteur Rust ? Un homme vous a-t-il apporté un colis identique à celui-ci hier ? m'enquis-je.

— Je n'étais pas là, mais j'ai bien reçu des paquets — comme souvent. Il se peut qu'il y en ait eu un ou deux emballés comme celui-ci. Pourquoi ?

— En rentrant du lycée avec ce colis, je suis tombée sur un homme. En fait, je lui ai littéralement foncé dedans ! J'ai lâché le paquet, et il a voulu me le prendre. Il a dit qu'il était en chemin pour vous remettre d'autres colis exactement similaires au mien. Quand je lui ai demandé de me le rendre, il a affirmé être un habitué du Dépôt, et qu'il serait plus sûr pour moi de le laisser vous remettre mon paquet. Il a tenté de les échanger, mais je ne l'ai pas laissé faire.

— Sage attitude !

— Le problème, c'est qu'il y avait vraiment une créature volante à mes trousses. La même qu'Anjali, Marc, Aaron et moi avons vue, il y a quelques jours. Mme Callender vous en a-t-elle parlé ?

— Oui, répondit le Doc en hochant la tête. La situation est très grave ! Cet homme t'a-t-il dit son nom ?

Je secouai la tête.

— À quoi ressemblait-il ?

— Il était petit et barbu. Je l'avais déjà aperçu dans la Salle d'Examen Principale.

— Tu me préviendras si tu le revois ?

— Bien sûr. Pourquoi pensez-vous qu'il tenait tellement à prendre mon paquet ? Croyez-vous que c'est lui qui vole des objets de la Collection Grimm ?

— Si seulement je le savais ! Mais, pour le moment, c'est cette créature qui m'inquiète le plus. Peux-tu me la décrire ?

— Elle ressemble vraiment à un énorme oiseau. Elle est plus grosse que moi et volait droit sur moi. Ensuite, un autre oiseau gigantesque a surgi — mais c'était peut-être autre chose ; je ne l'ai pas bien vu. C'est à ce moment-là que j'ai foncé dans le barbu. Alors, l'oiseau — ou les oiseaux — a disparu. À votre avis, cet homme avait-il raison : ces créatures en avaient-elles après le colis ? M'auraient-elles fait du mal ?

— Oui, il ne s'est sans doute pas trompé : ces bêtes voulaient assurément s'emparer de ton colis. En tout cas, je suis content qu'elles ne t'aient pas blessée.

— Mais, qu'est-ce que c'est, exactement ? demandai-je.

— On dirait bien qu'il s'agit de l'oiseau dont on a déjà entendu parler. Par contre, c'est la première fois que j'apprends l'existence d'une autre créature. Et tu dis que tu avais vu ce gigantesque oiseau auparavant… ?

— Oui, par la lucarne de la Salle de Conservation et par la fenêtre de la chambre d'Anjali.

— As-tu mis Stan Mauskopf au courant ?

— Je l'ai juste informé que je pensais avoir aperçu l'oiseau — mais c'était avant que celui-ci me poursuive et que ce barbu tente de voler votre colis.

— Stan t'a-t-il donné un charme ou quelque chose comme ça ?

— Non... Enfin, si. J'avais presque oublié. Il m'a donné une plume.

Le visage du Doc s'éclaira.

— Bien — c'est exactement ce qu'il te fallait, déclara-t-il. Veille à l'avoir toujours sur toi. Je suis désolé pour tout cela. Je savais que ce serait une gageure, pour toi, de m'apporter les acrobates, mais j'ignorais que ça serait si dangereux. Tu peux être fière de toi. Tu as réussi un examen plus difficile que celui que nous avions l'intention de te faire passer.

— Comment ça ? Quel examen ?

— L'examen qui t'accorde des privilèges d'emprunt.

— Vous voulez dire... pour des objets de la Collection Grimm ? !

Le Doc opina du chef :

— Stan t'a demandé de m'apporter les danseurs en papier pour voir si tu étais suffisamment responsable, et si on pouvait te faire confiance pour prendre soin des pièces de la Collection Grimm en dehors du Dépôt. Clairement, la réponse est oui.

— Vous êtes sérieux ? Je peux emprunter des objets, maintenant ? Des objets *magiques* ?

— Oui, quand tu te sentiras prête.

— Je peux emporter chez moi tout ce que je veux ? Même, par exemple... je ne sais pas... une bouteille renfermant un génie ?

Le Doc sourit de nouveau :

— À ta place, ce n'est pas ce que je choisirais en premier. Certaines pièces de la Collection Grimm peuvent être assez difficiles à gérer. Il vaudrait mieux commencer par de petites choses.

— D'accord. Merci beaucoup !

Tout cela était si excitant !

— En attendant, reprit le Doc, vu les récents vols et les apparitions inquiétantes de cet oiseau, je vais changer les codes d'ouverture des portes ainsi que les procédures. Les bibliothécaires possèdent des passe-partout. En revanche, vous, les magasiniers, vous aurez besoin de deux clés pour entrer : la vôtre plus celle d'un collègue — sans oublier la petite chanson. Vous devrez descendre dans la collection par deux, de façon à vous surveiller mutuellement. Ne prête jamais ta clé à quiconque, et avertis-moi si quelqu'un veut te l'emprunter.

— Vous pouvez compter sur moi. Je ferai tout mon possible pour protéger la collection, assurai-je avec ferveur.

« Et pour me protéger moi-même », songeai-je.

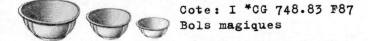

12

Une chaise invisible

Le lendemain, lorsque Mme Callender m'envoya travailler dans la Collection Grimm avec Aaron, j'étais tout excitée.

— Qu'allons-nous faire ? l'interrogeai-je. Traiter des fiches d'emprunt ?

— Oui, si vous en recevez. Je veux surtout qu'il y ait quelqu'un en bas pour garder un œil sur les articles. En attendant d'attraper le voleur, nous pouvons au moins lui compliquer la tâche en surveillant la collection de près.

Aaron se trouvait déjà devant la porte quand j'arrivai. Il semblait différent sous cette lumière vive et fluorescente. Je me rendis compte que je n'avais passé du temps avec lui que dans la semi-obscurité du Rayonnage 2. Sans toutes ces ombres sinistres, il semblait étonnamment normal. Beau, même – il fallait bien que je le reconnaisse.

Il avait des traits prononcés, ciselés, tel un prince de conte de fées. Des pommettes hautes, un grand front sur lequel retombait gracieusement une unique boucle brune, et un menton creusé d'un sillon vertical.

— Ah, te voilà ! fit-il en me voyant. Où étais-tu ? J'ai besoin de ta clé en plus de la mienne pour entrer.

— Désolée de t'avoir fait attendre ! m'excusai-je.

Je plaquai mon pince-notes contre la porte et chantai, aussi doucement que possible. Je ne voulais pas risquer de m'attirer des commentaires sarcastiques d'Aaron.

— Plus fort ! exigea-t-il. On n'entend rien.

La serrure s'ouvrit avec un déclic.

— J'essayais juste de ne casser les oreilles de personne, me justifiai-je.

— Pourquoi ? Tu ne chantes pas si mal...

— Mmm..., merci.

Je tins la porte à Aaron et le suivis dans la Collection Grimm. Près du poste de routage des tubes pneumatiques, il y avait un fauteuil en bois sombre, sculpté minutieusement, au siège et au dossier recouverts de velours, ainsi qu'une chaise pliante métallique. J'hésitai. Le fauteuil paraissait plus confortable, mais assez vieux pour faire partie de la collection. Peut-être la chaise pliante était-elle plus sûre ?

Pendant que je délibérais intérieurement, Aaron s'installa dans le fauteuil. Je dépliai la chaise et m'y assis.

J'enlevai mon pull et le mis sur le dossier. Aaron sortit un livre.

— Qu'est-ce que tu lis ? lui demandai-je.

— *La guerre des mondes*, de H.G. Wells[1].

— C'est bien ?

— Jusqu'ici, oui.

Aaron se laissa aller en arrière dans son fauteuil et étendit les jambes.

— Ce fauteuil a l'air très confortable, constatai-je. C'est quoi ? Une pièce de la Collection Grimm ?

Aaron leva les yeux de son livre et m'adressa un large sourire.

— Évidemment, puisqu'il est ici, confirma-t-il.

— Alors, il est magique ? Que fait-il de spécial ?

— Il est extraordinaire ! Comme par magie, quand je m'assois dessus, mes fesses ne heurtent pas le sol...

— Mouais... À la différence de tous les autres fauteuils ! ironisai-je.

— Oui, mais celui-ci est beaucoup plus efficace. Encore plus que la chaise qui se trouve là-bas.

Aaron pointa le doigt dans la direction d'un mur aveugle, de l'autre côté du poste de routage des tubes pneumatiques.

— Où ça ? Je ne vois pas de chaise, dis-je.

---

1. Roman de science-fiction, publié en 1898.

— Pas étonnant. Elle est invisible.

Il alla près du mur qu'il avait désigné, puis se baissa jusqu'à ce que ses genoux fussent pliés à angle droit.

— Tu fais semblant, l'accusai-je.

— Crois ce que tu veux.

Il croisa les jambes et ouvrit son livre. Si c'était un numéro de mime, il devait avoir les cuisses très musclées !

Je m'approchai de lui et l'observai. Ses jambes ne tremblaient pas.

— Combien de temps peux-tu tenir assis comme ça ? le questionnai-je.

— Aussi longtemps que je n'aurai pas de fiche d'emprunt à traiter. Cette chaise est très confortable. Tu veux l'essayer ?

Il se leva et fit un pas de côté, comme s'il me laissait sa place.

— Ha, ha ! Tu n'arriveras pas à me berner ! Tu t'es levé parce que tes jambes étaient fatiguées.

— Mes jambes, fatiguées ? Après avoir été si bien assis sur cette chaise ? Ne sois pas bête. Essaye, tu verras.

— D'accord.

Je me baissai lentement contre le mur. Un peu plus bas que là où le siège aurait dû être, je perdis l'équilibre et glissai par terre.

Aaron éclata de rire et me tendit la main :

– Désolé, Elizabeth ! J'ai voulu empêcher ce farfadet de retirer la chaise à la dernière seconde, mais il a été trop rapide. Méchant farfadet !

– Sacré farceur ! lançai-je, avant de rire et d'accepter la main d'Aaron. De toute façon, je n'ai pas envie de m'asseoir.

Cela me semblait tellement dommage de rester immobile dans une pièce remplie de magie ! Je me dirigeai vers les meubles de rangement.

– Qu'est-ce que tu fabriques ? me demanda Aaron.

– Je regarde juste.

– Ne touche à rien.

– Je ne touche à rien. Toi non plus, d'ailleurs, ne touche à rien, répliquai-je.

– Non, sincèrement, ces choses sont dangereuses.

– Ne t'inquiète pas.

Au lieu de se rasseoir avec son livre, Aaron se promena à mes côtés.

– Qu'y a-t-il ? Tu n'as pas confiance en moi ? Je te rappelle que c'est toi qui m'as joué un tour et qui m'as fait tomber par terre.

En réalité, sa présence ne me dérangeait pas. Au contraire, elle me rassurait. Car, lors de ma dernière visite, j'avais trouvé cet endroit si menaçant ! Même l'air avait semblé émettre un bourdonnement angoissant.

– Je t'ai fait tomber à la renverse, hein ? C'est vrai que j'ai tendance à produire cet effet sur les filles.

– Tu veux dire qu'elles se cassent la figure en essayant de t'échapper ? rétorquai-je.

– Oooh, tu es dure !

Je marchai, les narines frémissantes, appréciant les odeurs changeantes du lieu. Je décelai un léger parfum de jasmin. Ou était-ce du chèvrefeuille ? Non, du poisson que l'on vient de pêcher. Non, un oreiller en plumes humide. Des sacs en plastique. Du sirop pour la toux.

Nous passâmes devant les bols et les chaudrons, les bouteilles, les chaussures.

– Hé, Aaron ! Comment se fait-il qu'il y ait autant de chaussures, ici ?

Il haussa les épaules :

– Ce sont des objets fréquemment utilisés dans les contes de fées : *Le chat botté*, *Cendrillon*, *Les nains magiques*[1]. Et dans celui de ces idiotes de princesses qui dansent.

– Idiotes ? *Le bal des princesses* est mon histoire préférée ! m'exclamai-je. Pourquoi les traites-tu d'idiotes ?

– Eh bien, parce qu'elles sont trop occupées à penser à leur bal pour remarquer qu'il y a un grand soldat costaud dans leur barque.

---

1. Ce conte est présenté en fin d'ouvrage, à la page 506.

— Mais il est invisible ! protestai-je.

— Et alors ? Toi, ça ne t'empêcherait pas de le remarquer ! Il les suit tout le temps !

— La princesse la plus jeune s'aperçoit quand même de quelque chose. Elle l'entend faire craquer des branches dans les forêts d'argent, d'or et de diamants.

— D'accord, alors elle est peut-être moins bête que ses sœurs. Mais elle aussi est obsédée par la danse. Elle use ses chaussures en dansant toutes les nuits. Tu ne passerais pas tes nuits à danser comme ça, toi !

— Je n'en ai pas les moyens, répondis-je, en regrettant mes cours de danse avec Nicole et les copines de mon ancien lycée. N'empêche que cela n'explique pas pourquoi il y a autant de chaussures dans ces histoires, insistai-je.

— Je l'ignore. Les voitures n'existaient pas quand les frères Grimm collectaient leurs contes. Peut-être pensaient-ils beaucoup aux chaussures parce qu'ils étaient obligés de se déplacer en marchant et qu'ils avaient constamment les pieds en compote.

— Ta théorie est intéressante. Tu crois donc qu'ils ont retenu surtout les contes de fées qui parlaient de chaussures, et qu'ils ont écarté les histoires traitant plutôt de chapeaux ou d'écharpes parce qu'ils étaient focalisés sur leurs pieds douloureux ?

— Pourquoi pas ? estima Aaron en s'esclaffant. Il y a quand même des chapeaux, ici, mais beaucoup moins que de chaussures.

— Au fait, comment as-tu obtenu ce travail ? l'interrogeai-je.

— C'est mon prof de sciences qui m'a recommandé.

— Et tu sais pourquoi il t'a choisi ?

— Pour mon intelligence et ma beauté, bien sûr ! répondit Aaron.

— Ouais, c'est ça ! Moi, c'est mon prof d'histoire qui m'a informée qu'un poste était disponible, mais je ne sais pas vraiment pourquoi.

— Pour ton intelligence et ta beauté, bien sûr !

— Hmm… merci.

Aaron venait-il de me complimenter ? Waouh !

— Non, mais sérieusement, repris-je. Pourquoi nous ? Je n'en reviens pas de la chance que j'ai de travailler dans un endroit pareil. Je suppose que, comme moi, tu rêvais tout le temps que ces contes de fées étaient réels, quand tu étais petit, non ? Pourquoi est-ce nous qui avons le privilège de découvrir que la magie existe bel et bien ?

Aaron hocha la tête lentement :

— Moi, je lisais plutôt des livres de science-fiction. Mais, oui, je suis d'accord avec toi. Pourquoi avons-nous cette chance ? Est-ce réellement juste une question d'affinités, comme le prétend le Doc ?

— Que veux-tu dire ?

— Tu sais… Les affinités, c'est ce qui explique que tu es attiré par telle ou telle chose. Par exemple, moi qui suis féru de science-fiction et toujours en train d'essayer de comprendre comment les choses fonctionnent, je suis un peu le spécialiste du Legs Wells — qui contient justement des objets ayant inspiré des romans de science-fiction. Et toi, tu sembles toujours tout observer de près et tu vois comment les objets sont en rapport les uns avec les autres… C'est fou, on dirait qu'à tes yeux le monde entier est vivant ! Bref, toi non plus, tu n'as pas été embauchée par hasard. C'est sûrement grâce à nos inclinations naturelles que nous avons le privilège de découvrir l'existence réelle de la magie.

Il marqua une pause, puis ajouta, avec un petit sourire :

— Enfin, tu as quand même un peu de mal à saisir la réalité des chaises invisibles…

Waouh ! Il avait remarqué tout cela chez moi ? Il était perspicace.

— Tu as raison, approuvai-je. Je crois que je tiens ce penchant de ma mère. Comme moi, elle s'intéressait aux objets, mais pas dans un esprit matérialiste. Elle cherchait leur âme. Elle possédait une superbe collection de poupées anciennes, qu'elle traitait comme des êtres vivants. Comme si elle savait qu'elles avaient un passé.

Arrivés au fond de la salle, nous fîmes demi-tour. Tandis que nous repassions devant le râtelier de tableaux, j'eus l'impression que les peintures me regardaient. Malgré la présence d'Aaron, j'eus peur.

Nous entendîmes un bruit au loin. La porte tremblait — on aurait dit que quelqu'un, ou quelque chose, essayait d'entrer. Je me figeai, puis tentai de me ressaisir. Mais je remarquai qu'Aaron aussi avait l'air inquiet.

— Qui est là ? demanda-t-il pourtant d'un ton assuré.

— C'est moi.

La voix d'Anjali nous parvint à travers le battant, faible et étouffée.

— Je ne comprends pas : ma clé ne fonctionne pas, expliqua-t-elle.

— Attends, je vais utiliser la mienne, lui proposai-je. Il faut deux clés pour entrer, maintenant.

Je tins mon pince-notes contre la porte, chantai la petite formule aussi vite, juste, et discrètement que possible, puis j'ouvris.

— Merci, Elizabeth, dit Anjali.

— Tu viens pour traiter une fiche d'emprunt ? Pour quel article ? s'enquit Aaron.

Il s'exprimait de nouveau avec l'enthousiasme qu'il avait chaque fois qu'il parlait à Anjali. Je me rappelai alors que je le détestais.

— Non, je… J'ai oublié quelque chose ici, la semaine dernière. Mon… pull. Je pense que je l'ai laissé dans le fond.

J'eus l'impression qu'elle inventait une excuse.

— Je crois l'avoir vu près des tableaux, mentis-je. Viens, je vais te le montrer.

Aaron se leva pour nous suivre.

— Tu ferais mieux de rester ici pour voir si on reçoit des pneus, lui suggérai-je.

— Je les entendrai, assura-t-il.

Qu'est-ce qu'il était obstiné ! Il fallait tout le temps qu'il colle Anjali.

— Non, vraiment, j'ai… J'ai besoin de parler à Anjali seule à seule, improvisai-je. Ce sont des trucs de filles.

— Ah, d'accord, fit Aaron en se rasseyant.

Anjali et moi nous dirigeâmes vers les peintures. Je m'arrêtai devant la section des chaussures.

— Je sais que tu n'as pas oublié ton pull, murmurai-je. C'est encore au sujet de ces bottes ?

Anjali hocha la tête. Elle sortit les vraies bottes de son cartable et les échangea contre les fausses, puis intervertit les étiquettes. Cette fois-ci, je pus facilement les différencier. Elles étaient parfaitement identiques, cependant elles dégageaient une odeur différente. C'était évident — je n'avais même plus besoin de les renifler. Je me demandai comment je ne m'en étais pas aperçue plus tôt.

— Tu devrais convaincre Marc d'arrêter de s'en servir. Il va finir par avoir des ennuis — et nous aussi.

Je continuai à chuchoter. Je doutais qu'Aaron pût
nous entendre, de l'autre bout de la salle, mais j'avais
l'impression que, autour de nous, d'autres oreilles
étaient aux aguets.

— Marc m'a promis que c'était la dernière fois qu'il
les prenait, déclara Anjali.

— Il ne te l'avait pas déjà promis avant?

— Il doit passer prendre Andreas chez sa tante. Sa mère
travaille tard.

— Il doit toujours passer prendre Andreas chez sa tante.

— Je sais. Il m'a assuré qu'il allait trouver une autre
solution.

— Eh bien, le plus tôt sera le mieux. Allez, il faut
qu'on y retourne...

— Hé, tu portes toujours ça!

Anjali toucha le bracelet rose vif que sa sœur avait
noué autour de mon poignet. Il avait noirci, mais sur-
vécu à un bon nombre de douches. J'opinai du chef.

— Jaya sera contente, commenta Anjali.

Tandis que nous revenions à l'avant de la salle, la
porte s'ouvrit. Mme Callender entra.

— Anjali? Que fais-tu là, mon chou? s'étonna-t-elle en
consultant son écritoire à pince. Ne t'avais-je pas affectée au Rayonnage 9?

— Elle est venue récupérer son pull, expliqua Aaron gentiment.

Mme Callender se tourna vers Anjali et lui demanda :

— Ah. Et tu l'as retrouvé ?

— Tiens, fis-je, en attrapant mon pull sur le dossier de la chaise pliante et en le tendant à Anjali.

Aaron me regarda en fronçant les sourcils, mais il ne fit pas de commentaire.

— Oh, c'est là que je l'avais laissé ! s'écria Anjali, d'une voix un peu trop forte.

Avec une petite sœur fouineuse comme la sienne, je l'aurais crue meilleure menteuse.

— Merci, Elizabeth, ajouta-t-elle en enfilant mon pull.

Il semblait dix fois plus beau sur elle que sur moi. Anjali avait la silhouette idéale pour porter ce pull.

« De toute façon, si elle mettait un sac en papier, je penserais probablement qu'elle a la silhouette idéale pour porter des sacs en papier », songeai-je.

Elle avait une silhouette idéale, point final.

Mme Callender agita quelque chose près de la serrure — son passe-partout, sans doute. La porte s'ouvrit avec un déclic. La bibliothécaire laissa Anjali et mon pull passer.

Avais-je raison de faire confiance à Anjali et à Marc ? À voir la mine soupçonneuse d'Aaron, je n'en étais plus certaine.

13

Une bataille
de pouces perdue

Après le départ d'Anjali, Mme Callender posa une liasse de papiers sur le bureau.

— Aaron, Elizabeth, j'ai un gros travail pour vous, annonça-t-elle. J'ai besoin que vous retiriez ces objets des rayons.

— Qu'allez-vous en faire ? m'enquis-je.

— Ce sont des pièces au sujet desquelles nous sommes... inquiets. Je t'ai dit que nous avions appris que des objets semblables aux nôtres se retrouvaient dans des ventes aux enchères ou dans d'autres collections, n'est-ce pas ? Certains correspondent aux descriptions qui figurent sur ces listes. Le docteur Rust et moi souhaitons les examiner de plus près. Envoyez-moi un pneu quand vous aurez fini. Si un objet est manquant, rédigez une note.

235

– D'accord, dit Aaron.

– Merci, mes choux.

Mme Callender agita son passe-partout devant la porte et s'en alla.

– Tant pis pour *La guerre des mondes*, fis-je.

Aaron haussa les épaules.

– Je n'arrivais pas à lire, de toute façon, répondit-il. Et sinon, c'était quoi, ces histoires, avec Anjali ?

– Je te l'ai dit : des trucs de filles. Tu veux vraiment que je te fasse un dessin ?

– Oui.

– Bon, tu l'auras voulu ! N'hésite pas à m'interrompre quand tu le souhaiteras. À un âge qui varie d'une personne à une autre, le corps des filles subit certains changements causés par ce qui s'appelle les hormones. Ce sont des substances chimiques qui lancent des signaux aux organes reproducteurs, avec pour conséquence que le sang...

– OK, OK, ça suffit ! J'ai compris – tu refuses de me dire de quoi il s'agit.

Alors, Aaron divisa les papiers en deux tas :

– Quelle moitié veux-tu ?

Je pris celui qu'il tenait dans la main gauche, et nous partîmes chacun dans des directions opposées, en poussant nos chariots dans les allées.

Sur ma moitié de la liste figurait un grand nombre de vêtements et d'accessoires : des capes, des casques, des robes, des boucles de ceinture, des voiles, et les inévitables chaussures. Je trouvai tous ces objets à leur place, sauf un bracelet. Il avait été remplacé par un support en bois de la même forme, auquel était attachée une fiche expliquant que la pièce avait disparu en 1929. J'écrivis une note.

Je m'aperçus qu'il y avait quelque chose de bizarre dans les articles que je retirais des rayons. Qu'était-ce ? Soucieuse, j'empilai ma première cargaison sur la table, près de la porte, et commençai le travail administratif. Je remplis une fiche d'emprunt pour chaque objet, inscrivant *Mme Callender* sur la ligne du demandeur. Cette paperasserie prit plus de temps que la collecte des objets.

Aaron revint avec un chargement composé principalement d'instruments de musique, et il s'assit pour remplir les fiches.

– Que dois-je inscrire en face de *Raison du prêt* ? le questionnai-je.

– Moi, je mets *Interne*, parce que ces pièces ne vont pas sortir du Dépôt.

Ensuite, je m'occupai de petites jumelles en métal. Elles aussi me parurent bizarres.

– Qu'est-ce qu'ils ont, ces objets ? demandai-je à Aaron.

— Comment ça ?

— Je ne sais pas... J'ai l'impression qu'ils ont quelque chose qui cloche.

Je posai mon crayon et allai inspecter le chariot d'Aaron.

— Voyons comment sont les tiens, dis-je.

Je pris une flûte en bois et soufflai dedans. Elle émit un son râpeux, comme celui qu'un magnétophone bon marché aurait rendu.

— Arrête ! me cria Aaron.

Je baissai la flûte.

— Quoi ? Qu'est-ce qu'il y a ?

Il avait l'air perplexe et terrifié.

— C'est une flûte qui fait danser. Elle provient de la même section que l'instrument du *Joueur de flûte de Hamelin*. Les gens sont incapables de cesser de danser lorsqu'on en joue. Dans certaines histoires, ils dansent même jusqu'à la mort.

— Ah bon ? Tu ne danses pas, là, pourtant.

— Heureusement ! Peut-être qu'elle ne fait effet qu'après plusieurs mesures ? Ou alors, que tu n'es pas une assez bonne musicienne ?

Je levai de nouveau la flûte.

— Arrête ! répéta Aaron en attrapant ma main. Tu n'as pas entendu ce que je viens de te dire ? Tu veux me tuer ?

Sa main était froide. Je libérai la mienne en la secouant :

— Laisse-moi. Je ne vais pas jouer ; ne t'inquiète pas.

Je portai l'instrument à mon nez et le reniflai. Il sentait le vieux bois légèrement poussiéreux.

— Cette odeur te paraît-elle être la bonne ? demandai-je à Aaron en lui tendant la flûte.

Il la sentit à son tour et haussa les épaules.

Je humai l'objet une fois de plus :

— Je crois que c'est ça qui cloche avec ces objets : ils ne dégagent pas la bonne odeur.

Je reniflai une cymbale ; elle sentait le cuivre. Un accordéon, le cuir poussiéreux. Sur mon chariot à moi, un manteau sentait la laine ; une chemise en lin, le produit assouplissant, et une épingle en or, rien du tout.

— Qu'est-ce qu'il est censé faire, ce truc ? m'enquis-je en levant un gant à l'odeur de moisi.

Aaron en lut la description sur sa liste.

— Il rend puissante la main qui le porte, révéla-t-il.

J'enfilai le gant.

— Ne fais pas ça ! m'interdit Aaron. Tu pourrais avoir de gros ennuis. Rappelle-toi que, normalement, nous ne devons pas nous servir de ces articles !

— Ce n'est pas grave. Mon petit doigt me dit que ce gant ne marche pas, de toute façon. On fait une bataille de pouces ?

Je tendis ma main gantée. Aaron la saisit et bloqua aussitôt mon pouce. Je me débattis, sans parvenir à me libérer de son étreinte.

— Cesse de bouger ton coude dans tous les sens ; c'est de la triche, protesta Aaron.

— OK, OK, lâche-moi. Tu vois, il est évident que ce gant ne fonctionne pas. Je pense que tous ces objets sont des faux, conclus-je.

— À moi d'essayer.

Je lui donnai le gant, qu'il passa. Il tenta de plier le coin du bureau métallique — sans aucun effet. Puis il donna un coup de poing dans le mur.

— Aïe ! s'écria-t-il en secouant la main.

Le mur était intact.

J'inspectai la cargaison de mon chariot, les narines frémissantes. Quelques objets avaient cette odeur mystérieuse et changeante, mais la plupart ne sentaient rien de spécial.

— Qu'est-ce que tu fiches ? m'interrogea Aaron.

— J'identifie les faux articles. Ceux-là, ça va. En revanche, ceux-ci sentent faux — je veux dire, ils dégagent une odeur normale. Ils ne contiennent aucune magie.

— Tu es capable de percevoir la magie par ton odorat ? me demanda Aaron.

— Pas toi ?

— Je ne sais pas. Je ne crois pas. En fait, je n'ai jamais essayé.

— Hume-moi ça ; ça sent assez fort.

Je lui tendis un peigne qui sentait les coquilles d'huître — non, le marbre mouillé.

Aaron renifla et secoua la tête.

— Je ne sens rien, constata-t-il. Mais je pense que tu as raison, car ce peigne chatoie.

— Comment ça, il « chatoie » ?

— C'est... la couleur... C'est difficile à décrire. On dirait que les couleurs vibrent, en quelque sorte. Comme s'il y avait plus de couleurs que celles que tu vois.

Je scrutai le peigne, sans rien remarquer de spécial — pour moi, à le regarder, c'était un simple peigne en nacre.

— Donne-le-moi, fis-je. Je vais l'essayer.

Aaron éloigna vivement l'objet de moi.

— C'est une mauvaise idée ! commenta-t-il. Les peignes peuvent être meurtriers ! Tu ne te souviens pas de celui de *Blanche-Neige* ?

— Oh, c'est celui-là ?

Je me rappelai que la belle-mère de Blanche-Neige avait tenté de la tuer à l'aide d'un peigne empoisonné[1].

---

1. Dans la version retranscrite par les frères Grimm, la belle-mère de Blanche-Neige tente de la tuer par trois fois. D'abord, elle lui enfile un corset qu'elle serre au point de lui couper le souffle. Ensuite, elle la coiffe avec un peigne qui la fait s'évanouir. Enfin, elle lui offre une pomme empoisonnée.

Je ne voulais plus rien avoir à faire avec cette famille, surtout après ma récente conversation avec le miroir.

— D'où vient-il ? demandai-je.

Aaron consulta la liste de Mme Callender :

— Alors... *Peigne de sirène. Coquille d'abalone. Méditerranée.*

— Oh. Bon, ça va, alors. Les sirènes se contentent de rester assises sur des rochers, à se coiffer et à entraîner les marins vers la mort. Ici, ce peigne n'est sans doute pas dangereux — il n'y a pas d'eau dans laquelle tu risquerais de te noyer. Passe-le-moi.

Je tendis de nouveau la main.

— Tu ne veux pas te renseigner davantage sur ce peigne avant de l'essayer ? suggéra Aaron, inquiet.

— Non, je sens que je ne risque rien de grave, déclarai-je. Au pire, je t'envoûterai comme les sirènes envoûtent les marins, et alors c'est à moi, et non plus à Anjali, que tu feras ton numéro d'amoureux transi...

Aaron piquait-il un fard ?

— Ouais, c'est ça, marmonna-t-il en me donnant le peigne. Vas-y, fais n'importe quoi. Mais ne t'en prends pas à moi si tes cheveux se transforment en algues.

Je passai le peigne dans mes cheveux. La sensation était merveilleuse ; elle m'évoquait un massage aux plantes. Je continuai pendant un moment, gémissant presque de plaisir. Je secouai la tête et coiffai ma chevelure de bas en haut et de gauche à droite, puis inversement. Ensuite, je me penchai en avant et la peignai cette fois de ma nuque au sommet de mon crâne.

— Tu t'amuses bien ? me demanda Aaron.

— Mmm… c'est divin ! Est-ce que ça te rend amoureux de moi ?

— Dans tes rêves ! rétorqua-t-il en s'étranglant de rire.

— Non, sérieusement : est-ce qu'il s'est passé quelque chose ? Mes cheveux sont-ils différents ?

Il fit la moue :

— Des cheveux, ce sont des cheveux.

J'en amenai une poignée devant mes yeux : ils ne semblaient pas avoir particulièrement changé. En revanche, ils étaient différents au toucher. Plus épais, plus soyeux, plus «flottants» en quelque sorte, comme lorsqu'ils étaient fraîchement lavés et pas encore tout à fait secs. J'avais l'impression de tourner dans une pub pour du shampoing.

— Tu n'as pas de miroir ? fis-je à Aaron.

Il s'étrangla de rire à nouveau :

— Où ça ? Dans mon sac à main ? Je suis un garçon, tu te rappelles ?

Je songeai à chercher un miroir dans la Collection Grimm, mais j'abandonnai immédiatement cette idée. À supposer que j'en trouve un qui ne fût pas malfaisant, comment saurais-je si les éventuels changements de mes cheveux étaient le résultat de la magie du peigne ou de celle du miroir ?

— Je ne sais pas…, hésitai-je. Je n'en suis pas certaine, mais je crois que le peigne a fonctionné.

— Ouais, moi aussi, confirma Aaron.

À ma grande surprise, il tendit la main et passa les doigts dans mes cheveux.

— Tes cheveux sont beaux…, dit-il. Ils ont une belle… couleur.

Puis il ôta vite la main et se détourna.

Après un silence, je m'éclaircis la voix et lui demandai :

— Alors… Hum… Qu'est-ce que ça signifie ?

— Qu'est-ce que ça signifie ? répéta-t-il en devenant rouge comme une tomate.

— Je veux dire, tous les objets qui ne marchent pas sont-ils des contrefaçons de ceux qui ont été volés ? m'empressai-je de préciser.

— Oh ! Euh… Je l'ignore. Soit ce sont des faux, soit quelqu'un leur a ôté leur magie.

Aaron se mit à fouiller dans les articles que j'avais triés en deux tas, les levant un par un à hauteur d'yeux, les inclinant d'un côté et de l'autre pour les étudier. Il brandit une bourse en soie.

— Cet article chatoie, remarqua-t-il. Il était dans ta pile des faux.

Je le reniflai :

— Oh, c'est vrai. Mais l'odeur qu'il dégage est très discrète. Qu'est-ce que c'est ?

Aaron lut la description qui en était faite sur la liste :

— *Une bourse en soie. Région des Midlands, Angleterre. Oreille de truie.*

— Je me demande ce qu'elle a de magique.

Je la tins à l'envers et la secouai. Il n'en sortit rien.

— Je ne pense pas qu'elle ait un quelconque pouvoir. Selon moi, c'est juste un objet improbable. Tu ne connais pas l'expression : « On ne peut pas faire de bourse en soie avec une oreille de truie[1] » ?

Je hochai la tête et mis l'objet dans la pile des articles magiques. Je n'avais jamais entendu cette expression, mais je n'avais pas envie de donner à Aaron une nouvelle raison de me taquiner.

— Quelle est la différence entre les objets qui fonctionnent et ceux qui ne fonctionnent pas ? l'interrogeai-je.

Il me considéra comme si j'étais une demeurée :

— Mmm... ceux qui fonctionnent fonctionnent, et ceux qui ne fonctionnent pas ne fonctionnent pas... ?

J'eus de nouveau le feu aux joues.

— Je veux dire : y a-t-il d'autres différences à part celle-ci ? Ceux qui ne servent à rien ont-ils quelque chose

---

1. Cette expression signifie qu'il est impossible de fabriquer un produit d'excellente qualité en utilisant des matières médiocres.

en commun ? Est-ce que tu vois un schéma ressortir de tout cela ?

— Non. Et toi ?

Je secouai la tête.

Aaron compléta ses dernières fiches et s'en alla de nouveau remplir son chariot. Pour ma part, je continuai ma tâche administrative, en reniflant distraitement la bourse en oreille de truie. Non, son odeur n'était vraiment pas prononcée. Je la regardai de biais, imitant Aaron, mais sa couleur rose chair me paraissait normale. Prise d'une impulsion soudaine, je portai l'objet à mon oreille. J'entendis des bruits de vagues et des murmures, comme lorsqu'on écoute l'intérieur d'un coquillage.

J'attrapai ma moitié de la liste et repartis chercher d'autres pièces que Mme Callender souhaitait examiner. Cette fois, deux d'entre elles étaient manquantes : un flacon de parfum et une bague.

Je commençai à remplir ma troisième fiche lorsque Aaron revint, la mine sévère. Il tenait les bottes qu'Anjali venait de remettre en rayon :

— Où ai-je déjà vu ces bottes ?

Le Aaron taquin avait cédé la place au Aaron méchant.

Je haussai les épaules.

— Ne fais pas l'innocente, Elizabeth ! Jusqu'à présent, je te prenais pour une simple groupie naïve de Marc, comme Anjali, mais maintenant, je commence à penser que tu es peut-être de mèche avec lui. Je ferais sans doute bien d'avertir le Doc.

Mon cœur se mit à battre la chamade. Pourtant, qu'avais-je fait de mal? J'avais juste aidé un ami.

— De quoi parles-tu? répliquai-je en m'efforçant de paraître candide, perplexe et furieuse.

— Tu vois ces bottes? reprit Aaron en les posant violemment sur le bureau.

Un bruit creux retentit.

— Marc les portait la semaine dernière. Et la semaine d'avant, et encore celle d'avant. Anjali s'est promenée partout avec, en les cachant. Pas plus tard que tout à l'heure, elle est montée ici avec quelque chose d'encombrant qu'elle ne voulait pas que je voie. Tu l'as aidée. Tu as menti à Mme Callender au sujet de ton pull. Tu m'as menti, à moi, en prétextant avoir à discuter de «trucs de filles». Et, maintenant, ces mêmes bottes figurent sur la liste des objets suspects de Mme Callender.

Il cogna de nouveau le bureau avec.

— Et tu fais semblant de ne rien savoir? ajouta-t-il.

— Et alors? répliquai-je. Oui, Marc a emprunté ces bottes. Nous avons le droit d'emprunter des objets, il me semble…

— Eh bien, je ne trouve pas trace de cet emprunt, rétorqua Aaron en indiquant la boîte des fiches. Toi, si?

Je pris une profonde inspiration et décidai d'avouer :

— Tu as raison, Aaron. Marc n'a pas rempli de fiche pour ces bottes. Mais il les a rapportées, et il n'a rien pris d'autre. Il doit emmener son petit frère à la crèche. Il ne les garde jamais longtemps. Tu n'as qu'à demander à Anjali.

— Je n'en reviens pas ! Vous gobez ses bobards ? Ça fait des semaines que Marc se sert de ces bottes ; elles font désormais partie des objets suspects, et tu as l'air de trouver ça normal. Juste parce qu'il est doué à un stupide jeu de ballon ! Anjali et toi, vous lui passez tout — en plus, vous l'aidez ! Et les bibliothécaires ne valent pas mieux que vous ! Vous me laisseriez, moi, voler des objets magiques inestimables et me balader avec ?

— Comment ça, « voler » ? Qui a volé quelque chose ? Les bottes sont là, non ? observai-je. Et elles sont en parfait état — elles sont toujours magiques.

— Les bottes, c'est sûr. Sauf que des dizaines d'autres articles ont disparu, ou, du moins, leur magie a disparu. Regarde toutes ces choses ! Elles ne valent rien ! C'est de la camelote !

Du dos de la main, il frappa le tas d'objets non magiques. Un œuf en or roula en vacillant jusqu'au bord du bureau. Je l'attrapai pour éviter qu'il tombe.

— Tu ne crois quand même pas que Marc est responsable de tout ça ! protestai-je.

— Tu ne crois quand même pas que Marc *n'est pas* responsable de tout ça ! rétorqua Aaron.

— Et cette magasinière qui a été renvoyée, celle que j'ai remplacée?

— Qui, Zandra? Cette écervelée? Elle ne serait même pas fichue de chiper sa tétine à un bébé. En plus, elle est partie depuis des mois. Alors que Marc, lui...

— Pourquoi tu n'accuses pas Anjali, pendant que tu y es? Puisque tu viens de dire que tu l'avais vue transporter ces bottes.

— Je *connais* Anjali. Ce n'est pas une voleuse. Elle manque de jugement, comme les idiotes que vous êtes toutes. Qu'est-ce que vous lui trouvez, à ce narcissique arrogant? Vous êtes en admiration devant lui uniquement parce qu'il est grand? Parce qu'il sait lancer un ballon dans un panier?

— Tu es jaloux de lui, c'est tout, commentai-je.

— Crois ce que tu veux. Ce qui est sûr, c'est que quelqu'un pille la Collection Grimm. Soit cette personne dérobe les objets, soit elle en extrait la magie. Le Doc et les bibliothécaires vont la démasquer, et, si Marc est le coupable, tu vas regretter de l'avoir aidé.

— Marc n'est coupable de rien du tout. Et moi aussi, j'adore cet endroit. Nous sommes tous du même côté!

— J'espère que c'est vrai, conclut Aaron.

Fauteuil

14

Caution

Je trouvai Marc et Anjali dans la Salle de Conservation, assis assez près l'un de l'autre. Ils n'eurent pas l'air très contents de voir arriver une troisième personne, mais ils m'accueillirent tout de même poliment.

— Tu t'es coupé les cheveux ? me demanda Anjali.

Je secouai la tête.

— En tout cas, quoi que tu aies fait, c'est super.

— Ouais, c'est vrai, approuva Marc en me dévisageant.

On aurait dit qu'il venait seulement de remarquer que j'étais une personne de sexe féminin, une vraie fille – le genre de fille que les garçons regardent.

« Ce peigne doit vraiment être magique », songeai-je.

— Merci…, répondis-je. Je suis désolée de vous interrompre, mais j'ai pensé que je devais vous tenir au courant. Mme Callender nous a envoyés, Aaron et moi, dans la Collection Grimm, avec toute une liste d'objets qu'elle souhaitait que nous retirions des rayons. Elle a dit qu'elle voulait les vérifier, à cause des vols. C'était très étrange : je pense qu'un grand nombre de ces articles sont des faux. La moitié d'entre eux sentent faux, et ils ne fonctionnent pas.

— Que veux-tu dire par « sentent faux » ? s'enquit Marc.

— Ils sentent normalement, comme s'ils n'étaient pas magiques. Tu comprends ?

— Moi, oui, répondit Anjali. Mais Marc est plus réceptif aux perceptions tactiles.

— Ah oui ! Moi, pour savoir si un objet est magique, je dois le toucher.

— Aaron non plus n'est pas capable de déterminer d'après leur odeur si les objets sont magiques, poursuivis-je. Par contre, il a dit que leur *aspect* clochait. Je suppose que nous avons tous des moyens différents de sentir la magie ? Enfin, les articles qui, selon moi, ne dégageaient pas la bonne odeur ne fonctionnaient pas. Nous en avons testé quelques-uns.

— C'est bizarre, commenta Marc.

— Oui, et la mauvaise nouvelle, c'est que les bottes que tu empruntes tout le temps figurent sur la liste. Alors, maintenant, Aaron pense que c'est toi qui as volé les objets disparus et qui les as remplacés par des faux.

— Ah, en effet, c'est mauvais pour moi, commenta Marc en se frottant le visage avec une main.

— Comment Aaron sait-il que Marc a déjà pris ces bottes ? s'étonna Anjali.

Me trompais-je ou insinuait-elle que c'était moi qui le lui avais dit ?

— J'ignore comment il l'a découvert, répondis-je.

— Ce n'est certainement pas moi qui le lui ai dit, ni Anjali, alors qui est-ce ? interrogea Marc.

— Pourquoi faut-il qu'il l'ait appris par quelqu'un ? répliquai-je. Il vous a vus, tous les deux. Vous vous baladez partout avec ces bottes depuis des semaines. Il n'est pas aveugle ; il n'est pas stupide non plus. De plus, il a une bonne raison de ne pas t'aimer, Marc.

— Ah oui ? Et laquelle ? questionna Anjali.

— Il est jaloux de Marc, parce qu'il t'aime beaucoup...

— Oh, mince, alors ! s'exclama Anjali. Qu'est-ce qu'on va faire ?

Marc afficha son habituelle moue hautaine.

— Aaron est loyal, assurai-je. Je suis certaine qu'il ne te dénoncera pas, à moins qu'il soit réellement persuadé que tu es le voleur. Tu dois juste le convaincre que ce n'est pas toi.

— Et comment je suis censé m'y prendre ? demanda Marc d'un ton brusque.

Je détestais cette situation. Après avoir enfin réussi à me faire des amis, ceux-ci étaient à présent furieux contre moi.

— Je suis désolée, balbutiai-je. Je veux seulement vous aider.

— La seule solution, c'est de découvrir qui est le voleur, déclara Anjali.

— C'est ce que Mme Callender et le Doc tentent de faire, répondis-je.

— Eh bien, nous aussi, nous allons nous y mettre, avant qu'Aaron décide de dénoncer Marc. Sinon, ils l'accuseront et cesseront de chercher le vrai coupable.

— D'accord. Tu as un plan d'action ?

— Est-ce que tu as encore la liste ? m'interrogea Anjali.

Je secouai la tête :

— Mme Callender ne nous en a pas laissé de copie, mais je parie qu'elle se trouve sur son bureau.

— Je m'en occupe, proposa Anjali. Rendez-vous au café sur Lexington Avenue, demain, après les cours.

Le lendemain, lorsque j'arrivai au café, Marc et Anjali m'y attendaient déjà.

— Je vais vous montrer quelque chose, annonça-t-elle en sortant un ordinateur portable coûteux de son sac à dos coûteux.

Un tableur apparut à l'écran.

— Voici tous les articles qui figurent sur la liste de Mme Callender, reprit-elle, ainsi que les informations relatives aux dix dernières fois où ils ont été empruntés ou juste sortis des rayons. J'ai mis dans ce tableau tout ce qui me venait à l'esprit, au cas où ce serait utile. Par exemple, les autres pièces que les usagers ont empruntées en même temps, avec leur historique récent. Ou les affiliations et les coordonnées de ces personnes. Ce genre de choses.

— Waouh ! s'écria Marc. Tu as recherché toutes ces informations dans la boîte de fiches et tu les as tapées sur ton ordinateur ? Ça a dû être un travail colossal !

Anjali secoua la tête. Elle semblait fière d'elle.

— Les photocopieurs et les scanners ne sont pas vraiment appropriés quand il s'agit de fichiers et de fiches d'emprunt remplis à la main — si j'avais procédé de cette façon, cela m'aurait pris la semaine. Non, j'ai utilisé un déréificateur de la Chresto. Il suffit de pointer et de cliquer. Le résultat est instantané.

— Astucieux, commenta Marc, impressionné.

— Qu'est-ce que c'est, un « déréificateur » ? demandai-je. Et la « Chresto » ?

— La Chrestomathie de Gibson, tu te souviens ? L'une des Collections Spéciales qui se trouvent dans le Cachot, me rappela Anjali. Un déréificateur transforme des choses réelles en choses virtuelles. Il sort des représentations d'après des données entrées.

À ce moment-là, la serveuse vint remplir de café les tasses d'Anjali et de Marc.

— Qu'est-ce que ça signifie ? m'enquis-je. Quel genre de données ?

— N'importe lesquelles, fit Anjali. Une pomme. Une souris. Un fauteuil. Dans le cas présent, il s'agissait d'un énorme tas de fiches d'emprunt, de fichiers et des notes de Mme Callender.

— Et que deviennent-ils, ce fauteuil et ces notes ?

— Tout dépend des réglages. J'ai réglé le déréificateur sur « base de données informatiques ». Mais il serait possible de l'utiliser pour toutes sortes de choses. Par exemple, on pourrait faire une photo de la pomme ou une description poétique du fauteuil.

— Et que devient le fauteuil original ? Ou la vraie pomme ?

— Là aussi, ça dépend des réglages. J'ai laissé le déréificateur sur « dupliquer », et non sur « remplacer », si bien qu'il a juste réalisé des copies électroniques de tous nos documents administratifs. Les originaux se trouvent toujours au Rayonnage 6.

— Ce n'est pas dangereux ? m'inquiétai-je. Et si quelqu'un utilisait cette machine sur des gens — s'il la réglait sur « remplacer » et nous transformait tous en personnages fictifs ?

— C'est peut-être déjà le cas, et tu n'en es pas consciente, fit remarquer Marc.

— Waouh ! Cet appareil a l'air dangereusement puissant ! Comment avez-vous mis la main dessus ? On vous a laissés l'emprunter ?

— Non, c'était plus un... un emprunt non officiel. Je possède la clé de la Chrestomathie de Gibson, comme Aaron détient celle du Legs Wells. Les ordinateurs, c'est un peu ma spécialité. Je suis entrée dans la Chresto, j'ai pris le déréificateur et je l'y ai remis dès que je n'en ai plus eu besoin.

— C'est grand comment, un déréificateur ? À quoi ça ressemble ?

— C'est un peu entre une plume d'oie et une télécommande.

— Et il est juste enfermé dans la Chresto ? Quelqu'un pourrait très bien l'emprunter et faire des copies parfaitement identiques de la *Joconde*, de diamants, ou fabriquer une grande armée de robots pour conquérir la planète !

— Je ne pense pas qu'un déréificateur puisse réaliser des copies parfaites de quoi que ce soit, commenta Marc. Il réalise des représentations *virtuelles* – des photos, des sculptures, des descriptions...

— Mais quelle serait la différence entre la *Joconde* et une photo de la *Joconde*, si la seconde était suffisamment bonne ? Les deux sont des images.

Marc réfléchit :

– D'accord, on pourrait reproduire la *Joconde*. Mais ce procédé ne fonctionnerait que pour des choses qui sont déjà des représentations d'autres choses – des objets d'art, par exemple. Cela ne marcherait pas avec les choses *réelles*.

– Je ne suis pas sûre que tu aies raison : moi, je pense qu'en théorie il est possible de réaliser des copies parfaitement identiques d'objets réels, le contredit Anjali. Le déréificateur possède un réglage sur « identité », qui doit permettre à l'objet de se représenter lui-même. Si l'on règle l'appareil sur « dupliquer » et « identité », on peut sans doute réaliser des copies exactes des objets en question. Mais il faudrait être un sacré crack en informatique pour accomplir un tel exploit... ou quoi que ce soit de réellement dangereux. Il est impossible d'utiliser les paramètres avancés sans des tonnes de mots de passe et de codes d'accès. J'ai un peu joué avec cet appareil, et le pire que j'ai pu lui faire faire, c'est de transformer la couverture de mon livre de français en une reproduction ratée de la tour Eiffel. Ma petite sœur aurait pu dessiner ce monument mieux que ça ; pourtant, elle est nulle en dessin.

Je compatis. Moi aussi, j'étais nulle en dessin.

– En plus, apparemment, le déréificateur a souvent des bugs, ajouta Anjali. Du coup, je doute même sérieusement que l'on puisse lui faire réaliser une copie parfaite de la *Joconde*. Il n'est pas assez performant.

— N'empêche… Waouh ! fis-je.

— Bon, les filles ! enchaîna Marc. Je dois être à mon entraînement de basket dans quarante-cinq minutes. Est-ce qu'on peut parler de cette liste ?

— Oh, désolée ! s'excusa Anjali. Bien. Voici les objets que Mme Callender a demandés, avec toutes les informations potentiellement utiles auxquelles j'ai pensé. Elizabeth, tu te rappelles quels étaient les objets qui ne fonctionnaient pas ?

— Je pense que oui.

Je parcourus le tableau, cliquant sur les cases situées en face des articles qui n'avaient pas dégagé la bonne odeur.

— Super ! se réjouit Anjali. Au vu de ces informations, est-ce que vous remarquez des différences entre les objets défectueux et ceux qui ont gardé leur magie ?

Marc et moi étudiâmes l'écran. Certains articles avaient été empruntés pas plus tard que la semaine précédente ; d'autres n'avaient pas été demandés depuis plus d'un an. À une ou deux exceptions près, les derniers usagers à avoir emprunté ces pièces étaient tous différents. Quelques noms apparaissaient plusieurs fois ici et là, mais ces emprunteurs semblaient également avoir pris de nombreux objets qui avaient conservé une odeur magique.

Marc secoua la tête :

— Je ne vois pas de schéma récurrent.

— Moi non plus, dis-je. Et toi, Anjali ?

— Pas encore. Mais j'ai un fort pressentiment... Laissez-moi quelques jours.

Nous payâmes l'addition et partîmes chacun de notre côté, Marc en direction du lycée, et Anjali vers chez elle. Je me dirigeai vers le métro, un peu inquiète au sujet des objets magiques, mais plus que soulagée que Marc et Anjali me traitent de nouveau comme leur amie.

*

Le vendredi de la semaine suivante serait le jour du grand match, celui auquel j'avais promis d'emmener Anjali. Tous les compliments sur ma « coupe de cheveux » m'avaient fait énormément plaisir. Même ma belle-mère avait remarqué quelque chose ; elle m'avait accusée d'avoir utilisé son shampoing hors de prix. Malheureusement, à ma grande déception, l'effet du peigne n'avait pas duré longtemps. Et si j'empruntais ce peigne de sirène de la Collection Grimm pour m'en resservir avant le match ? J'avais envie d'utiliser mes privilèges d'emprunt récemment acquis, et le Doc m'avait conseillé de commencer par quelque chose de petit. Il n'y avait pas de mal à vouloir être à mon avantage pour cette occasion, me dis-je — peut-être certains élèves du lycée s'apercevraient-ils alors que j'existais...

Je trouvai Mme Callender à son bureau.

– Excusez-moi, madame Callender, commençai-je. Avez-vous une minute ? Le Doc m'a dit que, maintenant, je pouvais emprunter des articles de la Collection Grimm, alors je me demandais si... Puis-je emprunter ceci ?

Je lui donnai la fiche que j'avais remplie.

– Ton premier emprunt Grimm ! Comme c'est excitant ! Qu'est-ce que c'est ? Un peigne de sirène ? Tu as un rendez-vous galant ? me demanda la bibliothécaire avec un sourire.

Je me sentis rougir.

– Non, pas exactement. Il y a un grand match de basket, à mon lycée, vendredi.

– Oh, attends une minute, fit Mme Callender en regardant la cote du peigne de plus près. C'est l'un des objets que je veux vérifier.

– Je sais, c'est pour ça que je suis venue vous voir. Je l'ai découvert quand Aaron et moi travaillions sur votre liste. Est-ce que vous avez compris quel est le souci avec ces objets ?

– Non, nous venons juste de commencer à les étudier. Aaron et toi m'avez beaucoup aidée en identifiant ceux qui posent problème. Vous avez le nez fin !

– Merci. Alors, puis-je emprunter le peigne ?

– Bon, d'accord – je n'en ai pas vraiment besoin pour le moment. Il y a plein d'autres pièces pour m'occuper.

Mais tu es sûre qu'il marche ? Ce n'est pas l'un de ces objets suspects ?

— Non. Je...

Devais-je lui avouer que je l'avais déjà essayé ?

— Il sent la bonne odeur, expliquai-je.

— Bon, très bien. Voyons... Habituellement, les objets Grimm sortent pendant trois jours, mais je vais te laisser garder celui-ci jusqu'à samedi afin que tu sois en beauté pour le grand match.

Elle griffonna une nouvelle date de retour sur la fiche, qu'elle me rendit.

— C'est le docteur Rust qui a le kuduo. Il faut que tu descendes lui laisser ta caution. Reviens quand tu l'auras fait et je te remettrai le peigne, d'accord, mon chou ?

— Super ! Merci beaucoup, madame Callender.

Elle m'adressa un clin d'œil et ajouta :

— J'ai eu ton âge...

À l'époque, ses amis avaient dû bien s'amuser avec elle. Je me rendis en vitesse au bureau du Doc et frappai à la porte, nerveuse mais excitée.

— Entrez ! Ah, Elizabeth ! Que puis-je pour toi ?

— Mme Callender m'a dit que je devais vous remettre une caution avant d'emprunter un peigne de la Collection Grimm.

— Un peigne ? Pour ton premier emprunt — tu es sûre ?
Certains sont très dangereux... Assieds-toi, assieds-toi.
Voyons ça...

Je lui donnai la fiche.

— Oh, un peigne de sirène ! C'est grisant, mais assez
inoffensif tant que tu ne t'en sers pas près de l'eau. Ni
sur une autoroute aux heures de pointe. Tu ne projettes
de mener aucun jeune homme à sa perte par la ruse,
n'est-ce pas ?

Quelle question embarrassante ! Je secouai la tête,
rouge comme une écrevisse.

— Je veux juste être jolie pour un grand match de basket, me justifiai-je.

— Je vois. Tu sais qu'il y a une limite de trois heures
sur cet objet ?

— Trois heures ? Mais Mme Callender m'a autorisée à
le rapporter samedi !

— Je veux parler de la limite des effets. Ils diminuent
petit à petit, pour disparaître complètement au bout de
trois heures. La plupart des pièces Grimm produisent
des effets limités dans le temps. Pour certains, ces effets
durent trois jours, pour d'autres, quinze, ou une année
et un jour. Ceux de ce peigne ne durent que trois heures.
Si tu recherches un philtre d'amour permanent, ce n'est
pas le bon objet.

Une tache de rousseur était en train de flotter sur le nez du Doc, telle l'ombre d'un avion survolant un champ. Elle me fascinait. Je dus faire un effort pour détourner les yeux.

— Ah bon ? Il existe un philtre d'amour permanent dans la Collection Grimm ?

— C'est une bonne question. Il y a un grand débat d'érudits, dans notre communauté, pour savoir si un amour suscité de manière artificielle peut être permanent. Ou un amour naturel, d'ailleurs…

Je remarquai que le Doc ne m'avait pas vraiment répondu. Et aussi qu'il ne signait pas ma fiche d'emprunt.

— Alors, la caution… ? redemandai-je, tendue.

— Mmm…, fit le Doc, qui n'avait pas l'air pressé du tout. Laisse-moi t'expliquer comment ça marche. Au Dépôt, nous conservons les objets en lieu sûr, sous clé. Dehors, l'emprunteur en est responsable. Lorsqu'il signe la fiche, il s'engage à ne pas utiliser l'objet à des fins malfaisantes. Il s'engage également à le retourner intact en temps et en heure. S'il ne respecte pas ces obligations, sa caution est gardée. Tu comprends ?

— Bien sûr.

— Je veux juste m'assurer que tu saisis bien le sérieux de la chose. Il n'est pas toujours facile de garder les objets en lieu sûr. Tous les membres de notre communauté ne sont pas bien intentionnés, hélas. Il y a un voleur, quelque part dehors, sans parler de cet oiseau. Il est possible que quelqu'un tente de te dérober ce peigne. Cela risque de faire de toi une cible, et c'est à toi qu'incombe la responsabilité de le protéger de tout danger.

En effet, emprunter un objet de la Collection Grimm ne se faisait pas à la légère. Cela en valait-il la peine, me demandai-je, juste pour avoir de beaux cheveux ? Mais le Doc m'avait conseillé de commencer par un petit article. Si je n'avais pas assez de cran pour un simple peigne de sirène, comment trouverais-je l'audace d'aller jusqu'à emprunter des sandales volantes ou une cape d'invisibilité, par exemple ?

— Êtes-vous en train de me dire que je devrais renoncer ? interrogeai-je le Doc.

— Pas du tout. Nous te faisons confiance. Tu as réussi l'examen, et je pense que tu es prête. Il faut juste que je m'assure que tu agis en toute connaissance de cause.

— Ah, je vois. Oui, je suis prête.

— Parfait. Bon, où ai-je mis le kuduo ?

Le Doc ouvrit et referma les tiroirs de son bureau, se leva, inspecta ses étagères et alla jusqu'à un placard, dans lequel il jeta un coup d'œil.

— Est-ce qu'il est derrière ta chaise ? me demanda-t-il.

— Je ne sais pas... À quoi ressemble-t-il ?

— C'est un bel objet. Il y a une *Bitis arietans* et un calao sur le couvercle.

J'ignorais ce qu'étaient une *Bitis arietans* et un calao, mais ce qui était sûr, c'est qu'il n'y avait rien derrière ma chaise.

– Non, je ne vois rien.

– Oh, le voilà ! s'écria le Doc en pointant le doigt vers le haut d'une bibliothèque. Apporte-moi cette chaise, veux-tu ?

Je tins la chaise pendant que le Doc descendait un objet lourd, de couleur noir et bronze, plutôt cylindrique et de la taille d'un melon. Il me le tendit.

Visiblement, une *Bitis arietans* était une espèce de serpent, et un calao, un oiseau. Je posai l'objet sur le bureau.

– Merci, me dit le Doc en descendant tant bien que mal de la chaise.

Il souleva le couvercle.

Je regardai à l'intérieur. Il semblait y avoir des choses, mais je ne parvenais pas à les distinguer. Les observer me donnait le vertige.

– Quel est cet objet ? m'enquis-je.

– C'est un kuduo, un récipient de cérémonie du peuple akan. Les kuduo sont utilisés pour garder l'or et le trésor spirituel des chefs.

– Est-ce qu'il provient de la Collection Grimm ?

– Non. Il est prêté au Dépôt par l'une des familles qui nous sont proches.

– Une famille comme celle d'Anjali, qui possède de la magie ? m'enquis-je.

Pensant à ma propre famille, je fus légèrement jalouse.

– Les familles des magasiniers ont-elles toutes des liens avec la magie – les magasiniers de la Collection Grimm, je veux dire ?

– Pas toutes, mais certaines, oui.

– À qui appartient ce kuduo, alors ?

L'air un peu embarrassé, le Doc répondit :

– À l'oncle de Marc Merritt. Il l'a prêté au Dépôt afin qu'on l'utilise pour conserver les cautions. Bon, quelle caution souhaites-tu laisser ?

– Je ne sais pas…, hésitai-je. Combien est censé valoir ce peigne ? J'ai environ deux cents dollars d'économies.

C'était sûrement très insuffisant. Deux cents pauvres dollars pour de la vraie magie ?

– De l'argent ? fit le Doc, apparemment choqué. Non, non, les cautions pour les articles de la Collection Grimm ne peuvent pas être de l'argent. Tu dois laisser autre chose.

– Oh ! Quoi, par exemple ?

– L'éventail des choix est large. Nous sommes assez souples. Bien sûr, le plus souvent, les gens laissent en caution leur premier-né. Ou l'habileté de leur main dominante, mais cela pourrait s'avérer incommode. Sinon, leur beauté, leur courage, leur vue, leur sens du devoir, leur libre arbitre, leur chance. Même si ce sont les gages les plus courants, la plupart semblent un peu exagérés pour un simple peigne de sirène. Et puis, si tu nous confiais ta beauté, il serait inutile que tu aies ce peigne pour ta soirée. Ton odorat, peut-être ?

Je secouai la tête, horrifiée par toutes ces propositions, surtout la dernière. Comment pourrais-je faire mon travail dans la Collection Grimm si je n'étais plus capable de sentir la magie ?

— Non ? La plupart des gens ne voient pas d'inconvénient à s'en séparer pendant quelques jours, mais, bien entendu, c'est une question de préférence personnelle. Ton sens de l'humour, alors ?

— Vous plaisantez ?

— Ton oreille musicale ? Ton adresse aux jeux ? Ta capacité à passer des examens ? Tes souvenirs d'enfance ? Ton sens de l'orientation ?

— Mon sens de l'orientation, décidai-je rapidement.

Cela me semblait être l'option la moins handicapante parmi toutes celles que le Doc avait mentionnées. D'abord je n'avais pas un grand sens de l'orientation, et puis j'en serais dépourvue pendant quelques jours seulement.

— Tu es droitière, n'est-ce pas ? me demanda le Doc. Donne-moi ta main droite.

J'hésitai :

— Pourquoi voulez-vous ma main droite ? Je viens de vous dire que je vous laissais mon sens de l'orientation.

Le Doc m'adressa un sourire rassurant :

— Je ne la veux pas en gage. Je vais juste m'en servir comme canal.

— Oh, d'accord.

Je posai ma main sur la paume fraîche et sèche du Doc, tandis qu'il chantait d'une voix impressionnante :

— *Orientation,*

Spatiale relation,

Hors de ce corps, et dans ta nouvelle station !

Rien ne se produisit.

Je me raclai la gorge.

— Ça, par exemple ! s'exclama le Doc doucement. Je me demande pourquoi... Ah, qu'est-ce que c'est que ça ?

« Ça », c'étaient les restes emmêlés du fil de laine que Jaya avait noué autour de mon poignet.

— Juste un bracelet que la petite sœur d'Anjali m'a fabriqué.

— Quelle fillette intelligente ! Comment s'appelle-t-elle ?

— Jaya.

— Jaya Rao. C'est une élève d'Abigail Bender, non ? Hmm... Ça te dérangerait de l'enlever ?

— Pas du tout.

Je tirai sur le bracelet, en vain. J'essayai de le couper avec mes dents – sans plus de succès. J'en tripotai le nœud, toujours sans résultat.

— Avez-vous des ciseaux ? demandai-je au Doc.

Il ouvrit un tiroir en m'en tendit une paire. Ils ressemblaient à ceux que l'on donne aux enfants d'école primaire ; ils n'étaient pas assez coupants.

— Tu pourrais essayer de lui adresser un petit mot d'encouragement, suggéra le Doc. Dis-lui que tu renonces à sa protection… en faisant des rimes, si tu peux.

Je réfléchis une minute, avant de me lancer, en me sentant très bête :

— *Je préfère renoncer*
À ta protection, bracelet.
Défais-toi, s'il te plaît,
Mais je tiens à te remercier.

Pourtant, cela fonctionna : à peine avais-je touché le nœud qu'il se défit.

J'ôtai d'une chiquenaude le fil de mon poignet. Ainsi, il possédait de vrais pouvoirs magiques ! Sur le moment, je n'avais pas pris Jaya au sérieux. Cela signifiait-il que cette amulette m'avait réellement protégée ? Peut-être aurais-je dû y réfléchir à deux fois avant de m'en séparer. Enfin, il était trop tard.

— Parfait, se réjouit le Doc, avant de reprendre ma main et de répéter son incantation.

Cette fois, elle fut efficace. Quelque chose sortit de moi à flots, en coulant avec lourdeur, comme lorsque l'on donne son sang. Cette chose avait une structure complexe, qui paraissait occuper plus de place que ce que je pouvais voir ; j'avais l'impression qu'elle possédait des dimensions supplémentaires invisibles. Elle s'écoulait, encore et encore – *tout cela* avait-il pu se trouver en moi ?!

Le Doc posa mon sens de l'orientation en équilibre sur le bord du bureau. J'eus peur qu'il chute, mais non. Il dégageait une odeur extrêmement intime, pareille à mon haleine.

– Signe ici, s'il te plaît, me dit le Doc.

Je signai.

– Et, à présent, le serment. Répète après moi :

Belle caution librement laissée,

À un peu de moi j'ai renoncé.

En échange je serai soigneux,

Soucieux de l'objet si précieux,

Puissant, entier, inaltéré,

Ou le contrat sera invalidé –

Mon gage – ou mon âme – confisqué.

J'observai la forme complexe et palpitante qui reposait sur le bureau et j'hésitai. Quel sombre serment ! Mais, s'il fallait en passer par là pour emprunter des pièces de la Collection Grimm, alors soit...

— Pouvez-vous répéter lentement, s'il vous plaît ? demandai-je au Doc.

— Bien sûr. Nous pouvons prendre les vers l'un après l'autre.

Je répétai ainsi le poème, aussi solennellement que possible.

— Formidable ! Ça y est ! conclut le Doc.

Il attrapa mon sens de l'orientation dans ses mains en coupe, le plaça dans le kuduo et signa la fiche d'emprunt. Je me sentis étrangement bouleversée. Cela dut se voir, car le Doc me dit, en posant une main sur mon épaule :

— Ce que tu ressens est normal, Elizabeth. Il est difficile d'abandonner quelque chose qui fait partie de soi. Je sais qu'un peigne de sirène est un petit objet, mais tu viens de faire un grand pas. Je me souviens du premier article de la Collection Grimm que j'ai emprunté. Comme toi, j'avais commencé par quelque chose de petit : une aiguille à repriser magique. J'avais donné en caution ma voix pour chanter. Je me rappelle ce que j'ai éprouvé quand je l'ai vue partir.

— L'avez-vous récupérée ?

— Bien entendu, le jour même. Et même si cela n'avait pas été le cas... — parce qu'il y a des choses auxquelles on m'a demandé de renoncer pour de bon... Au cours de toutes ces années passées au Dépôt, j'ai appris que, parfois, une grande perte est aussi un grand gain.

Sous ses taches de rousseur qui tournoyaient lentement, le visage du Doc paraissait infiniment triste. Sans
trop savoir pourquoi, je ne trouvai pas ces derniers mots
rassurants.

15

Je me perds

Je retournai au Rayonnage 6 à grand-peine, pour prendre le peigne de sirène. J'eus du mal à retrouver l'ascenseur, et je me perdis de nouveau lorsque j'en fus sortie. Je dus consulter le plan d'évacuation affiché au mur – ce qui ne m'empêcha pas, ensuite, de partir du mauvais côté.

Le mercredi, j'arrivai en retard en cours d'histoire – après être d'abord allée un étage trop haut. M. Mauskopf m'interrogea du regard et fronça les sourcils quand je me faufilai jusqu'à ma chaise, mais il ne consigna pas mon retard dans son carnet.

J'arrivai également en retard au cours suivant. Je me mis à regretter de n'avoir pas donné en gage mon sens de l'humour plutôt que mon sens de l'orientation. Le fait que je ne sache plus m'orienter était vraiment très ennuyeux. Je commençais presque à en perdre la boule — en plus de perdre mon chemin.

Ce soir-là, mon téléphone sonna pendant que je faisais mon devoir de trigonométrie.

— Elizabeth? C'est Aaron. Aaron Rosendorn.

— Salut, Aaron. Comment... Où as-tu trouvé mon numéro?

— Je l'ai demandé à Sarah, au Dépôt.

Aaron avait-il toujours cette voix grave? Ça le changeait — il paraissait plus vieux, mais moins sûr de lui.

J'attendis qu'il m'explique la raison de son appel. Car, la dernière fois que nous nous étions parlé, il n'avait pas été très aimable.

Il s'éclaircit la voix et me demanda :

— Est-ce que tu as découvert ce qui se passe avec les objets de la Collection Grimm?

Il m'appelait au sujet de la Collection Grimm? Chez moi? Comme c'était bizarre!

— Non, je n'en ai toujours aucune idée. Mme Callender m'a dit qu'elle commençait juste à se pencher sur le problème. Et toi?

— Non, mais... Tu crois que nous devrions en discuter avec Anjali? Elle pourrait peut-être nous éclairer.

Oh. Évidemment. Voilà pourquoi il me téléphonait! Il voulait juste parler d'Anjali.

— Je lui en ai déjà touché un mot, répondis-je. Elle a entré les données des objets dans un tableau et elle essaie d'en faire ressortir un schéma récurrent.

Aaron éclata de rire :

— Ça ne m'étonne pas d'elle ! Je vais peut-être lui téléphoner ; si jamais je sais quelque chose qui pourrait lui être utile... Qu'en penses-tu ?

Je sentis déferler en moi une vague d'agacement. Pourquoi me posait-il cette question ?

— Je ne sais pas. Qu'est-ce que tu lui diras de plus que ce qu'elle sait déjà ? Mais, si tu en as envie, fais-le. Ou attends simplement la prochaine fois que tu la verras pour en parler avec elle. Je ne crois pas que ça ait d'importance.

— Oh. OK. Merci.

Il se tut. J'allais raccrocher lorsqu'il ajouta :

— Hum, sinon, comment ça va ?

— Comment *je vais* ?

— Ouais. Comment vas-tu ?

— Euh... Bien...

— Super.

Je l'entendis déglutir.

— Et toi, comment ça va ? lui demandai-je.

— Moi aussi, je vais bien.

— Super. Nous allons bien tous les deux.

Nouveau silence.

— Qu'est-ce que tu fabriques ? m'interrogea-t-il.

— Ce que je fabrique ?

— Ouais, qu'est-ce que tu es en train de faire ?

— Un devoir de trigonométrie. Pourquoi ? Qu'est-ce que tu fais, toi ?

— Rien. Je te téléphone.

— Oh. OK.

Ni lui ni moi n'ajoutâmes quoi que ce soit pendant un moment.

— Je vais me remettre à mon devoir, décidai-je finalement.

— Ouais. Bon, merci, Elizabeth. Appelle-moi si tu découvres quelque chose, d'accord ? Ou si... Ou si tu as juste envie de bavarder.

De bavarder ? De quoi ?

— OK.

— OK, merci. Salut.

— Salut.

J'appuyai sur le bouton rouge de mon téléphone et fixai l'écran pendant quelques instants.

Quelle conversation bizarre ! Enfin, c'était une semaine bizarre, et Aaron était un gars bizarre. Je haussai les épaules et retournai à mes cosinus et mes tangentes.

Une demi-heure plus tard, il rappela.

— Salut, Elizabeth. C'est encore moi.

— Salut, Aaron.

— Écoute, j'ai réfléchi. Et si on demandait à certains objets de la Collection Grimm de nous expliquer ce qui cloche avec les autres ?

— Tu veux dire... demander aux objets eux-mêmes ? Tu crois que ça marcherait ?

— C'est possible. Certains sont très bavards. Du moins, quand on leur parle en faisant des rimes.

— Mais ce n'est pas toi qui insistais pour qu'on ne touche à rien ?

— Si, mais... Et si... ? Nous pourrions les emprunter officiellement. Comme ça, ce serait réglo.

— Hum... Ce n'est pas une mauvaise idée, reconnus-je. À quel objet penses-tu ?

— Je ne sais pas trop... Je n'y ai pas encore vraiment bien réfléchi, en fait.

— OK. Eh bien, la prochaine fois, nous feuilletterons le fichier ; ça nous donnera sûrement des idées.

— OK... Bon, salut.

— Salut.

Je venais de terminer un problème de maths difficile et me sentais fière de moi lorsque mon téléphone sonna de nouveau.

— Elizabeth ? C'est encore Aaron.

Mais qu'est-ce qu'il lui prenait ?

— Sans blague ! fis-je.

Il rit, mal à l'aise :

— En fait, je me demandais… Qu'est-ce que tu fais vendredi soir ?

— Je vais au grand match de basket qui se jouera à mon lycée. Pourquoi ?

— Oh.

Sa voix avait baissé :

— J'avais juste pensé que… Peu importe.

Avant qu'il ne raccroche, je lui proposai :

— Eh bien, peut-être… que tu pourrais venir, si tu veux.

Mais qu'est-ce que j'étais en train de faire ? Je lui demandais de sortir avec moi ? Pourquoi faisais-je cela ? Il était plutôt méchant ; en plus, c'était Anjali qui lui plaisait, pas moi. J'étais en train de me ridiculiser complètement, voilà tout !

— Ce sera sans doute un match captivant, continuai-je pourtant. Nous jouons contre la World Peace Academy[1]. C'est une école privée. Elle a un nom niais mais une équipe mortelle, qui gagne tout le temps. Et puis nous aussi, on joue super bien, cette saison.

Je bafouillais un peu. Cependant, je ne pouvais plus m'arrêter.

— On a de nombreux talents dans l'équipe. Surtout Marc. D'après moi, nous avons de réelles chances de

---

1. « World Peace Academy » signifie littéralement « Académie de la paix dans le monde ».

gagner ce match. Tu devrais voir Marc jouer ! Il est extraordinaire, ces derniers temps.

Aaron finit par retrouver sa langue, sauf que le Aaron gentil et un peu timide avait disparu. Il était redevenu le Aaron froid et sarcastique qui détestait Marc.

— Tu m'étonnes ! ironisa-t-il.

— Qu'est-ce que je dois comprendre par là ?

— Le sport ne se borne pas à la vitesse et à la force, tu sais. L'honnêteté et le fair-play, c'est important aussi.

— De quoi tu parles ? Tu es en train d'insinuer que Marc triche ?

— Je sais ce que j'ai vu au Dépôt.

— Tu sais ce que tu *crois* avoir vu. Or, tu te trompes. Marc est aussi inquiet que toi au sujet des objets suspects. Il nous aide, Anjali et moi, à comprendre le problème et à récupérer les pièces qui ont été volées.

— Quoi ? Tu lui as parlé des articles qui figurent sur la liste de Mme Callender ?

— Évidemment !

— Je n'arrive pas à croire que tu aies fait ça ! Ni que j'aie décidé de t'accorder ma confiance. Qu'est-ce qui m'a pris ?

— C'est quoi, ton problème, Aaron ? Je ne t'ai rien fait, et toi, tu m'appelles, comme ça, sans raison, et tu te mets à me crier dessus !

— Bon. Je vais raccrocher, dit-il, avant de joindre le geste à la parole.

— Salut ! lançai-je dans le vide.

Je retournai à mes maths, en me demandant pourquoi j'étais au bord des larmes.

Le lendemain, je ne vis pas Aaron au Dépôt. Mme Callender m'envoya à la SEP pour m'occuper du flux des tubes pneumatiques. Là, je fus si occupée que je n'eus pas un moment pour effectuer des recherches sur les objets de la Collection Grimm.

Le vendredi, je me rendis chez Anjali. Je remontai Park Avenue en faisant bien attention aux numéros des immeubles, jusqu'à destination. Je donnai mon nom au portier, qui le répéta à la personne qui répondit à l'interphone chez les Rao.

— Quatorzième étage, me rappela le portier.

Je trouvai l'ascenseur sans problème. Il faut dire qu'il était situé juste en face de moi.

— Elizabeth ! Je suis si contente de te revoir ! me dit Mme Rao en ouvrant la porte. Je suppose que tu es impatiente d'aller au match, tout à l'heure ?

— Oh oui, confirmai-je.

— Anjali est dans sa chambre — tu te souviens du chemin ?

— Je crois que oui.

— Non, de l'autre côté — à gauche, fit Mme Rao.

J'ouvris d'abord un placard, ensuite la porte de ce qui devait être – à en juger par les vêtements fluo éparpillés par terre – la chambre de Jaya. Enfin, j'arrivai devant une porte sur laquelle il était écrit, en calligraphie soignée : *Anjali*. Je frappai et appuyai sur la poignée. C'était fermé à clé.

La voix d'Anjali me parvint à travers la porte, étouffée mais sévère :

— Va-t'en !

— Anjali ? C'est moi, Elizabeth.

— Oh, désolée !

Anjali m'ouvrit. Elle était vêtue d'un jogging rose aux motifs de petits nuages blancs et, même ainsi, elle était superbe.

— Excuse-moi, je croyais que c'était Jaya.

Elle s'écarta pour me laisser entrer, puis verrouilla de nouveau la porte.

— Alors ? As-tu découvert qui volait les objets ? lui demandai-je.

— Je pense que oui. Enfin, peut-être. Marc veut que nous le retrouvions à la bibliothèque de votre lycée après le match, pour que nous étudiions tout ça ensemble. Mais tu pourrais déjà y jeter un œil maintenant pour vérifier si je n'ai rien oublié...

Elle sortit son ordinateur portable et tapota le coussin posé près d'elle sur le canapé. Je m'assis et j'inclinai l'écran pour mieux voir.

— Qu'est-ce que je regarde, là ? m'enquis-je.

— C'est la liste de tous les usagers qui ont consulté les objets figurant sur celle de Mme Callender. Voici leurs affiliations – leur société, leur école... Et, ici, ce sont les paires d'usagers qui ont consulté un même objet au moins une fois. Tu vois le schéma récurrent ?

Je secouai la tête.

— Moi non plus, je ne l'ai pas vu tout de suite. Bon, laisse-moi te montrer une autre liste.

Anjali ouvrit une nouvelle fenêtre sur son ordinateur :

— Voici, sur l'axe des x, toutes les pièces qu'Aaron et toi avez sorties des rayons pour Mme Callender, et, sur l'axe des y, tous les usagers qui les ont empruntées, par ordre chronologique. Maintenant, je vais mettre en évidence les usagers qui travaillent pour une entité appelée Benign Designs.

Elle appuya sur une touche et un ensemble de cellules du tableau s'éclaira en bleu :

— Tu saisis, à présent ?

Je secouai de nouveau la tête :

— Je ne comprends pas vraiment à quoi ces cases correspondent. C'est ça qu'on enseigne à Miss Wharton – la programmation sur tableur ?!

Anjali éclata de rire :

— Désolée, j'oublie souvent que tout le monde ne vit pas avec mon père. À la minute où Jaya et moi sommes nées, il nous a appris à utiliser ces programmes. Regarde.

Elle désigna son écran :

— Ces sept usagers travaillent pour une société appelée Benign Designs. Tu vois : quelqu'un de chez Benign Designs a emprunté chacun des objets qui, selon toi, n'ont plus une odeur magique.

Anjali avait raison. L'un des sept noms au moins apparaissait sur chaque ligne du tableau.

— Oui, mais cette personne, par exemple, a aussi emprunté la plupart des objets qui dégageaient une odeur magique, objectai-je. Peut-être est-elle juste un gros rat de bibliothèque. En plus, elle n'est pas la seule à avoir emprunté les articles qui ne fonctionnent plus. Regarde, deux ou trois autres personnes, dont Mme Minnian, ont fait la même chose.

— Peut-être. Mais regarde *quand* ça s'est passé. Les articles qui ne sentent plus la magie ont été empruntés par quelqu'un de Benign Designs avant d'être réempruntés par au moins trois autres usagers. Alors que ceux dont l'odeur est toujours magique ne sont sortis du Dépôt qu'une ou deux fois après que des employés de Benign Designs les ont pris.

— Sauf qu'il y en a qui n'ont jamais été empruntés par des gens de Benign Designs, observai-je. Comme les bottes de sept lieues.

— Je ne compte pas cet article, dit Anjali en balayant ma remarque d'un geste de la main. Il est évident que c'est l'exception qui confirme la règle.

— Mais tu ne peux pas décider, juste comme ça, que ce qui ne correspond pas à ta théorie est l'exception qui confirme la règle ! réfutai-je. Et d'ailleurs c'est quoi, ta théorie ?

— Que les gens de Benign Designs trafiquent les objets.

— Qu'est-ce qu'ils font ?

— Je l'ignore. Ils volent leur magie, peut-être, supposa Anjali.

— C'est possible, ça ? On peut enlever sa magie à un objet magique ?

— Je ne sais pas. Moi, non, évidemment, mais peut-être que *quelqu'un* le peut.

— Mais alors, comment expliquer que ces articles fonctionnent encore avec les trois usagers suivants ?

— Je ne sais pas trop. Il s'agit peut-être d'une espèce d'action à retardement, qui causerait la disparition progressive de la magie.

— Ou alors, le voleur jette un sort aux objets, supposai-je à mon tour, pour forcer le troisième emprunteur à les donner à Benign Designs, qui les remplace par des faux, comme Marc et toi avez fait avec les bottes de sept lieues.

– Oui, c'est une autre théorie envisageable. Il ne nous reste plus qu'à la vérifier, en empruntant l'un de ces articles.

– Oh, mais attends ! m'écriai-je, me souvenant soudain du peigne. J'en ai déjà emprunté un !

Je sortis l'accessoire de mon sac.

– Cet article figure sur la liste de Mme Callender, expliquai-je.

– Qu'est-ce que c'est ? m'interrogea Anjali, en le tournant de tous les côtés.

– Un... Un peigne, marmonnai-je, gênée.

Anjali me considéra très attentivement. Sous son regard scrutateur, je me sentis honteuse. Je n'arrivais pas à croire que j'avais emprunté un peigne de sirène afin de paraître belle pendant que j'admirerais Marc en train de jouer. Marc qui flirtait déjà avec Anjali.

– Quel genre de peigne c'est ? me questionna Anjali.

– Un peigne de sirène. Je voulais... Je pensais..., bafouillai-je d'une voix traînante.

– OK.

Anjali sembla embarrassée par ma gêne.

– Est-ce qu'il fonctionne ? s'enquit-elle en portant le peigne à ses cheveux.

J'eus envie de l'arrêter, mais je n'en fus pas capable. J'étais paralysée.

Anjali se coiffa. À chaque coup de peigne, ses cheveux brillaient comme le noir plumage d'un étourneau sansonnet. Ils ondulaient telle une rivière en pleine nuit, lisse, fraîche, aux clapotis chantants, à la surface scintillante d'étoiles, et au fond de laquelle gisait la mort. Si la chevelure d'Anjali avait réellement été une rivière, je m'y serais jetée et j'aurais laissé le courant me précipiter contre les rochers.

Anjali me dévisagea, le sourcil interrogateur :

— Alors ?

— Tes cheveux sont magnifiques, lui dis-je. Mais bon, ils sont toujours magnifiques.

— Tiens, à toi d'essayer.

Elle me lança le peigne. Je le reniflai et hochai la tête — j'avais reconnu son odeur. Elle était caractéristique de la magie, sauvage et changeante, et, à présent, recouverte de la senteur de musc fleuri des cheveux de mon amie.

— Tu ne te coiffes pas ? me demanda celle-ci.

Je haussai les épaules. À quoi bon, maintenant ?

— Allez, je veux voir l'effet qu'il produit, insista Anjali.

Sans grand enthousiasme, je levai le peigne.

À cet instant, on secoua bruyamment la porte.

— Aannjaliiiiiiii !

Jaya.

— Laisse-moi entrer, Anjali ! Elizabeth est avec toi ; je vous ai entendues ! Vous êtes en train de vous coiffer ! Je veux vous aideeeeer ! gémit-elle.

— Oh, c'est pas vrai ! se plaignit Anjali, qui ouvrit pourtant la porte. Va-t'en, Jaya !

— Salut, Elizabeth ! fit Jaya en ignorant sa sœur. Tu veux que je te coiffe ?

Je lui tendis le peigne.

Je m'attendais à avoir mal, or Jaya était étonnamment douce — à moins que ce ne fût le peigne. Mon cuir chevelu me picotait délicieusement. Je fermai les yeux et laissai échapper des murmures de plaisir.

— Tu as de beaux cheveux, Elizabeth, me complimenta Jaya. Tu veux que je te fasse une tresse africaine ?

— Oui.

Ses doigts rapides séparèrent, tirèrent et serrèrent mes cheveux, peignant chaque mèche avant de la mêler à la tresse. Quand elle eut terminé, elle attacha le bout de la tresse avec un élastique qu'elle ôta de ses propres cheveux.

— Va te regarder, me dit-elle en me désignant le miroir posé sur la commode d'Anjali.

En général, lorsque je me fais des nattes ou des queues de cheval, de fines mèches rebiquent. Pourtant, cette fois, mes cheveux étaient brillants et disciplinés. Cette coiffure mettait mon visage en valeur. Je découvris même que j'avais des pommettes bien saillantes.

— C'est joli, commentai-je. Merci, Jaya. Visiblement, le peigne possède toujours son pouvoir.

Anjali jeta un coup d'œil à Jaya et me fixa en fronçant les sourcils.

— Ne t'inquiète pas, Anji, je sais déjà tout, affirma Jaya. J'ai écouté à la porte. C'est un peigne magique ; certains objets magiques ne le sont plus, et tu essaies d'attraper les méchants. Laisse-moi t'aider ! Tu sais que je suis douée en tableurs — c'est papa qui le dit.

Jaya se mit à peigner ses cheveux.

— Jaya, tu n'es qu'une peste ! lui lança sa sœur avec lassitude.

— Tu es sûre que c'est une bonne idée, Jaya ? lui demandai-je.

— Évidemment ! Je pourrais trouver ces sales types et les ligoter pour vous.

— Non, je voulais dire : est-ce que c'est une bonne idée que tu te serves de ce peigne ? précisai-je.

Ses cheveux ressemblaient toujours à un nuage d'épis, mais un nuage d'épis de plus en plus attirant.

— Tu es un peu jeune pour ce genre de chose, ajoutai-je.

On aurait dit que je l'avais insultée.

— Un peu trop jeune ? J'emprunte tout le temps le maquillage d'Anjali !

— Tu… quoi ? demanda Anjali, dont le front magnifique était à présent barré de rides de mécontentement.

— Pas de panique, je remets toujours tout en place — la preuve, tu ne t'étais aperçue de rien.

Jaya entreprit de démêler un nœud dans sa chevelure.

— Fais attention avec ça, Jaya! l'avertis-je.

— Donne le peigne à Elizabeth, lui ordonna Anjali.

Ce devait être l'histoire du maquillage qui avait donné à la voix d'Anjali une telle froideur. Mon amie pouvait être étonnamment effrayante, parfois, songeai-je.

— Très bien. De toutes les manières, j'ai fini, déclara Jaya en me tendant le peigne avec dignité.

— Merci, fis-je, avant de le ranger dans mon sac. Bon, donc, ce peigne fonctionne. Qu'est-ce que cela prouve?

— Rien, pour le moment, répondit Anjali. Il se pourrait qu'il ne perde sa magie que quand tu l'auras rendu au Dépôt. Peut-être que quelqu'un va essayer de te le dérober. Et cet oiseau? S'il se mettait à te suivre dans ce but? Et toi, tu ne ressens pas l'envie irrépressible de le donner à quelqu'un de Benign Designs?

— C'est quoi, Benign Designs? s'enquit Jaya.

Anjali ne daigna pas lui répondre.

— Pas du tout, dis-je. Les seules personnes à qui j'ai donné ce peigne jusqu'ici, ce sont les filles Rao. Vous ne travaillez pas chez Benign Designs, n'est-ce pas?

— C'est quoi, Benign Designs? répéta Jaya.

— Nous ne le savons pas encore, lui répondis-je. Mais nous devons le découvrir.

— Faisons une recherche sur Internet, lança Anjali en tapant sur le clavier de son ordinateur.

— Laisse-moi t'aider, je suis douée pour trouver des choses ! assura Jaya en se glissant entre mon épaule et la jambe d'Anjali, afin de voir l'écran.

Anjali la repoussa :

— Si tu casses mon ordinateur, papa sera très en colère.

— Je ne vais rien casser, promit Jaya, mais elle s'écroula par terre, près de moi.

Elle jeta un coup d'œil à mon poignet, puis remonta mes deux manches.

— Hé, qu'est-ce qui est arrivé au bracelet que je t'avais fait ? me questionna-t-elle d'un ton accusateur.

— Il... Il s'est défait, mentis-je. Je suis désolée.

— Il n'était pas censé se défaire. Je ne l'avais peut-être pas bien noué. Il vaudrait mieux que je t'en fabrique un autre — tu n'es pas en sécurité, dehors, avec les monstres, Benign Designs et tout le reste.

— Laisse-la tranquille, Jaya, la rabroua Anjali. Elizabeth n'a pas envie de porter un horrible bout de laine au match de basket.

— Pourquoi tu es si méchante avec moi ? Je veux seulement vous aider ! Je te déteste !

Les grands yeux noirs de Jaya s'emplirent de larmes. Le contraste entre sa moue triste et ses cheveux glamour était comique, mais fendait le cœur.

— Je veux bien que tu me confectionnes un nouveau bracelet, m'empressai-je de dire à Jaya.

Elle s'en prit alors à moi :

— Ne fais pas semblant d'être gentille ! Tu es aussi méchante que ma sœur !

— S'il te plaît ? insistai-je. Je me sentirais vraiment plus protégée.

— Bon, d'accord. Je vais te l'attacher à la cheville, pour qu'on ne le voie pas, cet « horrible bout de laine ». Quel pied ?

Je lui tendis mon pied gauche. Ou était-ce le droit ? Sans mon sens de l'orientation, c'était difficile à dire.

Jaya prit un fil et commença le long rituel.

— En tout cas, je ne vais pas t'en faire un à toi, espèce de sorcière ! lança-t-elle à Anjali. Les monstres peuvent bien te dévorer ; ça m'est complètement égal. De toute façon, tu es tellement mauvaise qu'une seule bouchée de ta chair les empoisonnerait !

Verre à vin

16

Le match de basket

Nous arrivâmes bien en avance au gymnase de Fisher et prîmes des places au troisième rang, suffisamment loin de la fanfare pour épargner nos tympans. Anjali avait tenu à porter les couleurs de mon lycée : blanc et une nuance de violet peu flatteuse. Elle avait emprunté à sa mère un vieux blazer, dans lequel n'importe qui aurait ressemblé à un présentateur de journal télévisé en tenue d'Halloween, mais Anjali, elle, était aussi glamour qu'une sirène. Toutes les filles la couvrirent de regards appréciateurs. Tous les garçons la couvrirent d'un autre genre de regards appréciateurs et lui offrirent de l'aider à monter les gradins.

Anjali fit comme si de rien n'était. En vérité, je pense qu'elle ne remarqua rien du tout. Ses yeux étaient rivés sur Marc. Elle me serrait le bras à me faire mal quand il manquait un tir. Elle hurlait : « Mer-RITT ! Mer-RITT ! »

avec les spectateurs lorsqu'il piquait la balle à un adversaire et marquait un panier à trois points.

Marc restait très concentré. Je ne l'ai jamais vu jouer aussi bien que ce soir-là. À un moment, il se tourna dans notre direction et nous adressa un petit salut avant de sauter sur un escalator imaginaire et de se laisser porter avec grâce jusqu'à quelques centimètres du panier. Il y planta le ballon, en survolant les doigts tendus du pivot de la World Peace Academy, qui poussa un rugissement de fureur. En redescendant, il envoya un clin d'œil à Anjali. Les supporters de Fisher hurlèrent de joie.

Des amis — que je ne me connaissais pas — s'agglutinèrent autour de nous à la fin du troisième quart-temps.

— Vous venez au Jake's Joint, après ? demanda Sadie Cane à Anjali.

— Qu'est-ce que c'est ?

— Un fast-food, sur la 91ᵉ Rue. On y va toujours après les matchs. Marc ne te l'a pas dit ?

De toute évidence, Sadie allait à la pêche aux informations concernant la relation de Marc et Anjali.

— Non, Marc et moi avons des projets avec Elizabeth, répondit Anjali.

Puis elle se tourna vers moi.

— J'espère que nous n'arrachons pas Marc à une tradition amusante, chuchota-t-elle. Il nous aurait prévenues si ça l'embêtait de la manquer, non ?

— Je suis sûre qu'il préfère ses projets avec toi, lui assurai-je.

Derrière moi, quelqu'un pouffa. Lorsque je me retournai, je fus surprise de me retrouver face à Aaron. Malgré la chaleur ambiante, il portait un blouson en cuir noir et une écharpe rayée bleu et vert, les couleurs de la World Peace Academy.

— Aaron ! Tu es venu, finalement !

— Ouais, j'ai appris que mes magasinières préférées seraient là. Je me suis dit qu'il fallait que je me pointe pour garder un œil sur vous.

— Eh bien, je suis contente que tu sois là, dis-je, en rougissant et en regrettant aussitôt mes paroles.

« Ce n'est pas comme s'il était venu pour moi... », me dis-je.

À moins que ce ne fût ce qu'il entendait par « garder un œil sur vous » ? Bien sûr que non.

— Salut, Anjali ! lança-t-il.

Anjali se retourna :

— Oh, salut, Aaron. Que fais-tu ici ? Je ne savais pas que tu aimais le basket.

— Elizabeth ne t'a pas dit ? Je suis un fervent supporteur de la World Peace Academy : je passe mon temps à prier pour la paix dans le monde.

Anjali rit de la blague d'Aaron.

— Super ! Tu ferais mieux de prier pour sa victoire…, commenta-t-elle, avant de suivre le match de nouveau.

Aaron murmura dans mon oreille. Cela me chatouilla.

— Alors, Elizabeth, est-ce que tu as vu l'*air ball*[1] de Marc au *buzzer*[2] ?

— Aaron, tu es la personne la plus ennuyeuse que j'aie jamais rencontrée de toute ma vie ! lui lançai-je, piquée.

Aaron tressaillit comme si je l'avais frappé.

— C'est un sacré superlatif, dis donc, étant donné le nombre de personnes ennuyeuses que tu as dû rencontrer ! répliqua-t-il. J'imagine que tu évolues dans des cercles de relations très ennuyeux.

— Le moins possible, rétorquai-je en lui tournant le dos.

L'arbitre siffla et le dernier quart-temps débuta. Je me concentrai sur le match de toutes mes forces.

Ce fut Marc qui marqua les points de la victoire. Après que nous eûmes fini de nous casser la voix à force de hurler, Anjali m'informa qu'elle allait aux toilettes.

— Je te retrouve au…

Remarquant qu'Aaron se penchait vers nous, elle hésita et ajouta :

---

1. *Air ball* : au basket, il s'agit d'un tir manqué, lors duquel le ballon ne touche ni la planche, ni le cercle, ni le filet du panier.

2. *Buzzer* : avertisseur sonore signifiant la fin d'un quart-temps, de la mi-temps ou du match.

— ... là où Marc a dit.

— OK. Tu sais où c'est ? lui demandai-je.

— Je trouverai.

Elle ramassa ses affaires et descendit les gradins avec grâce. Je mis mon manteau sur mon bras et la suivis tant bien que mal.

Aaron m'emboîta le pas.

— Pourquoi tu me suis, Aaron ? le questionnai-je.

— C'est toi qui m'as invité, je te rappelle.

— Et tu m'as insultée, tu as insulté Marc et m'as raccroché au nez. Alors pourquoi tu es venu ?

— Je te l'ai déjà dit. Je suis inquiet au sujet de la Collection Grimm. Il n'est pas question que je rate une réunion de la « Conspiration des Magasiniers ». Je suis navré que tu trouves ça insultant.

— Ne sois pas ridicule ! Il n'y a pas de conspiration. Tu veux juste t'immiscer dans le rendez-vous d'Anjali avec Marc.

— C'est ce que tu penses ? Je pourrais en dire autant de toi.

— Tu le pourrais, mais tu aurais tort.

Je me dirigeai vers les toilettes pour dames, certaine qu'il ne m'y suivrait pas. Enfin... je *tentai* de m'y diriger : dans mon énervement, j'avais oublié mon petit problème de sens de l'orientation. Je réussis à m'arrêter juste avant de pénétrer dans les toilettes des hommes, puis, après seulement deux tours du troisième étage, je trouvai enfin ma destination.

Aaron avait eu le temps de se calmer.

— Tu essaies de me semer ? Tu t'y prends mal, dit-il d'un ton amical, en marchant près de moi à grandes enjambées.

Je lui adressai un sourire aussi méprisant que possible.

— J'avais raison, fit-il. Tu évolues bien dans des cercles très ennuyeux !

Il gloussa de sa propre blague.

« Je l'aimais beaucoup plus avant, songeai-je, lorsqu'il me faisait m'asseoir sur des chaises imaginaires et m'écrouler par terre. »

J'entrai dans les toilettes des dames et lui claquai la porte au nez.

Anjali n'y était plus. Je pris mon temps, lus les graffitis sur les murs de la cabine, puis me remis du brillant à lèvres. Je m'aperçus que j'avais belle allure : un air assuré, un peu féroce, et de très beaux cheveux. Était-ce l'œuvre du peigne magique ?

Je le pris dans mon sac et me coiffai de nouveau.

Lorsque je ressortis des toilettes, Aaron m'attendait, appuyé contre le mur. Il inclina la tête et scruta mon visage.

— Tu n'avais pas besoin de passer tant de temps à te remaquiller pour moi, dit-il. Non pas que tu ne sois

pas jolie, bien entendu, mais tu as mis trop de mascara.
Je préfère le look naturel.

— Je ne porte pas de mascara.

— Non ? Hmm… Bon, où retrouvons-nous Anjali ?

— Toi, tu ne retrouves Anjali nulle part.

— Bien sûr que si. Je suis têtu, au cas où tu ne l'aurais pas remarqué.

— Je ne comprends pas, Aaron. Tu penses réellement que nous complotons quelque chose ? Parce que, si nous voulions comploter, nous pourrions parfaitement le faire quand tu n'es pas là pour nous espionner. Alors, réponds-moi : pourquoi tu me suis ?

— Je ne sais pas, Elizabeth — peut-être parce que je ne supporte pas d'être séparé de toi ?

Son sourire, un mélange exquis de sarcasme et de sincérité, découvrit ses magnifiques dents blanches.

— Si c'était vrai, tu ne l'avouerais jamais.

— Tu as peut-être raison. Ou alors je pense ne rien risquer du tout en te le disant parce que je sais que tu ne me croirais jamais capable d'avouer une telle chose si elle était vraie.

— Ou bien tu t'exprimes par circonlocutions dans le but de m'embrouiller, pour ne pas avoir à répondre à ma question.

— S'exprimer par circonlocutions n'est pas pire que de décrire des circonvolutions pour aller aux toilettes.

— Si tu n'aimes pas ma façon de marcher, tu n'as qu'à ne pas me suivre.

— Oh, mais si, j'aime ta façon de marcher ! Beaucoup, même. Je te regarderais volontiers marcher toute la soirée.

J'abandonnai. Anjali et Marc allaient devoir se débarrasser d'Aaron eux-mêmes. Je me dirigeai vers la bibliothèque du lycée — ou, du moins, j'essayai. Car plus j'avançais, plus elle paraissait reculer, s'éloigner de moi en se tortillant comme une palourde quand on ne creuse pas le sable assez vite. Résultat : je me retrouvai devant le bureau du département d'histoire.

— Oh, c'est fermé, constatai-je. On dirait qu'ils ne m'ont pas attendue.

— Bien essayé, fit Aaron, incrédule.

— Regarde : la porte est verrouillée.

Je secouai la poignée pour lui prouver que je ne mentais pas. Ce faisant, mon manteau frotta contre la porte, et mes boutons raclèrent le battant.

Alors, à ma grande surprise, la poignée tourna. Aaron poussa la porte et appuya sur l'interrupteur. Un vent froid provenant de la fenêtre entrouverte souffla sur nos visages, et fit s'envoler des papiers posés sur les tables. J'allai la refermer.

Aaron s'assit.

— Qu'est-ce que tu fabriques ? C'est la place de M. Mauskopf !

— Qui est M. Mauskopf?

— Mon prof d'histoire. S'il te voit assis là, il n'appréciera pas du tout.

— Ce n'est pas grave. Ce n'est pas *mon* prof d'histoire.

— Allez, Aaron, tu vas m'attirer des ennuis. Sortons d'ici avant que quelqu'un débarque.

— Qui, par exemple? Anjali et Marc?... Hé, Elizabeth!

La voix d'Aaron avait changé; son ton taquin, disparu.

— Que fait ton prof avec le «tableau obscur vertigineux»? m'interrogea-t-il.

— Avec quoi?

Aaron tendit le doigt vers un tableau accroché au mur, derrière le bureau de M. Mauskopf. C'était la peinture aux motifs sombres et changeants qui m'avait montré Anjali lorsque j'étais restée enfermée dans la Collection Grimm.

— Je n'en ai aucune idée, répondis-je.

Aaron posa une question au tableau :

— *Eh bien? Ne nous laisse pas dans l'ignorance.*

   Où sont nos amis? Montre-nous leurs errances.

Les formes imprécises et sinistres du tableau commencèrent à couler lentement, comme de la lave cauchemardesque.

La peinture montra alors Anjali et Marc, qui se tenaient dans l'un des couloirs du lycée. Ils étaient au beau milieu d'un long baiser. Aaron écarquilla les yeux, le visage presque verdâtre. Le baiser n'en finissait pas.

— Ferme les yeux, Aaron !

Il ne parut pas m'entendre. Il continua à fixer Anjali et Marc avec l'expression de quelqu'un qui regarde sa maison brûler. Les deux personnages vivants du tableau reprirent leur souffle, et Marc commença à embrasser Anjali dans le cou.

— Arrête de regarder, Aaron !

Je secouai l'épaule d'Aaron, mais il ne réagit pas davantage. Alors, je lui couvris les yeux et criai au tableau :

— *Trop de réalisme !*

Retrouve ton mutisme !

La peinture m'obéit lentement — si lentement qu'on aurait dit qu'elle me narguait. Les lèvres de Marc se fondirent dans le cou d'Anjali, ses doigts dans ses cheveux.

Aaron saisit mes mains et les serra fort, comme s'il voulait les retirer de son visage. Pourtant, il les y maintint. Sous ses paupières minces, je sentais ses globes oculaires rouler, et ses cils me chatouillaient. C'était troublant, embarrassant, presque autant que la scène intime que le tableau nous avait montrée. Je sentais également la chaleur de ses paumes sur mes poignets. Je croyais sentir son pouls, qui était très rapide — à moins que ce ne fût le mien.

Enfin, il lâcha mes mains et désigna le tableau.

— Comment se fait-il que ton prof détienne cette peinture ? répéta-t-il.

— Je l'ignore totalement. Il a dû l'emprunter au Dépôt. Je suis certaine qu'il a une bonne raison. C'est lui qui m'a recommandée pour le job. C'est un ami du docteur Rust.

— Oh, est-ce que c'est aussi lui qui a permis à Marc d'obtenir ce poste ? C'est peut-être lui le voleur, et Marc travaille pour lui !

Je m'énervai de nouveau :

— Tu dis n'importe quoi ! Écoute, je suis désolée qu'Anjali soit amoureuse de Marc, et pas de toi. Je suis désolée que Marc soit grand, beau, populaire, un athlète fantastique, et pas toi. Mais pourquoi faut-il que ça te rende si pénible ? Moi, par exemple, je ne suis ni jolie ni populaire ; pour autant, est-ce que tu me vois me défouler sur Anjali, par jalousie ? Non, je suis gentille avec les gens. Pourquoi ne peux-tu pas simplement être gentil, toi aussi ?

— Gentille ! releva Aaron, sur un ton qui laissait penser que cet adjectif était un juron. Toi, gentille ? Pas jolie, mais *gentille* ? Tu ne te connais pas le moins du monde ! Tu penses que c'est *gentil* de te débrouiller, à longueur de temps, pour que je t'aime bien et que j'aie confiance en toi, alors qu'en fait tu ne cesses de mentir et de couvrir ce... ce menteur ? Tu penses que c'est *gentil* de trahir la confiance du Doc et d'aider des gens à détruire l'unique lieu rempli de magie que nous connaissons ? Ton prof est derrière tout ça, hein ? C'est pour lui que tu travailles ?

— Je ne travaille pour personne ! protestai-je. Je veux attraper le voleur. C'est également ce que souhaite Anjali. Et Marc. Ainsi que M. Mauskopf, j'en suis sûre.

Aaron grogna :

— Nous verrons bien.

Il se tourna vers le tableau et lui lança :

— *Chef-d'œuvre sublime,*

   Qui pille le legs Grimm ?

Je ne pensais pas que nous obtiendrions une réponse. Sinon, le docteur Rust aurait utilisé cette technique des semaines plus tôt. Une chose était sûre : ce tableau répondait à qui il voulait. Les formes ondoyèrent et l'obscurité pâlit pour montrer ensuite une galerie d'art bien éclairée et bondée. Des dizaines d'individus étaient rassemblés devant des peintures qu'ils commentaient avec de grands gestes, ou se tenaient en groupes, remuant les lèvres, hochant la tête et sirotant des boissons. Si le voleur se trouvait parmi eux, il était impossible de l'identifier — les gens étaient trop nombreux pour qu'on pût distinguer leurs visages.

— Oh, c'est très utile ! ironisa Aaron.

— Oui, ça l'est : tu vois bien que Marc et Anjali ne sont pas dans cette galerie ! De toute façon, nous venons de les voir s'embrasser dans le couloir du lycée.

– OK, Marc n'est peut-être pas le vrai voleur. Il est peut-être juste complice des vols.

– Tu n'admets jamais que tu as tort ? Et si, au lieu d'accuser nos amis, tu m'aidais à démasquer les véritables coupables ?

Après que nous eûmes observé les gens occupés à déambuler et à siroter du vin dans la galerie, sans pouvoir glaner aucun indice quant à l'identité du voleur, Aaron ordonna au tableau de retrouver sa forme normale. Puis il patienta pendant que j'envoyais un SMS à Anjali pour la prévenir que je rentrais chez moi, puis que je remettais sur les tables les papiers éparpillés par terre.

– Écoute, je... je regrette d'avoir dit tout ça, s'excusa-t-il. Même si je soupçonne Marc, je ne pense pas réellement que tu... qu'Anjali et toi... Vous êtes tellement...

– Ce n'est pas grave, le coupai-je, avant qu'il ne pût proférer une autre méchanceté et me mettre encore en colère. Moi aussi, je regrette d'avoir eu ces paroles. En vrai, je ne... je ne les pensais pas.

– On fait la paix, alors ? proposa Aaron en me tendant la main. Ou devrais-je dire « la World Peace » ?

– On fait la paix, acceptai-je.

Nous enfilâmes nos manteaux, éteignîmes la lumière et verrouillâmes la porte derrière nous. Aaron me suivit tandis que je suivais moi-même les panneaux de sortie. Ils nous conduisirent à l'issue de secours de la cantine, mais, au moins, nous ne tournâmes pas en rond dans le bâtiment.

— À la semaine prochaine ! me lança Aaron, une fois dehors.

— Attends... Ça t'embêterait de m'accompagner jusqu'au métro ? lui demandai-je.

Avec la perte de mon sens de l'orientation, je craignais de mettre toute la nuit à rentrer chez moi.

Aaron eut l'air surpris, mais ne formula aucune objection, même lorsque je lui pris le bras.

Il ne fut pas très causant sur le trajet menant à la station de métro. Puis, du haut des marches, il me regarda descendre l'escalier, jusqu'à ce que je sois hors de vue.

Quand je sortis du métro, j'avais un message d'Anjali. Je l'écoutai en me dirigeant vers mon immeuble (après avoir d'abord marché quelques dizaines de mètres dans le mauvais sens).

Désolée ! Je ne voulais pas te laisser tomber. Marc et moi avons juste... été un peu pris dans des trucs, et, quand nous sommes arrivés à la bibliothèque, tu devais déjà être repartie. J'espère que tu n'es pas en colère contre moi ! C'était un super match, hein ? J'aime bien tes amis. Merci BEAUCOUP, BEAUCOUP, BEAUCOUP de m'avoir invitée. Je te revaudrai ça. À la semaine prochaine.

Cette nuit-là, je rêvai de la scène du tableau, celle du baiser. Mon rêve avait la même intensité vertigineuse que les images que j'avais vues. Il était empreint de la même gêne causée par une trop grande intimité, lorsque les lèvres de Marc avaient glissé de la bouche au cou d'Anjali. La scène que je vis en rêve semblait également se brouiller et se dissoudre de la même façon. Sauf que le garçon, ce n'était pas Marc, mais Aaron.

Et — encore plus troublant — la fille, ce n'était pas Anjali ; c'était moi.

17

Disparition

Le lendemain matin, dès que j'arrivai au Dépôt, je me rendis dans le bureau du Doc pour lui rendre le peigne de sirène.

La porte était ouverte. Je frappai sur le chambranle et avançai la tête.

— Bonjour, Elizabeth, me salua le Doc. Entre. Que puis-je faire pour toi ?

— Je vous rapporte le peigne de la Collection Grimm.

— Oh, parfait. Tout s'est bien passé, j'espère ? Bon, où ai-je mis le kuduo ?

Le Doc fouilla partout et trouva l'urne dans un coin de la pièce, derrière un ficus qui avait plutôt mauvaise mine.

— Voyons… Qu'as-tu laissé en caution, déjà ? Ton sens de l'humour ?

— Non, mon sens de l'orientation.

— Ah oui, c'est vrai.

Le Doc souleva le couvercle du kuduo, et je sortis le peigne de mon sac.

À l'instant où je le touchai, je sus que quelque chose n'allait pas. Je le portai à mon nez et le reniflai. Je sentis une légère odeur de cuir chevelu, rien d'autre. Pas de parfum de magie. C'était devenu un peigne banal.

— Qu'y a-t-il, Elizabeth ? s'enquit le docteur Rust.

— Je ne sais pas... Le peigne est bizarre. Enfin, non... mais il ne dégage pas la bonne odeur.

— Laisse-moi y jeter un coup d'œil.

Je donnai le peigne au Doc, qui le renifla à son tour, le porta à une oreille, puis à l'autre, et en pinça chaque dent. Pour finir, il se mit à le lécher. Beurk !

J'observai ses taches de rousseur. Elles semblaient bouger plus vite que d'habitude. L'une d'elles, notamment, en forme de papillon, suivie d'une deuxième en forme de triangle.

J'attendis, inquiète.

— Es-tu certaine qu'il s'agit du peigne que tu as emprunté ici ? me demanda enfin le Doc.

— Oui. Je l'ai laissé dans mon sac tout le temps, sauf quand je l'ai utilisé.

Mon inquiétude se transforma en angoisse.

— J'ai un mauvais pressentiment, marmonna le Doc. Mais voyons tout de même ce qui va se passer.

Il fouilla dans le kuduo et en sortit mon sens de l'orientation, brillant et anguleux, qui tournoya étrangement.

— Bien, fit le Doc. À présent, tends tes mains. Paumes vers le ciel, voilà...

L'objet retourné, la dette est réglée.

Cherche l'âme que tu dois réintégrer.

Dans un cliquetis, mon sens de l'orientation tomba des mains du docteur Rust pour atterrir dans les miennes. Il demeura là, à vaciller et à me picoter. Il était clair qu'il y avait un souci.

— Que se passe-t-il ? Est-ce que je dois faire quelque chose pour que mon sens de l'orientation rentre en moi ? m'enquis-je.

— Je ne comprends pas — ça devrait déjà être fait... Attends, est-ce que tu portes encore une amulette de la petite Rao, par hasard ?

— Oui ! m'exclamai-je, soulagée. Est-ce que c'est elle qui pose problème ?

— Laisse-moi voir.

— Elle est à mon pied.

Tenant fermement mon sens de l'orientation, qui était fuyant et me déséquilibrait, je tendis la cheville.

Le Doc se pencha et observa attentivement mon bracelet :

— C'est du beau travail, mais non, cette amulette ne t'empêche pas de récupérer ce qui t'appartient légitimement. Je suis désolé, Elizabeth. Les choses s'annoncent très mal. J'ai bien peur que tu sois victime de la personne qui vole et falsifie les pièces de la Collection Grimm.

— Oh, non ! Qu'est-ce que cela signifie exactement ?

— Quelque chose cloche avec ce peigne. Soit ce n'est pas le nôtre, soit quelqu'un l'a abîmé d'une façon ou d'une autre et en a retiré la magie... Je ne sais pas. Hélas, le serment stipule que l'objet emprunté doit être rendu «*puissant, entier, inaltéré*» — ce que ce peigne n'est pas, de toute évidence.

— Mais je ne lui ai rien fait ; je le jure !

— Je te crois. Malheureusement, le serment se fiche de savoir qui a endommagé l'objet, seul compte le fait qu'il *est* endommagé.

— Alors, que va-t-il se passer, maintenant ? questionnai-je le Doc. Je vais rester privée de mon sens de l'orientation ?

— Oui. Du moins, pour le moment.

Ce que je ressentis alors dut se lire sur mon visage, car le Doc ajouta :

— Nous allons tout mettre en œuvre pour attraper le voleur. En attendant, je garde ton sens de l'orientation en sécurité ici. Ne t'inquiète pas, il est entre de bonnes mains. Personne ne peut sortir le kuduo du Dépôt hormis ses propriétaires légitimes. Comme dit un proverbe akan : « Quand un collier de perles se casse en présence des anciens, aucune perle n'est perdue. »

— D'accord. Mais moi, si je comprends bien, je vais continuer à me perdre ?

— J'ai bien peur que oui.

La situation était catastrophique.

Le Doc reprit mon sens de l'orientation et le rangea soigneusement dans le kuduo, où il disparut dans l'obscurité.

Je me présentai ensuite devant Mme Callender, qui m'envoya travailler dans la Salle d'Examen Principale. À ma grande surprise, j'y trouvai Jaya, qui faisait les cent pas sous le vitrail de Tiffany représentant la scène d'automne. Le soleil entrait à flots à travers le feuillage en verre, donnant aux cheveux de la fillette un ton auburn, et à sa peau une teinte rougeâtre. Elle avait l'air d'un léopard en cage.

— Elizabeth ! Où est ma sœur ? cria-t-elle en bondissant vers moi.

— Je ne sais pas. Je ne l'ai pas revue depuis hier soir, au match de basket. Elle ne travaille pas ici, aujourd'hui. Pourquoi ?

— Elle a disparu ! Le monstre a dû l'attraper !

— Quoi ?

— Le monstre ! Celui qui t'a déjà poursuivie ! Il a attrapé Anjali, et tout est ma faute !

Jaya commença à pleurer. Les usagers – quelques étudiants en art occupés à faire des croquis, des chercheurs qui prenaient des notes sur leurs ordinateurs portables et les joueurs d'échecs russes – nous regardèrent.

– Chut, Jaya! On est dans une bibliothèque; il ne faudrait pas qu'on te mette dehors. Explique-moi ce qui s'est passé. Est-ce que tu l'as vu, le monstre? C'était un oiseau gigantesque?

Bien que toujours aussi paniquée, elle baissa la voix:

– Non, mais, s'il a capturé Anjali, c'est à cause de moi!

– Pourquoi ce serait à cause de toi?

– Parce que je ne lui ai pas fait d'amulette de protection.

– Oh, Jaya! C'est elle qui a refusé que tu lui en fasses une, tu te souviens?

– J'aurais dû lui en fabriquer une quand même, en me faufilant dans sa chambre au milieu de la nuit. Comme ça, le monstre ne l'aurait pas attrapée!

Jaya chuchotait en sanglotant. Je posai mon bras sur ses épaules et la conduisis vers l'un des bancs en bois sculpté placés contre le mur.

– Ça va aller, Jaya…, lui dis-je doucement. Ne pleure pas; nous allons retrouver ta sœur. Allez, allez, tu n'y es pour rien. Nous allons la retrouver.

Je ne savais pas si c'était vrai – je l'espérais, en tout cas. Mais comment allais-je me débrouiller pour retrouver Anjali — ou faire quoi que ce soit d'autre, d'ailleurs — sans mon sens de l'orientation ?

Je fouillai mes poches et en sortis un mouchoir en papier à peu près propre, que je donnai à Jaya. Elle se moucha bruyamment. Les joueurs d'échecs nous jetèrent un coup d'œil, avant de se concentrer de nouveau sur leur partie.

— Où l'as-tu vue pour la dernière fois ?

Ma question paraissait absurde, j'en avais conscience : elle donnait l'impression qu'Anjali était un jouet que Jaya aurait mal rangé — sa poupée préférée, par exemple.

— Ce matin, au petit déjeuner, répondit Jaya. Elle était censée m'aider pour mon exposé en sciences. Elle avait promis !

— Elle a peut-être simplement oublié. Il se peut qu'elle soit allée faire les boutiques et...

— Anjali n'oublie jamais rien. Et je le saurais si elle était en train de faire du shopping. Je suis douée pour savoir où elle est.

« Sans blague... », songeai-je, avant d'ajouter, à voix haute :

— Est-ce qu'elle a dit quelque chose de particulier avant de disparaître ?

— Quoi, par exemple ?

— Je ne sais pas... Quelque chose de bizarre ou d'inhabituel ?

— Non, elle a râlé parce que j'avais fini le paquet de corn-flakes. Ce n'était ni bizarre ni inhabituel. Les seuls trucs étranges dont elle a parlé, c'était quand tu étais chez nous, avant le match de basket. Tu crois qu'elle est allée à Benign Designs ?

— C'est possible.

— Dans ce cas, on va la chercher !

Jaya se leva d'un bond, comme si elle s'apprêtait à partir sur-le-champ.

— Jaya, attends ! Nous ne sommes pas certaines qu'elle est là-bas. Ni qu'elle a disparu, d'ailleurs...

À cet instant, la porte s'ouvrit et Marc accourut vers nous.

— Tu es Jaya, la petite sœur d'Anjali ? s'enquit-il.

Celle-ci fronça les sourcils en entendant l'adjectif « petite » :

— Et toi, t'es qui ?

— Marc. Où est Anjali ? Est-ce qu'elle va bien ? Elle ne répond plus à mes messages.

— Tu es Marc Merritt ? L'amoureux d'Anjali ? Comment tu as su que j'étais ici ?

Jaya considérait maintenant Marc avec un grand intérêt.

— C'est Sarah qui me l'a dit. Alors, est-ce qu'Anjali va bien ? Où est-elle ?

— C'est toi, la star du basket ?

— Oui, oui. Où est Anjali ?

— Je ne sais pas. Je crois que le monstre, ou peut-être Benign Designs, l'a enlevée.

— Non! s'écria Marc en se tapant la jambe avec le poing. Elle m'avait pourtant promis de ne pas y aller sans moi!

— Où ça? demandai-je. À Benign Designs?

— Hier soir, elle m'a dit qu'elle soupçonnait les gens de cette entreprise, répondit Marc. D'après elle, ils remplaceraient les objets par des copies qui ne fonctionneraient que pendant quelques jours. Elle voulait s'y rendre pour mener sa petite enquête. Je lui ai demandé d'attendre que je puisse l'accompagner...

— Oui, je crois qu'elle a raison! commentai-je.

Cela aurait en effet expliqué pourquoi le peigne avait soudainement cessé de fonctionner.

— Où se trouve Benign Designs? Je vais aller la délivrer, décida Jaya.

Marc lui lança un regard à la fois hautain et indifférent, comme s'il venait de se rappeler qu'elle était là:

— Tu ne peux pas faire ça — tu n'as que dix ans.

Aïe! C'était exactement ce qu'il ne fallait pas dire.

— C'est ma sœur! Tu ne m'empêcheras pas d'aller la sauver, protesta Jaya.

Cette fois-ci, Marc se campa bien en face d'elle:

— Anjali ne me le pardonnerait jamais s'il t'arrivait quelque chose.

— C'est *ma* sœur ! Je viens avec vous. Si vous ne me laissez pas venir, j'irai toute seule.

— D'accord, Jaya, acceptai-je. Va chercher l'ordinateur portable d'Anjali et apporte-le ici. Nous fouillerons dedans pour tenter de trouver des indices. Puis nous agirons tous ensemble — ce sera plus sûr.

*

Marc, Jaya et moi nous rendîmes au café de Lexington Avenue et allumâmes l'ordinateur d'Anjali.

— Voilà l'adresse de Benign Designs, sur la 23ᵉ Rue, annonça Marc. J'ai également dégoté celle de son propriétaire, un dénommé Wallace Stone. Il a déclaré sa société sous un nom commercial, mais Anjali a trouvé son vrai nom en faisant des recherches sur une base de données officielle.

— Wallace Stone…, répétai-je. J'ai déjà entendu ce nom.

— Où ça ? m'interrogea Jaya.

Je réfléchis un instant :

— Au Dépôt, lorsqu'on m'a parlé de la magasinière qui s'est fait renvoyer. Je crois que c'est cet homme qui l'avait recommandée.

— Super ! Au moins, on est sur une piste, se réjouit Jaya.

— La première chose à faire, c'est d'aller sur la 23ᵉ Rue, décida Marc. Ensuite, nous chercherons ce Wallace Stone.

— Je ne sais pas..., objectai-je. Anjali avait sans doute le même plan, et elle a disparu.

— Tu as une meilleure idée ?

— Est-ce qu'on ne devrait pas demander de l'aide au Doc ? Ou aux autres bibliothécaires, ou à M. Mauskopf ?

— Non ! refusa Marc. Nous ne savons pas à qui le Doc en parlerait ; or, n'importe quel bibliothécaire pourrait être de mèche avec le voleur. Ils ont tous accès à la Collection Grimm. Il est préférable de ne mettre qu'un nombre limité de personnes dans la confidence.

— Tu crois que les bibliothécaires sont impliqués dans les vols ?

Cela me paraissait insensé.

— Je ne sais pas en qui avoir confiance, déclara Marc.

— Marc a raison, dit Jaya. Anjali a disparu à cause du Dépôt. Je ne fais confiance à personne, là-bas — à part vous deux, bien sûr, parce que toi, Elizabeth, tu es gentille, et Marc, tu es l'amoureux d'Anjali.

Malheureusement, nous n'apprîmes rien à l'adresse de la 23ᵉ Rue. Benign Designs ne figurait pas sur les interphones de cet immeuble. Nous sonnâmes quand même, mais aucun des habitants ne connaissait ce nom — du moins, c'est ce qu'ils prétendirent.

— Qu'est-ce qu'on fait, maintenant ? demandai-je.

— On va voir le propriétaire de Benign Designs, Wallace Stone, décréta Jaya. J'ai son adresse et son numéro de téléphone. Il habite Otters Alley, dans le centre-ville.

Puis elle se tourna vers moi :

— Montre-moi ta cheville.

— Quoi ?

— Le bracelet. J'ai besoin de le voir.

— Oh !

Je tendis un pied.

— L'autre pied, m'indiqua Jaya.

Je m'exécutai. Elle remonta la jambe de mon jean et hocha la tête :

— Bien, il est toujours là. À toi de m'en fabriquer un, maintenant.

Elle sortit une pelote de laine de son sac et en coupa un bout avec ses dents.

— Je ne sais pas comment faire, avouai-je.

— Ce n'est pas grave, je vais te montrer. D'abord, tu tiens les deux bouts dans ta main gauche et tu enroules le fil – non, ta main gauche... Non, ça, c'est toujours ta main droite... Voilà. Maintenant, tu enroules le fil dans le sens des aiguilles d'une montre – non, *dans le sens des aiguilles d'une montre*... Dans l'*autre* sens... OK, à présent, tiens la boucle sous ton pouce gauche, prends les deux bouts avec ta main droite, et passe celui du haut autour de ton index, et celui du bas autour de ton petit doigt – non, celui du bas ; ça, c'est celui du haut...

Cela continua ainsi pendant un long moment. Aurais-je réussi plus facilement si j'avais toujours eu mon sens de l'orientation ? Le froid m'engourdissait les doigts, ce qui me rendait encore plus maladroite. Les gens qui nous dépassaient dans la 23e Rue nous lançaient des regards amusés.

– Vous êtes sûres qu'on a le temps de jouer à ça ? interrogea Marc. Et qu'est-ce que vous fabriquez, d'ailleurs ?

– Un bracelet de protection, répondit Jaya. C'est très important. Ça protège des attaques magiques... Non, Elizabeth, dans l'autre sens...

Finalement, je parvins tant bien que mal à relier les deux extrémités du bout de laine.

– Maintenant, la formule magique, annonça Jaya. Répète après moi : « *Avec ce grigri, du mal sois à l'abri.* »

– « *Avec ce grigri, du mal sois à l'abri* », récitai-je en serrant le nœud du bracelet. Ça ira, comme ça ?

Jaya tira dessus d'un air dubitatif. Le bracelet glissa un peu, mais ne se défit pas.

– Je l'espère, grommela-t-elle. À toi, Marc.

– Jaya, cette laine est rose, objecta-t-il.

– Oh, oui, tu as raison. Mais je n'ai pas apporté d'autre pelote.

Jaya coupa un autre bout avec ses dents, tira le bras de Marc vers elle et se mit à nouer un nouveau bracelet.

Marc plissa le front, mais la laissa faire. Ayant un petit frère de trois ans, il devait être habitué à passer leurs caprices aux enfants.

— Il vaudrait mieux que tu raccompagnes Jaya chez elle pendant que je vais dans le centre-ville m'occuper de ce Wallace Stone, me dit-il.

— Si tu essaies de te débarrasser de moi, je hurlerai que tu m'as enlevée, le menaça Jaya. Et les gens me croiront, j'en suis sûre, puisque je ne te ressemble pas du tout. Vous êtes obligés de m'emmener !

— En chemin, on croisera peut-être un ogre qui voudra bien la dévorer, rétorqua Marc à mon intention.

— Peut-être même que ce Wallace Stone en est un, répondis-je.

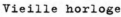

18

Un marché

L'immeuble où habitait Wallace Stone était une ancienne usine aux fenêtres immenses. Marc appuya sur le bouton de l'un des huit interphones, sur lequel il était écrit : *W. Stone.*

Une minute plus tard, une voix grésilla dans le haut-parleur :

— Qui est-ce ?

Marc et moi échangeâmes un regard stupéfait. Nous avions oublié de trouver un prétexte à notre visite. Avant que nous puissions l'arrêter, Jaya avança le visage et annonça dans l'interphone :

— C'est Jaya Rao. Je suis venue récupérer ma sœur.

Un silence de quelques secondes s'ensuivit, puis la porte s'ouvrit en bourdonnant. Nous prîmes un vieil ascenseur cliquetant jusqu'au septième étage et sonnâmes à la porte de l'appartement de Wallace Stone.

Il ne me fallut qu'une seconde pour reconnaître l'usager du Dépôt qui avait voulu me subtiliser la boîte des danseurs en papier, sur la Cinquième Avenue.

— Ah, c'est toi! me lança-t-il. Bonjour. Tu es venue me rapporter mon colis?

— Vous! m'exclamai-je.

— Où est ma sœur? demanda Jaya.

Wallace Stone se tourna vers elle.

— Ça, par exemple! Voici l'autre, pour compléter la paire, dit-il.

— Où est-elle? Où est Anjali? Rendez-la-moi! exigea Jaya en entrant.

— J'aimerais bien, mais je ne l'ai pas.

— Anjali! ANJALI! Où la cachez-vous?

Jaya bouscula Wallace Stone et passa la tête par une porte donnant sur le reste de l'appartement:

— Anjali!

M. Stone ouvrit la porte en grand:

— Je t'en prie, entre et regarde partout. Invite tes amis. Tu constateras que je ne mens pas. Ta sœur n'est pas ici.

Il nous considéra, Marc et moi, en haussant un sourcil, avec une patience polie, presque affectueuse. Nous suivîmes tous Jaya dans l'appartement.

Je fus submergée par l'odeur qui y régnait. Elle était aussi caractéristique et impossible à définir que celle de la Collection Grimm, bien que plus brute, plus crue.

C'était une odeur identique à celle du faux paquet que M. Stone avait voulu échanger à mon insu contre celui qui contenait les acrobates. Ça sentait... les jacinthes ? Non, le diluant pour la peinture... Le terreau ? Non, les cendres mouillées.

Abrutie par cette odeur, j'inspectai les lieux et tentai de m'y repérer. C'était un grand loft au plafond haut, qui ressemblait moitié à un logement, moitié à un entrepôt. Des piédestaux, des tables et des guéridons présentaient de beaux objets anciens – pendules, tableaux, vases, postes de radio – qui avaient tous l'air magiques. Sur un ordinateur, un économiseur d'écran dessinait d'étourdissantes arabesques. Il me rappela les tourbillons à l'intérieur du kuduo. Je détournai les yeux.

– Puis-je vous offrir quelque chose ? Une boisson gazeuse ? proposa M. Stone.

– Ma sœur !

– Excusez-moi une minute.

M. Stone disparut derrière une cloison basse. Nous entendîmes le réfrigérateur s'ouvrir puis se refermer. Jaya parcourait la pièce d'un pas lourd et bruyant, cherchant Anjali derrière chaque meuble.

M. Stone revint avec des boissons et des petits gâteaux secs :

– Un jus de fruits ? De l'eau gazeuse ?

– Ma sœur !

Il versa du jus de fruits dans un verre, qu'il me proposa.

— Non, merci, refusai-je.

Il l'offrit à Marc, qui secoua la tête. Jaya, elle, le fusilla du regard. M. Stone haussa les épaules et sirota lui-même la boisson.

— Alors, peut-être devrions-nous nous présenter, dit-il. Je m'appelle Wallace Stone, mais j'imagine que vous le savez déjà. Tu as dit que tu étais Jaya Rao ?

Il tendit la main à la fillette, qui mit les siennes derrière son dos. À en juger par ses yeux pétillants, il parut trouver cela amusant.

— Et toi ? me demanda-t-il, en me présentant sa main. Nous nous sommes déjà rencontrés, bien entendu, mais j'ignore ton nom.

Je n'avais pas envie de lui serrer la main, mais je pensais qu'il valait sans doute mieux être polie si nous voulions obtenir des informations.

— Elizabeth Rew.

— C'est un plaisir de te revoir.

Il se tourna ensuite vers Marc, à côté de qui il était tout petit :

— Et tu es le génial Marc Merritt, n'est-ce pas ?

Marc refusa de lui serrer la main.

— Bon, prenez un bonhomme en pain d'épices et dites-moi pourquoi vous pensiez que Mlle Rao serait ici, enchaîna-t-il en nous présentant l'assiette de biscuits.

— Nous savons qu'elle est venue chez vous ce matin, et maintenant elle a disparu, expliqua Marc en se servant.

Je ne pus résister, moi non plus, et croquai une jambe du bonhomme. C'était délicieux. Je sentis le gingembre, la cannelle, les clous de girofle et une autre épice — de la muscade ? De la cardamome ? Non, quelque chose qu'il était plus rare de trouver dans le pain d'épices... Des écorces d'orange, peut-être ? Non, ce n'était pas tout à fait cela... Un goût plus fort, en quelque sorte, qui ressemblait davantage à... — je ne sais pas — de la pomme caramélisée ou de la fumée de bois. Je mordis de nouveau dans mon biscuit. La saveur était douce et prononcée, comme du canard rôti ou des crayons en cèdre.

— Eh bien, vous avez raison : Anjali est venue me voir, reconnut M. Stone. Mais, comme vous pouvez le constater, elle n'est plus ici.

— Elle est venue vous voir ? Quand ? Et que lui est-il arrivé ? demanda Jaya en croquant furieusement la tête du bonhomme en pain d'épices, comme s'il s'agissait de M. Stone.

Soudain, les yeux de celui-ci brillèrent.

— Merci, ma chère. Tu es sur le point de le découvrir.

Il s'éclaircit la voix et se mit à chanter :

— *Ceux qui mangent un gâteau sec,*
Soit par les pieds, soit par la tête,

Porchers, rois ou reines divines,
Se transforment en figurines !

D'abord, il ne se passa rien.

Puis Jaya parut frémir ; les contours de sa silhouette se ridèrent tel un reflet dans une mare, sous l'effet du vent. Moi, j'eus une drôle de sensation dans l'estomac. Marc bondit sur ses pieds. Mais personne ne devint une figurine.

— C'est étrange…, commenta M. Stone.

L'air ennuyé, il reprit :

— *Veuillez me rendre un grand service :*
Par le pouvoir du pain d'épices,
Porcher, roi ou reine divine,
Transformez-vous en figurines !

De nouveau, Jaya se rida.

— Arrêtez ! hurla-t-elle en s'ébrouant comme un chien mouillé.

Marc saisit M. Stone par les épaules.

— Que faites-vous ? Vous essayez vraiment de nous transformer en figurines ? grogna-t-il, les narines dilatées.

— Évidemment ! Mais ça ne marche pas… *Par le pouvoir du pain d'épices…* Montre-moi ça ! dit-il en attrapant le bracelet autour du poignet de Marc. Qu'est-ce que c'est ? L'œuvre d'Abigail Bender ?

— Non, la mienne, corrigea Jaya, d'un ton suffisant qui perçait à travers sa colère. Mlle Bender m'a appris à

faire des nœuds. Ma sœur est-elle devenue une figurine ?
Où l'avez-vous cachée ?

Elle ouvrit un placard et se mit à sortir tout ce qu'il contenait, jetant les manteaux par terre et vidant les contenus des boîtes à chapeau.

D'un mouvement brusque, Marc dégagea son bras de l'étreinte de M. Stone. Ensuite, je le vis extraire de son sac à dos une toile de jute, qu'il leva en disant :

— *Gourdin, sors du sac !*

Une solide massue en bois, dotée d'un manche en cuir, s'éleva alors brusquement et se dirigea droit sur M. Stone. Ce dernier tendit vivement une main devant lui. Le gourdin interrompit alors sa trajectoire, et s'agita en l'air. Puis, lentement, se débattant avec force comme si on le tirait contre sa volonté, il se tourna et descendit, manche le premier, dans la paume de M. Stone.

— Merci, Marc — quelle agréable surprise ! La toile aussi, s'il te plaît.

M. Stone leva son autre main, et la toile de jute se libéra en se tortillant de la poigne de Marc pour rejoindre M. Stone.

— Pensais-tu vraiment pouvoir apprendre où est ton amie en me frappant ? Chez moi, en plus ? Quel manque de savoir-vivre ! s'exclama l'homme en secouant tristement la tête.

Marc le dévisagea, horrifié.

— Qu'est-ce que c'était que ça ? criai-je. Que se passe-t-il ?

— C'est le gourdin des contes de Grimm, me révéla Marc d'une voix étranglée. Stone a maîtrisé le gourdin Grimm !

— Le quoi ?

— Le gourdin Grimm. Il est censé frapper tous ceux que tu lui désignes, jusqu'à ce que tu lui dises de s'arrêter.

— Maaarc, enfin ! Tu ne sais pas que la violence n'est jamais la solution ? fit M. Stone, qui semblait bien s'amuser. *Gourdin, dans le sac !*

— Espèce de voleur...

— Je t'en prie — tu t'adresses à un membre de l'Association des Antiquaires Authentifiants, sans parler du Bureau du Beau Business. Mais je préfère le terme de « marchand d'art ».

— Vous n'êtes qu'un sale type écœurant ! C'est vous qui avez pris des objets de la Collection Grimm — ainsi qu'Anjali, d'ailleurs ! Où sont-ils tous ?

— En lieu sûr, je te le garantis. Mes clients sont très soigneux.

— Je vais vous forcer à l'avouer ! hurla Marc.

— Et Mona, l'autre magasinière qui a disparu, vous l'avez kidnappée, elle aussi ? interrogeai-je M. Stone.

— Mona Chen ? Cette petite rebelle ? Non, malheureusement. Et je ne sais même pas où elle est. Je croyais pouvoir la convaincre de m'aider dans mes affaires ; or, non seulement elle a refusé de coopérer, mais elle s'est enfuie.

– Où est Anjali ? cria Jaya une fois de plus.

– Asseyez-vous et, s'il vous plaît, cessez de hurler, dit M. Stone. Réglons cela en adultes. J'ai quelque chose que vous voulez. Vous avez quelque chose que je veux. Je suis sûr que nous pouvons nous arranger.

– Et de quelle manière ? Vous me rendrez ma sœur ?

– Comme je n'arrête pas de te le répéter, je n'ai pas ta sœur. En revanche, je sais où elle est. Je l'ai vendue... Enfin... je l'ai placée chez l'une de mes très bonnes clientes, une collectionneuse distinguée, qui acceptera peut-être de se séparer d'elle si, en échange, vous lui proposez quelque chose de valable.

– Qui est cette collectionneuse ? Où retient-elle Anjali ?

– S'il vous plaît, asseyez-vous. Je suis prêt à vous communiquer cette information en échange de...

Il marqua une pause.

– Voyons... Vous avez accès à la Collection Grimm, n'est-ce pas ?

– Non ! protestai-je. Faites votre sale boulot vous-même. Il n'est pas question que nous volions quoi que ce soit pour vous !

– Quoi que ce soit *d'autre*, tu veux dire ?

M. Stone leva le sac en toile de jute contenant le gourdin. Je décochai un regard glacial à Marc, qui s'appliqua à ne pas le croiser.

— Je ne vous demande pas de voler n'importe quoi, continua M. Stone. Seulement quelque chose qui t'appartient légitimement, précisa-t-il en se tournant vers Marc. Dans la Collection Grimm, il y a un récipient de cérémonie en bronze akan, dont le couvercle est décoré d'une vipère heurtante et d'un calao. Apportez-le-moi, et je vous dirai où Anjali se trouve.

— Vous parlez du kuduo du Doc ?

— Non ! m'écriai-je. Même si nous le voulions, nous ne pourrions pas le sortir du Dépôt. Le Doc affirme que personne ne le peut à part ses propriétaires légitimes.

— Justement !

Les yeux de M. Stone brillèrent.

— Le jeune M. Merritt, ici présent, en est le propriétaire légitime.

— Qu'est-ce que vous racontez ? fit Marc.

— Personne ne te l'a dit ? Tu es le descendant de grands hommes et de grandes femmes d'Afrique, des anciens chefs de ce qui est aujourd'hui le Ghana — tu es un prince, en quelque sorte. Le kuduo en question appartient à ta famille. Ces donneurs de leçon du Dépôt ? Ils n'ont pas plus le droit de le détenir que… que Jaya. Il est à toi, Marc, et tu peux en disposer comme bon te semble. Y compris me l'échanger contre des informations sur l'endroit où se trouve ton amie.

— Le kuduo ? Il est à moi ?

— Absolument.

— Il a raison, confirmai-je. Le Doc m'a révélé que le kuduo appartenait à ta famille.

— Pourquoi te l'a-t-il dit à toi, et pas à moi ? Et que fait cet objet au Dépôt ? Comment y est-il arrivé ?

— La bonne question, c'est : comment le Dépôt a-t-il obtenu toutes les pièces de ses collections ? Ce lieu est le théâtre de nombreuses ruses, d'affaires louches…

— Ce n'est pas vrai ! récusai-je. Le Doc m'a appris que l'oncle de Marc avait *prêté* le kuduo au Dépôt.

— Tu penses que les gens qui gèrent cette institution sont des modèles de vertu ? me demanda M. Stone. Marc, ton peuple a un proverbe : « Quand un insecte te mord, c'est de l'intérieur de tes vêtements. » Croyez-moi, je pourrais vous révéler certaines choses au sujet de vos bibliothécaires… Mais je m'abstiendrai. Je suis un gentleman. Apportez-moi ce kuduo, et je vous dirai où trouver Anjali.

Sur ce, il se leva et alla ouvrir la porte.

— Ce fut un plaisir, conclut-il. J'attends déjà avec impatience nos futures rencontres fructueuses.

*

– Et maintenant, qu'est-ce qu'on fait ? m'enquis-je, lorsque nous nous retrouvâmes dans la rue.

Nous tremblions presque de rage devant notre impuissance.

– D'abord, Marc va chercher ce *doudou-oh* ou je ne sais quoi. Ensuite, nous irons délivrer ma sœur, décida Jaya.

– Je ne suis pas certaine que ce soit une bonne idée, répondis-je. Je n'ai pas confiance en ce type. Que va-t-il faire avec le kuduo ? Le vendre, comme il a vendu Anjali ? Ou l'utiliser d'une manière ou d'une autre, comme le gourdin ? C'est un objet puissant. Je pense que nous devrions avertir le Doc.

– Non ! Surtout pas, objecta Marc. Notre seul espoir de retrouver Anjali, c'est le kuduo, mais le Doc ne m'autorisera jamais à le prendre.

– Tu ne peux quand même pas prendre le kuduo ! m'indignai-je. C'est trop dangereux – en plus, il est rempli de choses importantes ! Il nous faut de l'aide. Jaya, pouvons-nous nous adresser à tes parents ?

– Non. Nous devons retrouver Anjali par nous-mêmes. Ils la tueraient s'ils découvraient que...

Jaya regarda Marc :

– ... s'ils découvraient toute cette histoire. Ils la priveraient de sorties pendant dix ans.

– Moi, je préférerais être privée de sorties, mais saine et sauve, répliquai-je.

— Pas Anjali — elle préférerait être saine et sauve *et* autorisée à sortir. Allons donc tout de suite chercher ce truc que Stone veut, et la délivrer.

Marc consulta sa montre.

— Il est trop tard, maintenant, déclara-t-il. Le Dépôt est fermé, et nous n'en avons pas la clé. Il faudra attendre lundi.

— D'accord. Je dirai à mes parents qu'Anjali passe le reste du week-end chez toi, m'avertit Jaya.

— OK. Seulement, je pense toujours que c'est une très mauvaise idée de voler le kuduo, insistai-je.

— Tu as une autre solution ?

— Non, puisque tu ne veux pas que je prévienne les bibliothécaires…

Je comprenais le point de vue de Marc, malgré tout. Il y avait un risque que l'un d'eux soit mêlé aux vols, et, même si ce n'était pas le cas, je ne les imaginais pas donner leur accord pour troquer le kuduo contre quoi que ce soit. Cependant, si dérober le kuduo était le seul moyen pour retrouver Anjali, nous devions le faire.

— À lundi au Dépôt, lançai-je à Marc.

Peut-être y avait-il un moyen de vider le précieux objet — qui contenait, entre autres, mon sens de l'orientation — avant de le remettre à M. Stone ?

19

Reflets embarrassants

Après le dîner, mon téléphone sonna.

— Elizabeth ? C'est Aaron, Aaron Rosendorn.

Mon cœur fit un drôle de petit bond dans ma poitrine, comme ceux qu'avaient exécutés les acrobates en papier du Doc.

« Arrête ! lui commandai-je. Tu as des préoccupations plus importantes qu'Aaron Rosendorn. »

— Salut, Aaron. Quoi de neuf ?

— Tu peux venir chez moi ? Je veux te montrer quelque chose.

— Ah bon ? Quoi ?

— C'est juste… une idée que j'ai eue.

— D'accord. Où habites-tu ?

— Sur la 81e Rue Ouest, tout près du musée d'Histoire naturelle.

— Ces jours-ci, mon sens de l'orientation est encore plus mauvais que d'habitude. Je ne suis pas certaine de réussir à trouver ton appartement.

— Bien sûr que si. Ce n'est pas difficile.

— Non, vraiment, je suis sérieuse. Je me perds dans ma propre chambre.

— Tu peux au moins aller jusqu'au musée, non ? La station de métro est juste devant. Allez, je te rejoindrai là-bas.

Je me rendis au métro assez facilement et parvins à descendre à la bonne station. Toutefois, je dus faire tout le tour du musée d'Histoire naturelle avant de trouver l'entrée devant laquelle Aaron m'attendait.

Il était adossé contre le piédestal de la statue de Theodore Roosevelt, les joues rouges de froid. C'était la première fois que je le revoyais depuis que j'avais fait ce rêve gênant.

— Alors, qu'y a-t-il chez toi ? m'enquis-je. Que veux-tu me montrer ?

Aaron jeta un coup d'œil aux gens qui se tenaient sur les marches du musée : un groupe de jeunes et deux hommes âgés.

— Un truc de la Collection Grimm, me répondit-il à voix basse.

— Un truc que tu as emprunté ?

Il hocha la tête.

— Qu'est-ce que c'est?

— Pas ici.

Il me guida en me tenant le bras, m'empêchant au moins trois fois de prendre le mauvais chemin. Même à travers la manche de mon manteau, j'étais très consciente de notre point de contact.

Aaron habitait un vieil immeuble datant de la même époque que celui d'Anjali, mais moins chic.

— Hé, Aaron! salua le portier.

— Hé, Jim! Ma mère est là?

— Non, elle n'est pas encore rentrée. Tu as l'appartement pour toi tout seul.

À mon grand embarras, le portier m'adressa un clin d'œil.

Nous prîmes l'ascenseur jusqu'au septième étage. Aaron déverrouilla une porte et je le suivis dans un long couloir sombre. Nous traversâmes un salon en désordre, la cuisine, et arrivâmes devant une petite pièce peu éclairée.

Il tint la porte ouverte, s'éclaircit la voix et me dit:

— Bon. Entre.

Sa chambre était plutôt bien tenue, même un peu mieux que la mienne. Je me demandai si elle était toujours comme ça, ou s'il l'avait rangée juste pour moi. Il ôta son manteau; je lui tendis le mien. Il les posa tous les deux sur son lit, qui était fait, quoique pas très soigneusement.

Je cherchai un endroit où m'asseoir. J'avais le choix entre le lit, un pouf en forme de poire et la chaise de son bureau. J'optai pour cette dernière ; Aaron s'appuya contre le mur, les genoux fléchis.

— Tu as emprunté la chaise invisible de la Collection Grimm ? l'interrogeai-je. C'est ça que tu voulais me montrer ?

Il rit nerveusement et se releva.

Moi aussi j'étais nerveuse. Quelque chose me dérangeait dans cette pièce. Peu à peu, je compris ce que c'était : la chambre empestait la magie, mais une magie effrayante. Elle était chargée de nuances infectes, à l'image des désodorisants qui sentent prétendument la fraise, mais que l'on ne vaporiserait jamais dans sa bouche. Elle sentait comme le loft de M. Stone et les articles les plus malfaisants de la Collection Grimm, le tableau obscur et le miroir de *Blanche-Neige*.

Pas étonnant que j'eusse cette impression ! Sur le mur, au-dessus de la commode, était justement accroché ce miroir.

— Est-ce que ce miroir est celui que je pense ? interrogeai-je Aaron.

Il acquiesça d'un signe de tête :

— C'est ce que je voulais que tu voies.

— Tu l'as emprunté ?

Nouveau hochement de tête.

— Tu as laissé une caution dans le kuduo ?

— Bien sûr ! Pour qui tu me prends ?

— Qu'est-ce que tu as donné en échange, alors ? Sans vouloir être indiscrète.

— Mon premier-né.

— Mais tu n'as pas...

— Mon *futur* premier-né, idiote.

— Waouh !

Pour une raison que j'ignore, cette pensée me donna le frisson. Je me tournai vers le miroir :

— Pourquoi as-tu apporté cet objet effrayant chez toi ? Pourquoi ne pas te contenter de le questionner au Dépôt ?

— Ce n'est pas prudent — si ça se trouve, ça ne l'est même pas de se parler entre nous. Vu que les objets ne cessent de se volatiliser, je suis très méfiant.

En tout cas, visiblement, Aaron me faisait confiance, à moi. J'en fus flattée et me sentis un peu coupable : certes, je ne lui avais pas menti, mais je n'avais pas été complètement franche avec lui non plus. Je décidai donc de lui révéler qu'Anjali avait disparu et que nous étions allés chez M. Stone. Cependant, j'omis de lui préciser que M. Stone avait demandé à Marc de voler le kuduo. Je pensais qu'il ne réagirait pas très bien s'il l'apprenait.

— Anjali a *disparu* ?

L'inquiétude que je perçus dans sa voix fut doulou-reuse à entendre.

— Pourquoi tu ne me l'as pas dit ? me demanda-t-il.

— Comment ça ? Je viens de le faire.

— Mais pourquoi tu ne m'as pas mis au courant aussi-tôt ? Pourquoi tu ne m'as pas appelé ?

— Je ne sais pas, Aaron. Ce n'est pas que j'aie voulu te le cacher, c'est juste que...

Que pouvais-je dire ? Je n'allais pas lui avouer que cela ne m'était pas venu à l'esprit. Et, si j'y avais pensé, j'aurais peut-être eu trop peur qu'il tienne Marc pour responsable de toute cette histoire.

— Je n'arrive pas à y croire, Elizabeth ! Je fais quoi, moi, maintenant ?

— Tu nous aides à retrouver Anjali.

— Non, je voulais dire : est-ce que je peux réellement te faire confiance ? Je le croyais. Et le miroir prétend que oui.

— Ah bon ?

— Oui, regarde.

Aaron se détourna de moi et fit face au miroir. Son beau visage avait déjà un air assez sinistre dans la vraie vie, mais son reflet était si glacial qu'il m'effraya. Je me demandai ce qu'Aaron pensait de celui de mon visage.

Il demanda alors :

— *Elizabeth, dont nous avons parlé,*
  Est-elle quelqu'un à qui l'on peut se fier ?

Son reflet écouta, un petit sourire narquois accroché à ses lèvres parfaitement sculptées. Il me fixa droit dans les yeux et répondit avec la voix d'Aaron :

— *Babeth Rew est très intègre et hardie.*

Tant pis si elle n'est pas jolie aussi.

— Oh, comme c'est gentil ! m'exclamai-je. Je te rappelle que mon nom, c'est Elizabeth. Elizabeth ! Personne ne m'appelle « Babeth ». Tu as entendu, odieux objet ?!

Je jetai un regard mauvais au miroir, mais rapide — je n'avais pas envie de me voir toute distordue. Je me tournai vers Aaron et lui demandai :

— Qu'est-ce qui te fait croire que ce machin est fiable ? Il est maléfique !

— Je sais, mais il ne peut pas mentir.

— Oh, merci beaucoup.

— Non... Enfin... il a raison sur le fait que tu es courageuse... et c'est vrai qu'il ne cache pas aux gens la vérité sur leur physique. Tu sais... comme il l'a dite à la belle-mère de Blanche-Neige dès qu'elle n'a plus été la plus belle de toutes les femmes du pays.

Le reflet d'Aaron souriait d'un air suffisant, pendant que le vrai visage d'Aaron était bizarrement tordu par la colère et l'embarras.

— Donc, si j'ai bien compris, tu es d'accord avec ce satané miroir : je ne suis pas jolie ?

— Non, je n'ai pas dit ça ! Je pense qu'il est obligé d'exprimer la vérité, mais pas toute la vérité. Il ne peut pas mentir, mais il peut être aussi méchant et désagréable qu'il le veut. De toute évidence, il aime bien embêter les gens. Tu te rappelles ce qui est arrivé à la belle-mère de Blanche-Neige ?

— Non. Que lui est-il arrivé ?

— Je ne m'en souviens pas non plus. Quelque chose de fâcheux, en tout cas. Mais là n'est pas la question. Le fait est que, même s'il aime taquiner — voire tourmenter — les gens, ce miroir ne ment pas pour le plaisir de mentir. Donc, si j'y réfléchis, je suis d'accord avec lui : « jolie » n'est pas l'adjectif que j'emploierais pour te décrire. Je dirais plutôt que tu es belle.

— Oh, alors maintenant, je suis belle ? Tu sous-entends que c'était le sens des paroles du miroir ?

Aaron pensait-il réellement pouvoir s'en tirer ainsi, en me faisant croire que son insulte était en fait un compliment ?

Il leva les bras en l'air :

— Mais qu'est-ce que vous avez, vous, les femmes ? Voilà un miroir magique capable de nous dévoiler la vérité sur toutes les questions possibles et imaginables, et vous, tout ce qui vous intéresse, c'est de savoir si vous êtes belles !

— Qui est-ce, « vous, les femmes » ?

— Toi et la belle-mère de Blanche-Neige, pour commencer…

— Oh, donc tu me mets dans le même sac que la belle-mère de Blanche-Neige, à présent ? Méfie-toi, je pourrais t'empoisonner avec une pomme.

Le reflet d'Aaron dans le miroir semblait trouver cette conversation très drôle.

— Ne me regarde pas comme ça, toi ! lui ordonnai-je. Si je ne craignais pas de connaître sept ans de malheur, je te briserais en mille morceaux.

Le reflet d'Aaron se plia de rire. Je ramassai une chaussure qui était par terre et l'en menaçai :

— *Toi, tu crains !*

Ne pousse pas le bouchon trop loin !

Le miroir me répondit :

— *Tu es une idiote, Elizabeth.*

Tu pourrais connaître une mort bête.

— Tu crois que tu m'effrayes ? Tu ne me fais pas peur du tout ! rétorquai-je, d'une voix pourtant terrifiée.

Aaron me prit doucement la chaussure de la main et la reposa sur le sol :

— Mon premier-né, tu te rappelles ? Si tu casses ce miroir, je le perds. Interrogeons-le plutôt au sujet d'Anjali.

Je me ressaisis :

— D'accord, si tu penses que ça va nous avancer à quelque chose.

Je réfléchis un moment, puis je demandai :

— *Anjali, fille aînée de ses parents,*

    Où se trouve-t-elle en ce moment ?

La réponse du miroir ne se fit pas attendre :

— *Dans une armoire vitrée,*

    Au sang royal réservée,

    Comme au Taj Mahal immaculé,

    Elle est là, une vraie poupée.

— Qu'est-ce que ça veut dire ? marmonna Aaron.

Le miroir ne daigna pas répondre.

— Qu'Anjali est une poupée, je pense.

— Oui, oui, nous savons tous qu'elle est superbe, mais où est-elle ? insista Aaron.

— Non, je veux dire qu'elle est *réellement* une poupée. Marc et moi pensons que M. Stone l'a transformée en figurine. Il a essayé de nous faire le même coup.

Je questionnai de nouveau le miroir :

— *Anjali est-elle une poupée ?*

    Est-ce vraiment la vérité ?

Le reflet d'Aaron opina du chef :

— *Mets-toi bien cela dans la tête :*

    Ce n'est plus qu'une marionnette.

— Oh, non, c'est horrible ! m'écriai-je.

— Comment allons-nous faire pour retrouver Anjali ? s'inquiéta Aaron.

J'interrogeai encore le miroir :

— *Pour Anjali, nous sommes terrifiés.*
Dis-nous que faire pour la libérer.

Le reflet d'Aaron agita le doigt dans ma direction d'un air taquin :

— *Mais, Liz, ta rivale mise sous clé,*
Saisis donc l'occasion qui t'est donnée.

Aaron me regarda, les yeux écarquillés :

— C'est vrai ? Anjali est ta rivale ? Pourquoi ?

— Oh, Aaron ! Ne me dis pas que tu crois ce truc ! Tu sais bien qu'il est méchant ! Tu as reconnu toi-même qu'il aimait bien embêter les gens.

— Ouais, c'est vrai. N'empêche qu'elle était très convaincante.

— Qui ça ?

— Le miroir, répondit Aaron.

— Pourquoi dis-tu « elle », alors ? Il parlait avec ta voix, en plus.

— Non, il utilisait la tienne. Et maintenant ton reflet me fixe avec un petit sourire narquois, exactement comme tu en as l'habitude.

Aaron me lançait des regards noirs, mais son reflet semblait se retenir de rire.

— Je suppose que c'est parce que, d'où nous sommes assis, nous ne pouvons pas nous voir nous-mêmes, devinai-je. Nous nous voyons seulement l'un l'autre. Allons là-bas pour que le miroir nous reflète tous les deux.

J'allai m'asseoir sur le lit, bien en face du miroir. Aaron s'installa près de moi. Son épaule touchait la mienne.

Dans le miroir, le reflet d'Aaron posa son bras sur les épaules de mon reflet. Ce dernier se blottit contre Aaron et le contempla avec des yeux remplis d'adoration. Le reflet d'Aaron se mit à jouer avec les cheveux du mien. Mon reflet se tourna, se pelotonna sur le lit et mit sa tête sur les genoux de celui d'Aaron. Je m'entendis éclater d'un petit rire gêné. Ce fut presque aussi embarrassant que la scène qui se déroulait dans le miroir.

Aaron aussi semblait mal à l'aise. Il demanda :

— *Comment se porte Anjali ?*

Allez, réponds, je t'en prie.

Nos reflets collèrent leur joue l'une contre l'autre et chantonnèrent :

— *Elle est entourée de ses parents,*

Des personnages éminents,

Disparus depuis bien longtemps.

De la collection, c'est la plus belle pièce.

Elle s'ennuie, mais n'est pas en détresse.

Puis ils se mirent front contre front et se regardèrent dans les yeux.

Je me tournai vers Aaron et lui dis :

— Bon. Donc, si nous pouvons nous fier au miroir, Anjali est en sécurité là où elle est, pour le moment, du moins. C'est une bonne nouvelle. Nous avons un peu de temps pour résoudre le mystère de sa disparition.

– Et tu vas en profiter pour attirer l'attention de Marc, maintenant que ta rivale n'est plus là...

– Qu'est-ce qui te prend ?

Dans le miroir, nos reflets nous considéraient la bouche ouverte, comme s'ils suivaient la scène la plus captivante d'un film passionnant. Ils étaient à présent enlacés.

– Allez, Aaron ! Essayons une dernière fois d'obtenir des informations utiles de cet horrible machin, et, si ce n'est pas possible, brisons-le une bonne fois pour toutes. Ou, au moins, recouvrons-le.

– D'accord. À toi de l'interroger, maintenant.

Je réfléchis un instant, puis demandai :

– *Pour la dernière fois, réponds-moi !*
Comment libérer notre amie, Anjali ?

Comme s'ils avaient compris que c'était leur dernière occasion de nous tourmenter, les amoureux du miroir se tournèrent l'un vers l'autre avec une passion redoublée. Telle une imitation de Marc et d'Anjali dans le tableau magique, après le match de basket – ou de mon rêve, cette nuit-là –, le reflet d'Aaron se mit à embrasser le mien dans le cou. Mon reflet se tourna vers nous et murmura :

– *Pour sauver votre bonne amie, vous devez*
Trouver la Clé d'or et l'utiliser.

Puis il se mit à embrasser fougueusement le reflet d'Aaron.

– Arrête ! ordonna Aaron.

Derrière nous, la porte s'ouvrit et une femme entra. Je la vis dans le miroir ; elle nous observait – de toute évidence, la femme réelle fixait nos reflets. Je comprenais pourquoi : le spectacle qu'ils offraient valait le coup d'œil ! Les reflets se séparèrent brusquement en rajustant leurs vêtements. Lorsque la femme se tourna pour nous regarder, Aaron et moi, nos reflets étaient assis très droits, un espace entre eux, rouges jusqu'aux oreilles – notre copie parfaite, comme s'ils n'étaient que les reflets d'un miroir ordinaire.

– Maman ! Tu ne peux pas frapper avant d'entrer ? se plaignit Aaron.

– Je suis désolée. J'ignorais que tu avais de la compagnie.

La mère d'Aaron me dévisagea avec l'air d'attendre quelque chose.

– Voici... mon amie du Dépôt. Nous étions juste...

Mme Rosendorn me tendit la main :

– Laisse-moi deviner : tu es Angeline ?

– Non, maman ! Ce n'est pas Anjali ! Et puis ce n'est pas « Angeline », mais *An-ja-li*. C'est indien.

– Je suis navrée, Anjali. Je suis Rebecca Rosendorn.

Elle s'efforça de ne pas paraître décontenancée – elle devait se demander comment quelqu'un d'aussi franchement blanc avait pu hériter d'un prénom indien. Si je n'avais pas été si occupée à garder ma propre contenance, j'aurais été embarrassée pour elle.

– Je ne suis pas Anjali, corrigeai-je. Je m'appelle Elizabeth Rew.

– Oh, je suis désolée, Elizabeth ! Eh bien, je suis ravie de te rencontrer. Je vais juste... laisser cette porte ouverte, d'accord ?

Sur ce, Mme Rosendorn sortit de la chambre d'Aaron. Je pris mon manteau.

– Il vaut mieux que j'y aille. Je ne crois pas que l'on puisse faire quoi que ce soit d'autre pour Anjali ce soir. Et ta mère...

– Ouais, tu as sans doute raison, fit Aaron, en me conduisant déjà à la porte de l'appartement. Tu veux que je te raccompagne chez toi ? Ou, au moins, à la station de métro ?

– Merci, mais je crois que je vais y arriver toute seule.

– OK... À lundi, alors.

– Salut.

Je me concentrai sur la direction à prendre pour rejoindre la station de métro. Ce fut difficile, mais cela m'aida à ne pas penser à ce que nos reflets auraient fini par faire sous la couette d'Aaron. Je rentrai chez moi après ne m'être trompée de chemin qu'une seule fois.

20

Le rayon rétrécissant

Le lundi, je me rendis au Dépôt de bonne heure et cherchai Marc. Il était au Rayonnage 6. Je jetai des coups d'œil alentour pour m'assurer que personne ne nous entendrait.

— Alors ? chuchotai-je. Qu'allons-nous faire à propos du kuduo ?

— C'est réglé. Je reviens tout juste de chez Stone.

— Tu as déjà volé le kuduo ? Tu étais censé m'attendre !

— Ce n'est pas du vol.

Je décidai de ne pas discuter ce point.

— Rassure-moi : tu as sorti les cautions avant de l'emporter ? m'enquis-je.

Marc secoua la tête :

— Non, je n'ai pas réussi et, de toute façon, même si j'y étais parvenu, je n'aurais pas su quoi en faire.

Oh, non ! Adieu, mon sens de l'orientation ! Je me demandai si M. Stone serait capable de l'extraire du kuduo et de s'en servir. Si oui, je lui souhaitais bonne chance, car, même lorsque je la possédais, cette faculté était loin d'être exceptionnelle. Adieu aussi au premier-né d'Aaron et à tout le reste. Je trouvai Marc égoïste — ce n'était pas la première fois.

— J'espère que tu as découvert où Anjali se trouve, au moins. Le miroir de *Blanche-Neige* affirme qu'elle est devenue une marionnette.

— Quoi ? Qu'est-ce que tu racontes ?

Je lui racontai ma conversation avec Aaron et le miroir.

— Ainsi le sortilège a marché sur Anjali ! s'exclama Marc. Une marionnette ! Eh bien, maintenant, nous saurons quoi chercher quand nous irons la délivrer.

— Alors, tu as découvert où elle se trouve ?

Marc hocha la tête :

— Stone m'a donné un nom et une adresse : une dénommée Gloria Badwin, dans le West Village[1]. Je m'y rendrai tout à l'heure, dès que j'aurai fini mon travail — je dois d'abord attendre que Mme Walker me ramène mon petit frère.

— Qui est Mme Walker ?

---

1. West Village : partie ouest du quartier résidentiel de Greenwich Village, dans Manhattan, à New York.

— La maman d'un copain d'Andreas. Elle me le déposera ici quand ils auront fini de jouer. Il faudra juste que je trouve quelqu'un pour le surveiller pendant que j'irai chercher Anjali.

— Ce n'est pas le seul problème, commentai-je. Avant d'aller sauver Anjali, nous avons besoin de trouver une certaine Clé d'or.

— La Clé d'or ? Pourquoi ?

Je lui rapportai les paroles du miroir.

— Eh bien, c'est facile, fit Marc. Je vais la chercher tout de suite.

— Tu sais ce que c'est ? Et tu sais où elle est ?

— Ouais, c'est un objet de la Collection Grimm. Attends-moi ici, je reviens.

Je m'assis et j'ouvris le roman que je lisais ces jours-ci pour mon cours de littérature. Lorsque j'entendis des bruits de pas, je demandai, sans lever les yeux :

— Tu l'as trouvée ?

— Trouvé quoi ? m'interrogea Aaron.

Mon cœur s'affola.

— Oh, désolée ! Je t'ai pris pour Marc.

Aïe, la gaffe ! Aaron me jeta un regard mauvais. Je tentai de me rattraper :

— Comment va...

Comment va quoi ? Son miroir maléfique ? Son lit fait à la va-vite ?

— Comment va ta mère ?

— Elle va bien, me répondit-il en rougissant. Bon, qu'allons-nous faire au sujet d'Anjali ? Est-ce que tu en sais plus au sujet de cette Clé d'or ?

— Il s'agit d'une pièce de la Collection Grimm, selon Marc. Il est parti la chercher.

— Tu en as parlé à Marc ?

— Évidemment ! C'est le petit copain d'Anjali. Il a le droit de savoir.

— C'est aussi le type qui vole des choses de la Collection Grimm, tu te rappelles ?

Marc entra avant que je puisse répliquer.

— J'avais oublié qu'il fallait deux clés pour entrer dans la Collection Grimm, maintenant, expliqua-t-il. Tu me prêtes la tienne ?

Je mis la main dans ma poche.

— Tu ne vas pas lui donner ta clé ! protesta Aaron. Le Doc t'a interdit de la prêter à qui que ce soit !

— Anjali a été enlevée ! Il faut que j'aille la délivrer ! s'écria Marc. Pourquoi essaies-tu de m'en empêcher ?

— Je ne...

J'attrapai le bras d'Aaron, et murmurai :

— Chut ! Voici Mme Minnian.

La bibliothécaire s'approcha de nous d'un pas pressé, ses talons claquant sur le sol.

— Avez-vous vu le docteur Rust ? Et Anjali ? nous demanda-t-elle, d'une voix très inquiète.

Nous secouâmes la tête tous les trois.

— Non, pourquoi ? fit Marc.

— Personne n'a aperçu le docteur Rust depuis hier, et Anjali n'est pas venue travailler au Dépôt. Si vous avez des nouvelles de l'un ou de l'autre, pourrez-vous venir immédiatement nous prévenir, Mme Callender ou moi, s'il vous plaît ?

— Bien sûr, assurai-je. Waouh ! J'espère qu'ils vont bien !

— Moi aussi. Jusqu'à ce nous retrouvions le docteur Rust, nous interdisons totalement l'accès à la Collection Grimm. Nous avons changé toutes les serrures — vos clés ne fonctionnent plus. Si vous recevez une fiche d'emprunt pour cette collection, envoyez-la-moi sur-le-champ.

Mme Minnian repartit rapidement.

J'attendis de ne plus entendre le bruit de ses chaussures pour conclure :

— Bon, nous ne pouvons même plus demander de l'aide au Doc. Mais il est encore temps de s'adresser à Mme Minnian ou à Mme Callender.

— Non ! refusa Marc. Ce que Mme Minnian vient de nous révéler prouve — s'il en était encore besoin — que nous ne pouvons nous fier à personne.

— Je suis entièrement d'accord, approuva Aaron, en lançant à Marc un coup d'œil furieux et plein de sous-entendus.

— Vous croyez que Wallace Stone a aussi enlevé le docteur Rust ? demandai-je. Nous aurions dû mettre le Doc en garde contre Stone — il avait confiance en lui, en plus ! À moins que le Doc soit à la recherche du kuduo ?

— Que veux-tu dire ? Qu'est-il arrivé au kuduo ? s'enquit Aaron.

Ce fut au tour de Marc de me fusiller du regard.

— Répondez-moi, exigea Aaron. Où est le kuduo ?

Au bout d'un moment, j'avouai :

— Marc l'a pris. Il l'a donné à Wallace Stone en échange de l'adresse de la personne qui retient Anjali.

— Il a *quoi* ? Volé le kuduo ? Qui contenait mon premier-né ? En plus, tu étais au courant de son plan et tu l'as laissé faire ? Je n'en reviens pas que tu aies été capable d'une telle traîtrise !

Aaron me fixa pendant quelques instants, puis tourna les talons et commença à partir.

— Attends, Aaron ! lui dis-je en l'attrapant par le bras. Où vas-tu ?

— Je vais tout raconter à Mme Minnian ; ensuite, j'irai à la police. Lâche-moi ! m'ordonna-t-il en secouant son bras.

Marc se plaça entre Aaron et la porte.

— Tu ne peux pas faire ça, lui dit-il. Tu le sais très bien. Nous devons aller délivrer Anjali — Stone m'a donné l'adresse, et le miroir t'a parlé de la Clé d'or. Réfléchis ! Si nous informons les bibliothécaires, ils ne nous autoriseront jamais à prendre cette clé, et alors nous ne libérerons jamais Anjali !

— Ils n'auront qu'à la libérer eux-mêmes ! rétorqua Aaron.

— Tu crois que tu peux leur faire confiance ? répliqua Marc. Le Doc est peut-être mêlé à la disparition d'Anjali. Peut-être qu'ils y sont tous mêlés !

— Ou bien il n'y a que toi qui trempes dans cette histoire ! accusa Aaron. Tu viens d'admettre que tu avais volé le kuduo ! Ôte-toi de mon chemin !

— Tu penses que je laisserais ma propre petite copine se faire kidnapper si j'étais mêlé, de près ou de loin, à cette histoire ? Calme-toi et réfléchis une minute, Aaron ! Le fait est que nous savons comment agir, mais, si nous informons les bibliothécaires, ils nous mettront des bâtons dans les roues.

— Aaron, Marc a raison, dis-je. Tu le sais, en plus. Nous devons porter secours à Anjali ! Alors, est-ce qu'on peut enfin arrêter de se disputer et élaborer un plan ?

Aaron me lança un autre regard noir, mais il décida de rester avec nous.

— D'accord, céda-t-il. Nous irons libérer Anjali. Mais, à la seconde où nous l'aurons placée en sécurité, j'irai dénoncer Marc.

— Très bien, répondit Marc. Je me fiche de ce qui m'arrivera quand Anjali sera saine et sauve. Allons chercher la Clé d'or et sauver Anjali.

— Oui, mais comment ? m'enquis-je. Cette clé se trouve dans la Collection Grimm et les serrures ont été changées. Nos clés ne nous seront d'aucune utilité. Est-ce qu'il est possible de pénétrer dans la Collection Grimm autrement que par la porte ?

Non, à en juger par les mines déconfites des garçons.

— Je ne vois pas d'autre moyen, marmonna Marc. À moins de ramper dans les conduites pneumatiques...

— Hé, c'est une idée ! commenta Aaron.

— Ouais, c'est ça ! répliqua Marc. Tu es peut-être petit, mais tu n'es pas *si* petit que ça.

Aaron lui décocha un coup d'œil méprisant.

— Nous pourrions utiliser le rayon rétrécissant du Legs Wells, suggéra-t-il. Mme Minnian a seulement parlé de la Collection Grimm ; elle n'a rien dit sur les autres Collections Spéciales, alors je parie que ma clé fonctionne encore pour les objets du Legs Wells. Je pourrais vous rétrécir et vous envoyer dans la Collection Grimm par un tube pneumatique.

— Il existe un rayon rétrécissant ? Pour de vrai ? C'est génial ! m'exclamai-je.

Marc hocha légèrement la tête :

— Ça pourrait marcher…

Je réfléchis encore :

— OK, nous entrerons donc ainsi dans la Collection Grimm, mais comment en sortirons-nous ? Nous aurions besoin que quelqu'un de taille normale nous fasse faire le trajet inverse à travers les conduites.

— Cette Clé d'or nous permettra peut-être de sortir, suggéra Marc. Est-ce que l'un de vous connaît son pouvoir ?

— Elle ouvre une boîte, dit Aaron. Personne ne sait ce qu'il y a dans cette boîte.

— Alors comment peux-tu être sûr que la clé ouvre cette boîte ? s'étonna Marc.

— Tu n'as pas lu les contes de Grimm ? C'est dans le dernier.

— Ah, oui, le dernier ! m'écriai-je. Mais c'est bien sûr !

— Oh ! J'ai dû zapper celui-là, bredouilla Marc. Est-ce qu'il est très ennuyeux, parle d'ânes et de nigauds ? J'évite ce genre d'histoire, en général.

— Non, et il est très court : un garçon découvre une clé en or dans un bois. Il creuse aux alentours et trouve une boîte en fer. Il la déverrouille, mais l'histoire s'achève là, sans que l'on apprenne ce que la boîte contient[1].

— Je ne vois pas comment ça va nous aider à ressortir de la Collection Grimm, commenta Marc.

— Cette Clé d'or permet sans doute d'ouvrir d'autres objets que cette boîte, espérai-je. Ou bien, une fois que nous serons dans la Collection Grimm, nous pourrons peut-être nous servir d'autre chose pour sortir. D'un génie, ou d'un anneau magique, par exemple. Nous pourrions aussi enfiler la cape d'invisibilité et nous en aller incognito par la porte en profitant de l'entrée d'un bibliothécaire. Selon moi, nous devrions utiliser le rayon rétrécissant. Si nous parvenons à y entrer, je parie que nous trouverons un moyen de sortir de la Collection Grimm.

— D'accord, accepta Aaron en attrapant son sac à dos. Allons-y !

Le rayon rétrécissant, une énorme machine aux lignes aérodynamiques, était tapi tel un gigantesque rat dans la partie du Legs Wells qui lui était réservée. Aaron s'empara du long manche en spirale de l'appareil et examina la prise qui le terminait.

— Où ai-je mis la rallonge ? se demanda-t-il à voix haute.

---

1. Ce conte a pour titre *La clé d'or*.

Je regardai la machine avec une appréhension grandissante, tandis que Marc et Aaron parlementaient pour savoir qui allait rétrécir qui. La discussion ne dura pas longtemps. Les articles du Legs Wells étaient sans conteste son domaine, rappela Aaron. Il était le seul à savoir se servir du rayon rétrécissant.

– D'abord, nous allons utiliser les tubes pneumatiques pour descendre dans la Collection Grimm des objets utiles, comme des ciseaux et de la ficelle, décidat-il. Ensuite, je vous rétrécirai tous les deux, et je vous ferai suivre le même trajet. Qui veut y aller le premier ?

– Il vaut mieux que ce soit moi, décréta Marc. Étant le plus fort, je pourrai aider Elizabeth à sortir du tube.

Nous remplîmes deux tubes pneumatiques de fournitures et fourrâmes quelques objets supplémentaires dans nos sacs à dos. Aaron poussa un interrupteur, et la machine s'alluma en grondant. Puis il la fit tourner et braqua l'orifice du manche sur Marc.

– Hé ! Tu ne le testes pas, d'abord ? s'écria ce dernier.

– D'accord. Que veux-tu que je rétrécisse ?

Je tendis mon pull à Aaron. Il me venait de Veronica, et il était trop grand pour moi. En fait, j'avais déjà envisagé de le faire rétrécir en le mettant dans le sèche-linge.

Aaron dirigea l'appareil dessus et tripota un bouton. Un rayon vert sortit de l'engin en émettant un gros souffle d'air. Mon pull se ratatina tel un aérostat manquant d'air. En l'espace de quelques secondes, sa taille avait réduit de moitié.

Aaron tourna un autre bouton, et le processus de rétrécissement ralentit. Mon pull se tordit moins. Il agita cependant ses manches, lentement — on aurait dit du varech ou une anémone de mer, dans un documentaire sur les fonds sous-marins.

Je le ramassai. Il ressemblait désormais à un vêtement de poupée Barbie. C'était incroyable ! D'autant qu'il demeurait en parfait état, avec ses minuscules boutons et coutures intacts.

— Teste la fonction agrandissante, maintenant...

Aaron manipula de nouveau les commandes de la machine. Cette fois, la lumière était rouge. Mon pull se gonfla, formant comme de petites collines oscillantes. On aurait dit de la lave jaillissant sous l'eau.

— C'est bon, arrête, dis-je.

— Ce n'est pas terminé.

— Mais si, ça va ! insistai-je.

Je me penchai en avant et, d'une chiquenaude, mis l'interrupteur en position arrêt. La lumière s'éteignit peu à peu.

— Pourquoi tu fais ça ? s'enquit Aaron. Je n'ai agrandi ton pull qu'à quatre-vingt-quatorze pour cent.

— Il a toujours été trop grand pour moi, expliquai-je en renfilant mon vêtement.

Il était encore un peu ample, mais beaucoup moins qu'avant. Peut-être grandirais-je encore un peu et finirait-il par être à ma taille.

— Prêt, Marc ? demanda Aaron en rallumant le rayon rétrécissant.

La lumière verte jaillit, mais Marc ne parut pas rétrécir.

— Ça fonctionne ? l'interrogeai-je.

Il fit une moue dubitative.

— Attends une minute, conseilla Aaron.

Nous attendîmes une minute. Il ne se passa rien. Aaron tripota encore les boutons. Toujours pas de changement.

— Je sais ! m'écriai-je soudain. C'est à cause du bracelet de Jaya — il te protège, tu te souviens ? dis-je à Marc. J'ai été obligée d'enlever le mien quand le Doc a pris mon sens de l'orientation.

— Ah, oui ! comprit Marc, et il tira sur les nœuds avec ses dents.

— Pas comme ça, tu vas te casser les dents ! Tu dois demander à ton bracelet de s'enlever. En faisant des rimes.

Marc chanta, en rappant comme une star de hip-hop :

— *OK, bracelet, voici l'idée :*

Dégage vite de mon poignet !

Aussitôt, le bracelet se défit.

Aaron remit la machine en marche.

— Ça fonctionne, maintenant ? demanda-t-il à Marc.

— Je crois que oui. Je me sens bizarre.

Sa voix aussi était devenue bizarre.

— Regarde, dis-je à Aaron.

À présent, Marc faisait ma taille et il s'affaissait lentement, en proie à des mouvements convulsifs.

— Est-ce que ça va ? lui demandai-je.

— Ouais… C'est étrange. J'ai l'impression que ça me chatouille dans les os, là où je ne peux pas me gratter.

— Ça suffit, là, non ? m'enquis-je.

Marc était maintenant haut comme une canette de soda.

— Il faut vérifier, répliqua Aaron, qui éteignit le rayon rétrécissant et posa un tube pneumatique près de Marc. Peux-tu entrer là-dedans ?

Marc fit coulisser la porte du tube et tenta de se glisser à l'intérieur :

— Non, je suis trop à l'étroit.

Il avait une voix plus faible et plus aiguë que d'habitude. Il avait l'allure d'une poupée, avec ses petits membres parfaits et ses minuscules chaussures. Il sortit du tube et s'étira gracieusement, tel un tigre en miniature. J'aurais bien aimé l'emporter chez moi et le garder.

Aaron braqua le rayon sur Marc pendant quelques secondes supplémentaires :

— C'est mieux ?

Marc réessaya d'entrer dans le tube.

— C'est parfait ! commenta-t-il, avant de ressortir.

Puis ce fut mon tour. J'ordonnai à mon bracelet de s'enlever de ma cheville et allai me placer à l'endroit stratégique.

— Vas-y, essaie ! lançai-je à Aaron.

Pendant un moment, il sembla ne rien se passer. Puis je ressentis les espèces de démangeaisons que Marc avait décrites. Tout à coup, j'eus l'impression de me détacher du monde avec une secousse et de tomber indéfiniment dans un espace en explosion.

Le monde était désormais si vaste que je n'étais plus du tout capable de m'y repérer. Quelles étaient toutes ces formes indistinctes ? Par où était la porte ? Où se trouvait Marc ? Ce gratte-ciel qui oscillait dangereusement, était-ce Aaron ? Comment allais-je pouvoir me diriger dans cet environnement, privée de mon sens de l'orientation ?

La lumière verte du rayon rétrécissant s'éteignit brusquement, et cette folle sensation se dissipa.

— Elizabeth ? Ça va ?

La voix d'Aaron était étrange. J'en distinguai les vibrations une à une. Il me fallut un moment pour que mon cerveau les transforme en mots.

— Eh bien, je crois… Oui, ça va.

— Tu es sûre ? Tu as l'air un peu…

Une énorme main descendit en piqué vers moi. Je me baissai vivement, paniquée.

— Hé ! Qu'est-ce que tu fiches ? protestai-je.

— Désolé. Tu es si minuscule et tu sembles si fragile… Je voulais vérifier si… Tiens, essaie de rentrer dans ce tube. Est-ce que je dois encore te rétrécir ?

Un tube vola dans les airs et tomba près de moi. La main d'Aaron le tint pendant que j'en faisais coulisser la porte. Le tube était en mauvais état. Son enveloppe plastique était rayée en profondeur ; la garniture intérieure en feutre, abîmée. Ce truc me protégerait-il réellement quand il voyagerait en cognant contre les conduites ?

Je m'y glissai, refermai la porte derrière moi, la rouvris sans peine, puis en sortis doucement la tête et les épaules :

— Aaron ? Je vais fermer ce bidule. Peux-tu le poser la porte vers le bas ? Je veux juste m'assurer que je peux en sortir facilement.

— Bien sûr !

Que la main d'Aaron était grande ! Avec une petite peau qui se soulevait sur le pourtour de l'ongle de son index. Beurk ! Aaron fit basculer mon tube et je ressentis une secousse vertigineuse. Je me serais crue dans la grande roue d'une fête foraine, quand elle se met à tourner. Ce fut difficile d'ouvrir la porte : je dus me balancer de droite et de gauche pour faire tourner le tube sur son dos. Enfin, je réussis à m'en extirper.

— Vous êtes prêts à traverser les conduites ? demanda Aaron.

Je hochai la tête.

— D'accord, alors entrez dans vos tubes. Je dois vous emmener à la SEP, car il n'y a pas de conduite directe entre ici et la Collection Grimm.

Il approcha son visage et nous dit :

— Attachez vos ceintures !

Marc et moi effectuâmes le trajet jusqu'à la Salle d'Examen Principale dans la poche d'Aaron, nos tubes respectifs tanguant et s'entrechoquant à chacun de ses pas.

J'entendis Marc gémir :

— J'ai envie de vomir.

Lorsque nous arrivâmes dans la SEP, c'était Sarah qui travaillait au poste de routage des pneus.

— Sarah, ça te dérange si j'entre une seconde ? lui demanda Aaron. Je dois envoyer quelque chose en bas.

— Non, pas du tout. En fait, pendant que tu es là, pourrais-tu surveiller les conduites ? Je dois aller aux toilettes.

— Bien sûr.

Marc et moi entendîmes Sarah s'éloigner.

— Fais-moi partir en premier, dit Marc, et laisse-moi cinq minutes pour me dégager avant d'envoyer Elizabeth.

Quand Aaron ouvrit la conduite et y jeta les deux premiers tubes pneumatiques remplis de fournitures, j'entendis l'air siffler. Puis, lorsqu'il fit partir celui qui contenait Marc, je perçus un autre sifflement, plus un bruit lourd et sourd. Ensuite, il y eut une longue pause — cinq minutes, c'est une éternité quand on est enfermé dans un tube en plastique, au fond de la poche de quelqu'un, en attendant d'être propulsé dans l'espace.

Enfin, la main d'Aaron réapparut et me tira de sa poche.

Le sang me monta au visage.

— J'ai la tête en bas ! hurlai-je.

Aaron me leva à hauteur de ses yeux, tint le tube de sorte que je sois sur le dos et me chuchota :

— Je sais. Mais comme les conduites, qui sont sinueuses, montent avant de descendre, tu dois démarrer la tête en bas pour pouvoir redescendre sur tes pieds. Sinon tu atterriras sur le crâne.

— Oh, super ! geignis-je.

— Désolé, fit Aaron. Ce n'est pas ma faute, ce sont les lois de la physique.

Il me remit la tête en bas et ouvrit la porte de la conduite.

— Allez, au revoir, Elizabeth. Bon voyage !

Puis il me lâcha.

21

La Clé d'or

Les amateurs de montagnes russes et de toboggans aquatiques adoreraient voyager en tube pneumatique. On est propulsé dans une obscurité plus noire que noire, secoué comme un prunier, et l'on tournoie jusqu'à ne plus avoir aucune notion de ce que sont l'horizontalité et la verticalité – surtout si l'on a perdu son sens de l'orientation. Mais le pire survient lorsque la pression de l'air diminue soudainement, et que l'on tombe dans un panier métallique avec une violence à se fracasser tous les os.

Je ne suis pas une amatrice de montagnes russes ni de toboggans aquatiques.

J'étais complètement sonnée, étalée au fond du tube, le visage aplati contre sa paroi. Je tentai de m'habituer à la lumière et au silence avant de devoir m'attaquer à la difficile tâche qui consistait à ouvrir la porte. J'avais presque repris mon souffle lorsqu'il y eut une secousse.

L'instant suivant, Marc faisait coulisser la porte de mon tube.

– C'était génial, hein ? Encore mieux que le surf ! s'exclama-t-il en me tendant la main pour m'aider à sortir.

– Merci.

Je m'adossai contre le bord du panier métallique. Il y avait quelque chose de bizarre chez Marc – il n'était pas comme d'habitude. Il m'observa en fronçant les sourcils.

– Tu es si grande ! s'exclama-t-il.

J'éclatai de rire :

– Ouais, je fais quinze bons centimètres !

Mais j'avais compris ce qu'il voulait dire. Comme Aaron nous avait réduits de façon que nous puissions tenir confortablement dans les tubes, nous faisions désormais exactement la même taille. C'était étrange d'être aussi grande qu'une star du basket. J'avais l'impression d'être une géante.

Au-dessus de nous, les conduites cliquetèrent de manière inquiétante.

– Il vaudrait mieux bouger si on ne veut pas se prendre un tube sur la tête, jugea Marc.

Il me fit la courte échelle et nous nous hissâmes sur le bord du panier. Bien que nous fussions désormais de la même taille, il était toujours beaucoup plus fort que moi. Nous vidâmes les deux tubes de fournitures et fourrâmes la ficelle, les trombones et le reste dans nos sacs à dos. Marc attacha l'extrémité d'une ficelle au panier, lança la seconde de l'autre côté, par terre. Puis il descendit en rappel.

— Viens, Elizabeth ! me cria-t-il une fois qu'il fut sur le sol.

— C'est haut, tout de même !

Grimper à la corde n'avait jamais été mon activité favorite en cours de gymnastique. Même si, là, il s'agissait de *descendre* à la corde, je n'étais pas plus à l'aise.

— Enroule la ficelle autour d'une jambe et appuie de tout ton poids sur tes pieds, me conseilla Marc. Bien — non, tes pieds ! Pas tes mains, tes pieds !

Je m'éraflai copieusement les paumes — c'est fou à quel point un simple bout de ficelle peut vous malmener quand vous ne mesurez que quinze centimètres ! —, mais j'atteignis le sol sans chuter.

— Où va-t-on, maintenant ? m'enquis-je.

— Cote *I *CG 683.32 G65* ; c'est par là.

De la poussière vola et retomba à nos pieds. J'avais l'impression de marcher dans des plumes et des chips en polystyrène. Le sol était-il toujours aussi sale ? !

Marc m'attrapa par le coude tandis que je me trompai encore de chemin.

— Par ici, m'indiqua-t-il.

Il s'arrêta ensuite devant un meuble de rangement métallique gris qui me semblait aussi haut que le sapin de Noël du Rockefeller Center[1].

— Génial ! Comment allons-nous ouvrir la porte de cette armoire ? demandai-je.

— Nous allons actionner la poignée à l'aide d'un lasso, répondit Marc en faisant une boucle à la ficelle.

Il n'était pas trop mauvais en lancer de lasso — hélas, celui-ci ne cessait de glisser de la poignée.

— Ça suffit, finis-je par décider. Ça ne marche pas.

— Tu as une meilleure idée ? Ce n'est pas comme si je pouvais voler !

— Hé ! Et si nous nous servions de certains des objets qui sont ici ? Le tapis volant, par exemple ?

— Nan, fit Marc en rangeant le lasso dans son sac à dos. Pas le tapis — nous n'arriverons jamais à le dérouler, et, de toute façon, il se trouve sur une étagère haute. En revanche, les chaussures d'Hermès sont rangées dans la Collection Grimm.

— Les chaussures d'Hermès[2] ?

— Tu sais, les sandales volantes. Viens !

---

1. Chaque année, pour les fêtes de Noël, est mis en place sur l'esplanade du Rockefeller Center, à New York, un sapin pouvant mesurer jusqu'à trente mètres de haut, et décoré de trente mille illuminations.

2. Dans la mythologie grecque, Hermès est une des divinités de l'Olympe (montagne sacrée). Il est, entre autres, le messager des dieux.

Nous marchâmes de nouveau longuement parmi les immenses meubles de rangement, ce qui me donna le vertige.

— C'est ici, annonça Marc en me tirant par le coude.

Il s'arrêta près d'une tour pleine de chaussures. L'étagère la plus basse nous arrivait aux aisselles. Je me retrouvai nez à nez avec un chausson de danse éraflé, de la taille d'un petit canot à rames, qui se trouvait au milieu de dizaines d'autres chaussures. Les étiquettes portaient l'inscription : *I *CG 391.413 T94 1 – 12*. Les douze paires de souliers du *Bal des princesses*.

Marc sauta facilement sur l'étagère, et il écarta des pantoufles.

— Rejoins-moi, me dit-il.

Peut-être aurais-je été capable de me hisser sur l'étagère quand je faisais encore de la danse classique, mais aujourd'hui mes bras n'étaient plus assez musclés.

— Et si je t'attendais ici ? proposai-je.

— D'accord.

Marc empila quelques pantoufles et escalada deux étagères. Une fois qu'il fut là-haut, je l'entendis aller et venir.

— Je les ai trouvées ! s'exclama-t-il.

Il passa la tête par-dessus le bord de l'étagère.

— Je descends, me prévint-il. Mets-toi à l'abri si tu ne veux pas recevoir une chaussure sur la tête.

Je m'accroupis sous la tour de chaussures, en évitant le plus possible les moutons — que dis-je, les éléphants ! — de poussière : des enchevêtrements de poils pareils à de monstrueux fils squameux, des touffes de fibres vertes et jaunes, de nombreuses choses pâles et floconneuses, et — beurk ! — était-ce une aile de mouche ?

Je me détournai de cette saleté et sortis un peu la tête de sous le meuble. Au-dessus de moi, je vis la semelle d'une sandale, dont les talons étaient pourvus d'une paire d'ailes qui battaient l'air. La seconde sandale était accrochée à la première par ses lanières, et ses ailes s'agitaient, l'air paniquées.

— Doucement, chuchota Marc, en se penchant par-dessus le bord de la sandale tranquille pour poser une main rassurante sur celle qui était affolée. On se calme, mademoiselle !

Il était assis dans la sandale, ses jambes tendues devant lui, son dos contre le talon, comme dans un kayak. Ou dans un fiacre, car il tenait les lanières d'une main, comme si c'étaient des rênes.

La chaussure continua à se débattre violemment.

— Elizabeth ! Peux-tu attraper les lanières ?

La sandale effrayée rua. Marc me lança l'une de ses lanières en cuir, dont j'attrapai l'extrémité. Cela parut affoler la sandale encore plus ; elle s'éloigna en battant des ailes, me traînant derrière elle sur le sol. Je tins bon, tirant dessus de toutes mes forces tandis que Marc posait sa sandale près de moi.

— Nous ferions mieux d'échanger nos montures, décida-t-il. La tienne panique complètement. C'est la gauche — la paire doit être droitière.

— Droitière ?

— Enfin, le pied droit doit être plus habile et plus fort que le pied gauche.

Marc sortit de la sandale droite.

— Pas bouger ! ordonna-t-il sévèrement à sa chaussure, en me tendant ses lanières et en prenant les miennes.

Il se tourna et fit face à la sandale qui m'avait donné du fil à retordre :

— Bon, toi, la gauche ! Tu vas bien te conduire avec moi, OK ?

Marc tira brusquement sur les deux lanières, et la chaussure gauche s'écroula près de lui, bougeant toujours ses ailes.

— Voilà qui est mieux ! Gentille fille…

Il entra dedans et s'y assit, les deux lanières toujours bien en mains. La sandale battit un peu des ailes mais lui obéit. Marc lui tapota le côté.

— Ben, alors, qu'est-ce que tu attends ? Monte dans la tienne et attache ta ceinture ! me lança-t-il.

D'un saut, je le rejoignis. Ce garçon était né pour commander.

Malheureusement, sa monture, non. Elle voulait suivre la mienne, qui était sa copine dominante. Cela n'aurait pas posé de problème si j'avais été en possession de mon sens de l'orientation... Tandis que je décollais, j'entendis Marc hurler derrière moi :

— Elizabeth ! Arrête ! Va dans l'autre sens !

Je tirai sur les rênes pour faire tourner ma sandale. Je voyais bien qu'elle essayait de m'obéir — le souci, c'était que je ne savais pas comment la guider. Devais-je tirer sur la lanière gauche pour aller à gauche, et la lanière droite pour aller à droite, tel un conducteur de char ? Ou devais-je tirer la lanière gauche pour aller à droite, et la droite pour aller à gauche, tel le timonier d'un voilier ? De toute façon, par où était-ce, la gauche ?

— Dans l'autre sens ! me répéta Marc. L'autre sens ! Non, l'*autre* autre sens !

Je fis demi-tour et entrai en collision avec lui.

— Ce n'est pas possible ! On dirait que nous avons deux mains gauches — enfin, deux chaussures gauches, marmonna Marc.

Puis je repartis en tanguant et Marc me suivit en voletant. Nous tournâmes bientôt à un coin et pénétrâmes dans une allée pleine d'armoires exactement identiques à toutes les autres. Soudain, Marc cria : « Stop ! », et se pencha pour attraper mes rênes.

— C'est ici, ajouta-t-il.

Il tendit l'autre main vers la poignée d'un meuble et l'ouvrit.

Les sandales s'excitèrent comme des folles. J'évitai la chute de justesse. Encore heureux : elle m'aurait été mortelle ! Marc apaisa les chaussures, et nous nous envolâmes en direction de la cinquième étagère.

— Il vaut mieux que je reste avec les sandales et que je les calme, déclara Marc. Tu peux t'occuper de trouver la Clé d'or toute seule ?

— Je vais essayer.

Sortir de ma chaussure — qui planait à une hauteur vertigineuse au-dessus du sol — fut un jeu d'enfant après mon voyage dans le tube pneumatique.

Rapidement, je me perdis dans une forêt de serrures et de clés. L'odeur de magie s'en dégageait par vagues. Certaines étaient vieilles et rouillées, d'autres ciselées avec minutie et ornées de pierreries. D'autres encore étaient minuscules, pas plus grandes que mon doigt, ou, au contraire, m'écrasaient de toute leur hauteur. Un grand nombre d'entre elles brillaient comme de l'or. Laquelle était la Clé d'or ?

Consultant les étiquettes, j'avançai dans ce qui me semblait être la bonne direction, quand je m'aperçus finalement que j'étais allée beaucoup trop loin.

— Tu l'as trouvée ? me demanda Marc.

— Pas encore.

Cela n'en finissait plus. Il devait bien y avoir un moyen plus efficace de trouver la cote que je cherchais ! Je fermai les yeux et inspirai à fond. La magie sentait plus fort à ma gauche ; j'allai donc par là. Je me dirigeai en reniflant et passai devant une boîte en ivoire grande comme un cercueil, posée à côté d'un cadenas en cuivre gros comme un crâne.

Je perçus une senteur de fruits de mer – des huîtres ? – qui émanait d'un coffret en nacre, masquant l'odeur que je suivais. J'en fis le tour, le humai. Un relent fort, rappelant l'odeur d'une boucherie, vint parasiter mon odorat. Je levai la main et poussai un rideau de clés. Alors je touchai quelque chose de chaud et humide. Du sang.

Je m'empressai d'essuyer ma main sur mon jean et lus l'étiquette attachée à la clé ensanglantée. Elle avait appartenu à Barbe bleue – ce devait être la clé de la chambre où il avait caché ses femmes assassinées ! Je m'éloignai en frissonnant, tentant de faire abstraction de cette puanteur, et cherchai en humant le parfum délicat que je poursuivais. Avancer... Tourner de nouveau... Là !

J'avais atteint la paroi du fond de l'armoire. Je ne vis qu'un mur nu ; cependant, l'odeur était plus forte, ici. Je fermai de nouveau les yeux et tendis les bras. Mes mains se posèrent sur quelque chose de mou et froid. Lorsque je rouvris les yeux, je m'aperçus que je tenais une clé en or toute simple, longue comme mon bras.

Elle pesait très lourd, mais, pour une raison que j'ignore, cela ne me gêna pas. Je ne pouvais détourner mon regard de cette clé. J'éprouvais un sentiment similaire à celui que l'on ressent quand, en rêve, on marche dans une rue qu'on pensait ne jamais retrouver, ou quand on se réveille le premier jour du printemps.

Je consultai l'étiquette. C'était la bonne cote.

— Je l'ai trouvée ! m'exclamai-je.

— Super ! Allons-nous-en, maintenant.

— Continue à parler, d'accord ? J'ai besoin de suivre ta voix pour m'orienter.

Je réussis à rejoindre Marc, qui planait toujours dans sa sandale.

— Waouh ! fit-il, comme hypnotisé par la clé, lui aussi. Waouh ! C'est bien celle-ci ?

Je hochai la tête.

— Est-ce que je peux la tenir ? me demanda-t-il.

Je lui remis la clé à contrecœur. Marc s'adossa contre le talon de sa chaussure et la contempla.

— Nous ferions mieux d'y aller, lui rappelai-je. Donne.

Je tendis la main pour récupérer la clé.

— Je peux la porter, assura Marc. Elle est lourde.

— Ça ira ; je vais la prendre, insistai-je.

Il me rendit la clé à regret. Je la rangeai dans mon sac à dos — elle rentra exactement dans le grand compartiment — et j'attachai ma ceinture.

– C'est par où, la porte ? m'enquis-je.

– À gauche. Mais nous devrions peut-être prendre quelques petites choses, d'abord.

– Quelles choses ?

– Plein de choses. La cape d'invisibilité. La lumière bleue. Le porte-monnaie sans fond. Et même Petite-table-sois-mise, au cas où nous resterions enfermés quelque part sans avoir rien à manger.

– Et comment allons-nous transporter tous ces objets ? Nous mesurons quinze centimètres, je te rappelle !

– En les attachant aux sandales. Elles sont capables de porter un homme adulte.

– Ouais, mais… Je ne sais pas, Marc. Je ne pense pas que ce soit une si bonne idée. Tu sais comment les contes de fées fonctionnent. Ils punissent les personnages rapaces et récompensent les personnes désintéressées.

– Ils donnent aussi aux héros la magie dont ils ont besoin. Les héros volent toujours des choses. Par exemple, la harpe magique de l'ogre qui joue toute seule ou la poule qui pond des œufs d'or[1].

– Oui, mais la harpe n'apprécie pas d'être volée. Elle hurle et cause des ennuis à Jack.

– OK, on laisse la harpe, alors.

---

1. Ces deux éléments sont issus de *Jack et le haricot magique*, un conte populaire anglais.

— Ne fais pas mine de ne pas comprendre. On nous a demandé de prendre la Clé d'or. Personne ne nous a parlé de lampe ou de porte-monnaie. Tu te souviens de ce qui s'est passé avec le gourdin ? Allez, sortons d'ici.

— Bon, d'accord, céda Marc.

Après mes erreurs de direction habituelles et des zigzags accidentels, nous atteignîmes la porte. Je stabilisai ma sandale, soulevai la Clé d'or, que je voulus introduire dans la serrure.

Hélas, la clé magique n'entrait pas dans la serrure.

— Qu'est-ce qu'on fait, maintenant ? interrogeai-je Marc.

— J'ai une idée — je crois que nous sommes passés devant un objet qui pourrait nous être utile, près des clés. Attends-moi ici.

Sur ce, il rebroussa chemin à bord de sa sandale.

Je caressai l'aile de la mienne. En attendant Marc, je pris une minute pour m'émerveiller de ma situation : je mesurais quinze centimètres et je chevauchais une sandale ailée à travers un entrepôt rempli d'objets magiques... Si, un an plus tôt, quelqu'un m'avait annoncé cela, je l'aurais pris pour un fou.

Au bout d'un long moment, Marc revint, en maintenant un bâton un peu plus grand que lui le long de sa sandale.

— Qu'est-ce que c'est ? m'enquis-je.

– Le bâton du *Corbeau*[1]. Il ouvre n'importe quelle porte sur laquelle on tape avec.

Marc monta plus haut et frappa doucement la porte avec le bâton. Le battant explosa vers l'intérieur ; nos sandales s'écartèrent vivement.

Aaron nous attendait de l'autre côté.

– Ce n'est pas trop tôt ! s'exclama-t-il. Vous avez trouvé la Clé d'or ?

J'étais si soulagée de le voir que, si j'avais fait ma taille normale, je l'aurais serré dans mes bras.

---

1. Ce conte est présenté en fin d'ouvrage, à la page 499.

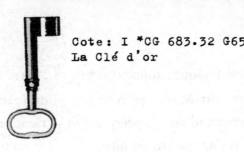

22

Trahis !

Nous descendîmes le couloir jusqu'au Legs Wells à bord de nos sandales. Aaron voulait nous transporter dans sa poche au cas où quelqu'un nous verrait, mais Marc refusa.

— J'ai envie de vomir quand tu marches, se justifia-t-il. Ce n'est pas si loin que ça, et il n'y a personne, ici.

Aaron ne discuta pas. Peut-être se montrait-il diplomate, songeai-je, à moins qu'il craignît que Marc dégobille dans sa poche. Marc et moi le suivîmes donc à hauteur d'épaules. Nous nous posâmes ensuite sur une étagère.

— Puis-je avoir la Clé d'or, maintenant ? me demanda Aaron.

— Pourquoi ? le questionna Marc.

— Eh bien, il serait évidemment très fâcheux qu'elle soit soumise au rayon agrandissant. Si elle change de taille, elle ne rentrera pas dans sa serrure.

– C'est logique, approuvai-je.

– Non ! fit Marc. Je n'ai pas confiance en Aaron. Qu'il m'agrandisse en premier, et je tiendrai la clé pendant qu'il t'agrandira ensuite.

– Allez, ne sois pas ridicule, répondit Aaron en tendant sa main, qui me fit penser à un bateau gonflable. Donne-moi la clé.

– Je ne sais pas, Aaron… Pourquoi ne pas suivre plutôt l'idée de Marc ?

Aaron poussa un soupir exaspéré :

– Allez, Elizabeth, nous n'avons pas de temps à perdre. Donne-la-moi, sinon je la prendrai moi-même.

Il tenta d'attraper ma sandale.

– Qu'est-ce que tu fiches, Aaron ? lui demandai-je en m'éloignant à coups d'ailes.

– Oh, tu te prends pour un costaud, hein, maintenant que nous sommes tout petits ? ! le railla Marc. Allons-nous-en, Elizabeth ! Nous n'avons pas besoin de lui. Nous sommes capables d'aller libérer Anjali tout seuls.

Sur ce, il envoya sa sandale dans les airs. Nous volâmes aussi vite que possible, tandis qu'en dessous Aaron sautait et hurlait :

– Attends, Elizabeth ! Arrête !

– Va à gauche, Elizabeth ! me cria Marc. À gauche ! Non, de l'autre côté – à GAUCHE !

Je ne pouvais toujours pas compter sur mon sens de l'orientation. J'essayai de suivre ses conseils ; je tournai encore et encore. Finalement, je volai droit dans les bras d'Aaron.

La sandale de Marc tournoya. Bien que celui-ci tînt les lanières d'une poigne de fer, sa monture était toujours sous l'influence de la mienne. Il vint s'écraser à son tour contre la masse de fibres rêches du pull d'Aaron. Ce dernier saisit les extrémités de nos lanières et les serra fermement dans ses mains pendant que nos sandales, battant l'air de leurs ailes, ruaient et résistaient.

— Aaron ! Lâche-nous ! criai-je. Mais qu'est-ce que tu fabriques ?

— Arrêtez donc de gigoter comme ça ! Je ne vais pas vous faire de mal, assura Aaron.

Il attrapa nos sandales par en dessous, de façon qu'on ne puisse pas atteindre ses mains. Ma sandale s'agita, je me débattis, mais nous ne pûmes nous enfuir. Est-ce cela que ressentent les homards lorsqu'on les tient par les côtés pour qu'ils ne nous blessent pas avec leurs pinces ?

Aaron nous leva à hauteur d'yeux. Qu'il avait de longs cils !

— Bon, sortez de ces godasses et donnez-moi la clé !

— C'est quoi, ton problème ? s'énerva Marc. Tu acquiers un peu de pouvoir et ça te rend fou ?

— Aaron ! Qu'est-ce que tu essaies de faire ? le questionnai-je.

— Tu as entendu Marc dire qu'il n'avait pas confiance en moi, n'est-ce pas ? Eh bien, c'est réciproque, et j'ai de bien meilleures raisons que lui. Je vais prendre la Clé d'or et aller sauver Anjali. Ensuite, quand je saurai à quel bibliothécaire je peux me confier en toute sécurité, j'irai lui livrer Marc. Je regrette de devoir agir comme ça, mais, croyez-moi, c'est pour la bonne cause.

— Espèce d'idiot ! l'insultai-je. Tu ne vois pas que nous sommes tous du même côté ? C'est M. Stone, le méchant, pas nous !

— Je sais que tu es bien intentionnée, Elizabeth, reconnut Aaron. Mais tu n'es pas objective. Marc t'a ensorcelée.

— Ne fais pas ça, Aaron !

— Sortez des sandales, ordonna-t-il.

Marc lui décocha le regard d'un roi à un porcher dont les cochons puants lui auraient bloqué le passage.

— Inutile de lutter, Elizabeth, me souffla-t-il en se levant de sa sandale et en jetant le bâton sur son épaule, comme si c'était une lance. Aaron n'en vaut pas la peine. Je vais lui donner la clé.

— Toi ? Mais tu n'as pas…

Marc me fusilla du regard et répéta :

— Je t'ai dit que *j'allais* lui donner *la clé*. Sors de ta chaussure avant qu'il ne te brise les os. Il est tellement crétin qu'il en serait capable.

Marc ouvrit la fermeture Éclair de son sac à dos et en sortit une clé de la taille de son mollet. Elle était jaune cuivré. Il la tendit à Aaron.

— Merci, Marc, dit Aaron. Je suis content que tu aies décidé d'être raisonnable. L'adresse, aussi, s'il te plaît.

— Quelle adresse ?

— Tu sais bien de quelle adresse je parle. Celle de la personne qui retient Anjali prisonnière.

— Je ne te la donnerai que quand tu m'auras agrandi.

— Non. Donne-la-moi d'abord, sinon je ne te rendrai jamais ta taille normale.

Je vis les muscles de la mâchoire de Marc se contracter. Il prit un cahier et un stylo de son sac, écrivit quelque chose et arracha la page. Il la remit à Aaron, qui la tint par le coin ainsi qu'il aurait tenu un timbre-poste, et la regarda en plissant les yeux :

— Mince, alors ! Tu ne peux pas écrire plus grand ?

— Tu n'as qu'à utiliser une loupe.

Aaron haussa les épaules et mit le papier dans la poche de son jean. Puis il prit un grand sac en papier destiné aux archives — le genre de sac solide mais qui laisse passer l'air, utilisé pour stocker les bulbes de fleurs au Rayonnage 8 — et souleva Marc par la taille.

— Qu'est-ce que tu fiches, Aaron ? m'insurgeai-je. Marc t'a donné la clé et l'adresse, comme tu le lui avais demandé.

Aaron laissa Marc tomber dans le sac.

— Aïe !

Aaron ne lui prêta aucune attention.

— Je suis désolé, Elizabeth. C'est juste le temps que j'aille libérer Anjali. Il se pourrait que cette opération soit dangereuse — vous serez en sécurité là-dedans. En plus, je préfère éviter tout risque que Marc aide Stone. Promis, je reviendrai dès que possible.

Il me ramassa moi aussi et me glissa avec Marc dans le sac, qui s'ouvrit encore une fois. Quelque chose de gros, blanc et humide tomba à l'intérieur : un énorme quartier de pomme.

Le visage d'Aaron apparut au-dessus de nous, bloquant la lumière.

— Au cas où vous auriez faim.

Le haut du sac se plia et la lumière disparut. Au bout d'un moment, le sac trembla autour de nous et j'entendis les *clic-clac !* d'une agrafeuse. Manifestement, Aaron ne voulait prendre aucun risque.

Une secousse, et le sac fut balloté à chaque pas d'Aaron, nous balançant, Marc et moi, d'avant en arrière et l'un contre l'autre. Marc me serra fort pour me tenir et m'empêcher de me cogner contre lui.

Il y a deux mois, si vous m'aviez annoncé que je serais blottie dans les bras de Marc Merritt, j'aurais pensé que vous décriviez le paradis. Mais la situation présente ? Évidemment, mesurer quinze centimètres et être enfermée dans un sac en papier fermé par des agrafes figure rarement sur la liste des visions évoquant le paradis...

— J'ai envie de vomir, gémit Marc.

— Je t'en prie, je t'en prie, je t'en prie ! Ne vomis pas !

Il gémit de plus belle.

— Marc, c'était quoi, cette clé ? chuchotai-je.

— Hein ?

— La clé que tu as donnée à Aaron. C'est moi qui ai la Clé d'or.

— Oh...

Il déglutit difficilement et aspira une grande bouffée d'air avant de me répondre :

— C'est la Clé de Toutes les Mythologies. Elle se trouvait dans le meuble avec les autres. J'ai pensé que nous pourrions nous en servir pour...

Le sac fit une nouvelle embardée.

— ... pour résoudre certains mystères.

— Marc ! Tu étais d'accord pour ne rien emporter d'autre ! sifflai-je.

Non pas que je fusse une grande fan d'Aaron Rosendorn à ce moment-là, mais je commençai à partager son opinion sur Marc.

Ce dernier geignit de nouveau.

Enfin, nous nous arrêtâmes. Les bruits de pas d'Aaron s'éloignèrent.

Marc s'assit.

— Mmh…, grogna-t-il.

— Ça va ?

— Presque.

— Tu peux déchirer le sac ?

Je l'aidai, mais le papier était trop résistant pour nos doigts rétrécis.

— Tu as toujours le bâton magique ? interrogeai-je Marc. Vois s'il peut nous faire sortir d'ici.

Nous entendîmes des froissements tandis qu'il frappait le sac avec son bâton.

— Je crois que ce bâton ne fonctionne que sur les portes, observa Marc. L'ouverture, en haut, compte peut-être pour une porte. Aide-moi à faire basculer le sac.

— D'accord. À trois : un, deux, trois !

Nous nous jetâmes sur le côté du sac, qui se renversa. Je me rassis et me frottai le coude. Marc alla à quatre pattes jusqu'à l'ouverture et lui donna un coup de bâton.

Le sac se déchira avec un grand CRAC !

Lorsque nous en sortîmes, nous découvrîmes que nous étions sur l'étagère du bas d'un chariot de retours. Celui-ci se trouvait dans un large couloir vide éclairé par des néons, loin, loin au-dessus de nous.

— Fichons le camp d'ici avant que cet abruti ne revienne ! décida Marc en se jetant du chariot et en se dirigeant à grands pas vers l'entrée du Dépôt.

Avec nos petites jambes, il nous fallut une éternité pour parvenir jusqu'au hall. Nous longeâmes le côté de la pièce en direction des imposantes portes d'entrée, nous figeant chaque fois que quelqu'un se déplaçait. Nous espérions que Josh, le magasinier en poste à l'accueil, ne remarquerait pas que deux de ses collègues avaient été réduits à la taille d'une canette de soda. Nous avions presque gagné les portes lorsque Marc m'attrapa le bras et posa un doigt sur ses lèvres.

Pas de chance. Aaron était là, en manteau ; il s'apprêtait sans doute à aller libérer Anjali. Il ne nous avait pas encore repérés, mais, lorsqu'il se rapprocherait, il nous verrait inévitablement. À cet instant, la porte s'ouvrit de l'extérieur et des rafales glaciales s'engouffrèrent dans le Dépôt. Marc et moi échangeâmes un regard et fronçâmes les sourcils, tâchant d'évaluer s'il serait plus sûr de nous sauver ou de rester immobiles dans l'espoir qu'Aaron ne nous remarque pas. Marc fit un petit mouvement de la tête. J'acquiesçai en silence. Nous nous mîmes à courir...

Mauvaise décision.

— Hé ! s'écria Aaron, en nous suivant d'un pas lourd.

Il dut heurter une personne qui entrait dans le Dépôt, car il eut une anicroche avec elle, mais cela ne l'arrêta pas longtemps.

— Désolé, désolé, s'excusa-t-il en se faufilant dehors.

Nous avions oublié les marches ! Comment allions-nous les descendre ? Marc se laissa glisser sur la première, s'appuyant sur son bâton magique, et me fit signe avec son bras de vite le rejoindre. Je me jetai par-dessus le bord de la marche et atterris en me tordant la cheville. Marc m'attrapa. Nous nous aplatîmes contre la marche, respirant à peine et priant pour qu'Aaron nous enjambe et passe son chemin.

Raté ! La main familière, avec son envie qui pendouillait du pourtour d'un ongle, piqua vers moi et me ramassa.

Je fus submergée par la colère. Je saisis la petite peau des deux mains, tirai et l'arrachai. Le doigt d'Aaron se mit à saigner.

— Aïe ! hurla-t-il en me lâchant.

Je tombai alors dans l'air froid.

— Oh, non ! Elizabeth ! Est-ce que ça va ? s'enquit Aaron, d'une voix vraiment effrayée.

Est-ce que j'allais bien ? J'avais atterri près de l'escalier, dans un tas de neige qui n'avait pas encore fondu. J'en avais d'abord traversé la couche supérieure, sale, puis je m'étais enfoncée dans la froideur humide au-dessous. Après un moment de choc, je m'extirpai avec difficulté de la neige et me faufilai dans un trou entre les marches. L'endroit était sombre et trempé. Des silhouettes indistinctes se regroupèrent dans les coins.

— Elizabeth! appela Aaron. Où es-tu? Au moins, dis-moi que tu ne t'es pas fait mal!

Je sentis quelque chose toucher mon épaule. Je sursautai, étouffant un cri.

— Ce n'est que moi, souffla Marc. Tout va bien.

— Elizabeth! Elizabeth!

— Ne lui réponds pas, me murmura Marc.

L'œil d'Aaron, la pupille énormément dilatée, boucha l'entrée du trou.

— Tu es là-dedans? s'enquit Aaron. Je t'en prie, sors! Et je vous promets que je vous emmènerai aussitôt au rayon agrandissant pour vous redonner votre taille normale.

— Il ne faut pas le croire, me chuchota Marc.

Je demeurai aussi immobile que possible.

— Elizabeth, Marc, ne faites pas ça! Sortez de là!

Sa voix était tour à tour forte et basse. J'imaginai Aaron nous cherchant partout, derrière les poubelles, scrutant le caniveau...

— Ça va? me demanda Marc.

— Pas vraiment, avouai-je en claquant des dents.

— Fichons le camp d'ici, décréta-t-il en jetant un regard par-dessus son épaule.

Sa voix trahissait autre chose que son arrogance impatiente ordinaire.

Je regardai dans la même direction que lui. Une paire d'yeux brillait. Quelque chose remua.

— Un rat ! hurlai-je.

J'oubliai la douleur dans ma cheville et me hissai hors de la crevasse aussi vite que possible. Marc s'empressa de me suivre.

Une seconde créature se lança à nos trousses.

— Va au milieu du trottoir ! me conseilla Marc en me tirant par le bras. Les rats restent toujours dans l'ombre.

Les petits rats peut-être, mais celui-ci était énorme, même pour une personne de taille normale. Il courait parallèlement à nous le long du bâtiment, d'une affreuse démarche saccadée, sa queue serpentine fouettant le sol derrière lui, pendant que nous courions jusqu'au centre du trottoir. Il s'arrêta en face de nous, contre le mur. Puis il jeta des regards alentour, baissa la tête et l'avança vers nous par à-coups hésitants.

— Aaron ! hurlai-je. Aaron ! Au secours !

Quelque chose me dépassa à toute vitesse. Marc était en train de lancer des projectiles sur le rat : un stylo, un trombone grandeur nature. Ce dernier l'atteignit en plein dans le nez. Le rongeur gronda, montra les dents et se contracta, mais ne bougea pas.

Je lui jetai mon iPod, qui n'était désormais pas plus gros qu'un grain de riz : l'appareil rebondit sur l'épaule du rat de manière totalement inoffensive. Quel gâchis ! Le rongeur, recroquevillé, effectua trois petits bonds dans notre direction. Marc leva le bâton magique. Je restai clouée au trottoir, trop effrayée pour m'enfuir ou même crier.

Une ombre plus longue tomba sur nous. Le rat se figea. Puis il tourna les talons et fila tel un train express, disparaissant dans le trou entre les marches.

— Elizabeth ! Marc ! Est-ce que ça va ? demanda Aaron, qui s'agenouilla dans la rue, ses énormes genoux trempés par la neige fondue.

— Aaron ! lui répondis-je, presque en larmes.

— Allons, rentrons dans le Dépôt, dit-il en nous tendant la main.

— Pas question ! refusa Marc.

— Je te jure que je vous emmènerai tout de suite au rayon agrandissant. Venez, avant que quelqu'un nous voie.

— Ne l'écoute pas, Elizabeth, insista Marc.

Cependant, je montai dans la main d'Aaron.

— Nous devons nous faire confiance les uns les autres, décidai-je.

Marc haussa les épaules, mais me suivit malgré tout.

Aaron tint parole. Il nous exposa immédiatement au rayon agrandissant et nous rendit notre taille normale, après une brève interruption du processus pour débattre de la taille réelle de Marc.

— Se servir d'un rayon pour te grandir est pire que de prendre des stéroïdes, déclara Aaron.

— Je ne triche pas, affirma Marc froidement. De plus, je pense savoir mieux que toi combien je mesure. Encore un centimètre. Allez, s'il te plaît.

— Vas-y, Aaron, insistai-je. Un peu plus. Là, c'est bon.

— Merci, dit Marc. Maintenant, allons trouver cette Gloria Badwin et sauver Anjali. Nous ferions mieux de nous dépêcher, parce que je dois être de retour au Dépôt quand Mme Walker amènera Andreas.

23

Une collectionneuse de princesses

Je rentrai chez moi pour me laver sommairement, et j'étais encore dans la salle de bains lorsque mon portable sonna. Heureusement que je ne l'avais pas jeté sur le rat ! C'était Jaya. Elle voulait savoir où M. Stone avait dit qu'Anjali se trouvait. Je lui communiquai l'adresse.

— Je vous rejoins là-bas, m'annonça-t-elle, avant de raccrocher.

Mme Gloria Badwin habitait une maison à ossature en bois ornée de moulures en dentelle de la même matière, entourée de bâtiments de grès brun, dans une ruelle tortueuse de Greenwich Village. Je ne l'aurais jamais trouvée seule.

— Regarde si la clé fonctionne, dit Jaya, impatiemment. Allez !

Aaron sortit la clé que Marc lui avait donnée.

— Ce n'est pas la bonne, le prévins-je en lui tendant la Clé d'or. La voici, la vraie.

— Vous m'avez menti ? comprit Aaron, mécontent.

— Au moment où tu nous enfermais dans un sac en papier, juste avant de nous jeter dans la gueule d'un rat ? Ouais, on t'a menti.

Aaron fit la grimace :

— J'aurais dû m'en douter. Cette clé ne brille presque pas. Qu'est-ce qu'elle ouvre ?

— Quelque chose lié à la mythologie, répondit Marc en haussant les épaules. Essaie la Clé d'or, Elizabeth.

Je m'exécutai. Sans succès.

— Je suppose qu'elle n'est pas censée ouvrir cette porte. Elle doit aller dans une autre serrure.

— Est-ce que vous êtes certains que c'est la véritable Clé d'or ? douta Aaron. Laisse-moi voir, Elizabeth.

— Tu vas vraiment la lui donner ? me demanda Marc. Après ce qu'il nous a fait ?

— Je regrette pour le rat, s'excusa Aaron. Sincèrement ! Mais je vous ai sauvés, non ?

— Tu nous rendras la clé ? interrogeai-je Aaron.

— Oui, je vous le promets, assura-t-il.

Je la lui donnai.

— Oh ! fit-il en la contemplant.

À son tour, il essaya d'ouvrir la serrure, en vain.

— Tu es convaincu ? lui demandai-je en tendant la main.

— Oui... Oui. Elle chatoie énormément ! Je n'ai jamais rien vu de tel.

Il continua à admirer la clé, la tournant et la retournant entre ses doigts.

— Aaron ! Rends-la-moi, maintenant. Tu l'as promis.

— Oh. Désolé, je l'examine juste... Désolé, répéta-t-il en s'exécutant.

— Tu sais quoi ? fis-je doucement. Tu n'as qu'à la garder.

Je la lui rendis.

Marc haussa les épaules et déclara :

— Très bien. Aaron peut la conserver, mais je le surveille. De toute façon, nous n'en avons pas besoin pour entrer — j'ai le bâton magique qui ouvre toutes les portes.

— Non, ne te sers pas du bâton, dis-je. Il fait beaucoup de bruit. Et si Gloria Badwin est chez elle ?

— Il y a un moyen de le savoir, lança Jaya, qui monta les marches en courant. Sonner !

— Non ! lui cria Aaron.

Trop tard. Un carillon mélodieux retentit faiblement à l'intérieur du logement.

— Qui est-ce ? interrogea une voix.

Nous nous regardâmes tous les trois. Une fois de plus, nous n'avions pas préparé d'histoire.

— Nous sommes des étudiants de l'université Vanderbilt et nous réalisons un exposé sur les maisons à ossature en bois du Manhattan historique, annonça Aaron.

Il aurait pu être convaincant si Jaya n'avait pas dit au même moment :

— Je suis Jaya Rao ; je cherche ma sœur.

La porte s'ouvrit.

— Un garçon qui fait un exposé sur les maisons à ossature en bois *plus* une fillette qui cherche sa sœur ? Vous feriez mieux d'entrer.

Je reconnus Mme Gloria Badwin, pour l'avoir vue dans la Salle d'Examen Principale du Dépôt. Elle portait un tailleur-pantalon, un collier de perles et des escarpins noirs. Son rouge à lèvres était assorti à ses mèches auburn, elles-mêmes assorties à la mallette en cuir rouge foncé posée sur un guéridon dans l'entrée. Mme Badwin nous introduisit dans le salon, où des chrysanthèmes décoraient la table basse.

— Asseyez-vous, je vous en prie, et dites-moi en quoi je peux vous aider, déclara-t-elle.

Marc, Aaron et moi prîmes place sur le canapé. Jaya resta debout, la bouche ouverte. Je me tournai pour voir ce qui semblait la fasciner ainsi : une vitrine contenant des rangées et des rangées de poupées et de figurines.

Mes yeux s'emplirent de larmes. Cela ressemblait tant à la collection de poupées de ma mère ! Ma mère, ma mère ! Elle me manquait tellement ! Si elle avait été là, tout serait allé beaucoup mieux.

Je secouai la tête. Ma mère n'était plus là, et tout ce que j'avais aujourd'hui, c'étaient mes nouveaux amis. De plus, ces poupées n'en étaient pas vraiment : c'étaient des personnes qui avaient été ensorcelées. L'une d'elles était peut-être Anjali !

— Ah ! Tu es attirée par ma collection, susurra Gloria Badwin à Jaya. Comme toutes les petites filles. Mes princesses ne sont-elles pas exceptionnelles ?

Jaya était trop captivée pour s'insurger contre le fait d'être qualifiée de petite fille.

Comment avoir accès à cette vitrine pour trouver Anjali ? Je me rappelai alors combien les collectionneurs adorent palabrer sur leurs collections — du moins, c'était le cas de ma mère. Peut-être pourrais-je faire parler Mme Badwin et l'amener à ouvrir sa vitrine à force de flatteries.

— Quelle collection impressionnante ! m'extasiai-je. Cette poupée, en haut à gauche, est-elle chinoise ?

— Celle en porcelaine *benjarong* ? Non, elle est thaïlandaise, de la dynastie Ban Phlu Luong. Elle est sublime. Je vais vous la montrer.

Et, ainsi que je l'avais espéré, Mme Badwin déverrouilla la vitrine et en sortit une figurine de couleurs vives.

— Elle est en parfait état, ce qui est étonnant quand on sait que les hommes qui l'ont transformée ont dû la brutaliser. Il est rare que ces fragiles figurines aient encore tous leurs doigts.

— Et la magnifique bleue, juste derrière ?

— Eh bien, tu as l'œil ! Faïence égyptienne, du Moyen Empire.

— Et celle en porcelaine, avec des dentelles, sur l'étagère d'à côté ?

— Une Bourbon. Il en faut une dans toute bonne collection. Elles ne sont pas si rares que cela, en réalité – un grand nombre de ces pièces sont arrivées sur le marché pendant la Révolution française. Mais leurs têtes ont tendance à se détacher.

Ayant compris mon intention inavouée, Aaron se mêla à la conversation :

— Quelle est cette grosse poupée aux couleurs criardes, qui ressemble à un œuf ? demanda-t-il, avec son tact habituel.

Mme Badwin gloussa :

— Oh, c'est la famille russe – c'est un peu gênant. Je la garde pour me rappeler que nous faisons tous des erreurs.

Elle sortit une poupée en bois trapue en forme de quille et en tourna le centre. La poupée s'ouvrit en deux. À l'intérieur se trouvait une autre poupée, qui se divisa pareillement.

— Vous voyez ? fit Mme Badwin en disloquant d'autres poupées emboîtées, qui formèrent avec les premières une rangée de cinq. À Leningrad[1], un marchand d'art m'a juré que la petite poupée, là, c'était Anastasia[2], la plus jeune fille du dernier tsar. C'était bien avant qu'on identifie ses os. Bon, évidemment, je ne l'ai pas vraiment cru, mais j'avais envie de le croire, alors j'ai pris ce risque. J'ai ainsi payé trois mille dollars pour les cinq poupées. Bien sûr, la vraie Anastasia aurait valu mille fois plus que ça. Comme on s'est moqué de moi quand je suis arrivée à Berlin-Ouest ! Cette poupée est un faux, mais un très beau faux — ses yeux sont d'un bleu roi parfait. Selon moi, cette poupée pourrait même avoir une goutte de sang Romanov en elle. Tu m'as bien eue, petite demoiselle !

Gloria Badwin leva la plus petite poupée, devant laquelle elle agita l'index, puis encastra de nouveau les poupées les unes dans les autres.

Jaya avait du mal à écouter la conversation en restant calme. Je lui attrapai le poignet et le serrai pour lui faire comprendre qu'elle devait prendre son mal en patience.

---

1. Leningrad : ancien nom de Saint-Pétersbourg (de 1924 à 1991), deuxième plus grande ville de Russie.
2. Anastasia Nikolaïevna de Russie (1901-1918) : fille du tsar Nicolas II de Russie, elle fut exécutée avec tous les siens. En 1990, les corps de la famille impériale ont été retrouvés et exhumés, puis identifiés par des analyses ADN. Mais, en réalité, ces tests demeurent jusqu'à ce jour controversés et les restes d'Anastasia n'ont jamais été identifiés avec certitude.

— Je dois dire que c'est très gentil de votre part, jeunes gens, de me prêter une oreille aussi attentive, reprit Mme Badwin. Nous, les collectionneurs, nous pouvons être un peu obsessionnels, je le sais. Tout le monde n'est pas aussi patient que vous.

Elle se tourna vers Jaya :

— Mais j'ai bien compris, ma chère, que ton intérêt était d'ordre familial — vous autres, personnages royaux, avez tous des rapports de parenté, plus ou moins loin dans l'arbre généalogique. Le rajah de Chomalur était-il ton arrière-grand-père ou ton arrière-arrière-grand-père ? Le marchand à qui j'ai acheté ta sœur me l'a dit, mais je ne m'en souviens pas.

— Vous avez *acheté* Anjali à M. Stone ? demanda Jaya, s'étouffant presque de colère.

— Oui, c'est quelqu'un de très sérieux — ta sœur est arrivée avec tous ses papiers. Je suis pointilleuse sur la provenance de mes acquisitions : c'est une nécessité, surtout de nos jours. J'ai une amie qui prétend faire des affaires sur Internet ; or, il s'est avéré que toutes ses pièces de la dynastie Tang étaient en fait des articles volés. Elle a donc été obligée de les rendre à la police. De plus, entre vous et moi, cette poupée maltaise dont elle se vante tant n'est pas du tout royale — ce n'est qu'une duchesse. Mais vous n'êtes pas venus ici pour entendre tout ça ! Où est mon savoir-vivre ? Puis-je vous offrir quelque chose ? Du pain d'épices ?

— Oh, oui, ce serait super ! répondit Aaron. Merci.

Je lui donnai un coup de pied. Discrètement, pour que Mme Badwin ne me voie pas. Aaron me le rendit, beaucoup moins discrètement, mais je réussis à ne pas dire : « Aïe ! »

— Parfait ! Je reviens tout de suite, fit Mme Badwin en quittant la pièce.

— Pourquoi as-tu accepté, Aaron ? sifflai-je. Tu sais bien que c'est risqué de manger quelque chose chez cette femme !

— Pour la faire sortir d'ici, idiote ! Vite, il faut trouver Anjali !

Marc se précipita vers la vitrine. Jaya était déjà en train de fouiller parmi les princesses.

— La voilà ! s'exclama-t-elle. Marc, tu peux l'attraper ?

Le doigt pointé vers le fond d'une étagère supérieure, elle désignait une marionnette en argile peinte, pourvue de ficelles destinées à actionner ses bras et ses jambes. Elle portait un sari et avait les yeux d'Anjali.

— Non, non ! Ne touchez pas !

Mme Badwin était déjà revenue. Je sais que cela semble invraisemblable, mais elle tenait une baguette magique. On aurait dit que celle-ci était un jouet tout droit sorti d'un coffret de magie qu'un oncle pourrait offrir à son neveu de six ans. Mme Badwin la braqua sur Marc.

— Attention ! cria Aaron en se jetant devant Marc.

La baguette frappa Aaron en plein visage, lui striant la joue d'une zébrure rouge.

— Quel geste noble ! commenta Mme Badwin. Maintenant, ôte-toi de là, je te prie.

Aaron fit un mouvement vif pour saisir le bras de Mme Badwin, qui se dégagea vivement et lui assena un coup de baguette entre les jambes. Il se plia en deux, en gémissant.

La femme tendit le bras au-dessus de lui et tapa Marc sur l'épaule avec l'objet magique. Rien ne se produisit.

Alors, Marc s'empara de la marionnette aux yeux d'Anjali.

— J'ai Anjali ! Courez ! hurla-t-il.

Je bondis vers Aaron et le tirai pour qu'il se relève.

— Courez si vous voulez. Vous n'irez pas très loin. La porte est fermée à clé, déclara Mme Badwin en tournant l'embout de sa baguette. Comment règle-t-on cette chose, déjà ? Même si c'est un neutraliseur de personnages royaux, il devrait aussi agir sur les... Ah, ça y est !

Elle avança et tapa de nouveau Marc sur l'épaule. Celui-ci laissa tomber Anjali et s'effondra par terre avec un bruit sourd, rapetissant soudain en une masse métallique. Visiblement, il était devenu une statuette en cuivre.

Jaya plongea pour récupérer sa sœur.

— Marc ! hurlai-je. Qu'est-ce que vous lui avez fait ?

Aaron et moi nous jetâmes sur Mme Badwin, mais elle nous tint à distance avec son arme magique. Ni lui ni moi n'avions envie d'être transformés en figurines.

— Ne vous inquiétez pas, c'est beaucoup mieux ainsi, affirma Mme Badwin en ramassant Marc et en le plaçant dans la vitrine. Il vivra bien plus longtemps sous cette forme, peut-être des millénaires. D'habitude, je ne collectionne pas les modèles masculins, mais il faut admettre que celui-ci est beau comme un prince. Avec un peu de chance, je pourrai l'échanger contre une princesse de l'Afrique de l'Ouest. Cette catégorie manque cruellement dans ma collection. En outre, ce sera bien d'avoir les deux filles Rao.

Sur ce, elle virevolta et frappa Jaya avec sa baguette. La fillette fut prise de convulsions, tremblota, mais ne se transforma pas. Mon nœud ! Elle devait toujours le porter.

Mme Badwin secoua l'objet :

— Quelle baguette de pacotille ! Je savais que je n'aurais pas dû acheter un modèle bas de gamme, dit-elle en trifouillant de nouveau l'embout de son accessoire.

— Jaya, attrape cette baguette ! dis-je.

Si elle s'en emparait avant que son nœud de protection ne lâche, nous aurions une chance de maîtriser Mme Badwin...

— Pas de violence, s'il vous plaît, les enfants, gronda cette dernière, qui se libéra de l'étreinte de Jaya en secouant le bras, et continua à tripoter sa baguette. Mon assurance responsabilité civile ne couvre pas... Attendez, je croyais avoir déjà tourné ce bouchon... Oh, voilà...

– Vite, donne-moi mon sac à dos, ordonna Jaya en me tendant la marionnette.

Elle y fouilla désespérément, jetant ses affaires par terre. Mme Badwin la tapa de nouveau avec sa baguette. Cette fois, les contours du corps de Jaya tremblèrent comme de la gelée, et la fillette faillit lâcher son sac.

– J'espère que vous n'en serez pas déçus, dit Mme Badwin à Aaron et à moi, mais je n'ai pas l'intention de vous ajouter à ma collection. Certaines personnes acquièrent les filles de cuisine et les porchers, mais moi, je m'en tiens aux personnages royaux. Il faut que je pratique une sélection. Non pas que vous ne soyez pas de beaux spécimens du peuple... Ah, je pense que, là, ça va marcher.

Elle braqua de nouveau sa baguette sur Jaya.

Celle-ci recula d'un bond. Elle tenait à la main un objet, qu'elle ouvrit d'un coup sec. C'était un éventail. Elle l'agita énergiquement en direction de Mme Badwin et hurla :

– *Disparaissez !*

Un vent très fort se leva brusquement.

Des papiers s'envolèrent du bureau. Les chrysan-thèmes tombèrent de la table basse. Une fenêtre s'ouvrit violemment et se brisa ; les rideaux s'en écartèrent en se soulevant. Les cheveux de Mme Badwin furent balayés en arrière, dévoilant leurs racines noires. La baguette quitta sa main. Puis le vent envoya valser Mme Badwin. *Fffoouh!* Jaya cessa d'agiter son éventail. Les rideaux retombèrent mollement, et les papiers chutèrent sur le sol en voletant telles des feuilles d'automne. Nous nous précipitâmes à la fenêtre et regardâmes dehors. Il n'y avait aucune trace de Mme Badwin.

— C'était quoi, cet objet? demanda Aaron.

— Un éventail que ma tante Shanti m'a donné, répondit Jaya en me jetant un coup d'œil. OK, elle l'a donné à ma sœur; je le lui ai emprunté. Mais nous sommes censées le partager.

— C'est celui que j'ai vu dans la chambre d'Anjali? interrogeai-je Jaya. Il n'a pas eu le même effet quand tu m'as éventée avec.

— Il faut lui donner un ordre. Et l'agiter très fort.

— Et où est Mme Badwin, à présent? s'enquit Aaron.

Jaya haussa les épaules et répondit:

— Elle a disparu. Enfin, j'espère.

— Partons d'ici avant qu'elle ne réapparaisse, alors! décida Aaron.

— Bonne idée! approuvai-je.

Je sortis Marc de la vitrine et le mis dans mon sac. C'était désormais une statuette de sept centimètres et demi, qui représentait un homme cognant sur un gong avec un bâton. Ses traits étaient simplifiés, mais on le reconnaissait parfaitement.

Anjali, elle, était plus grande et beaucoup plus légère.

— Je vais la prendre, proposa Jaya. C'est ma sœur.

Je tendis la marionnette à Jaya et ramassai le sac à dos de Marc.

— Allons-y ! lançai-je.

— Et les autres princesses ? fit Jaya. Nous ne pouvons pas les laisser ici. Et si Mme Badwin revient ?

— Comment pourrions-nous toutes les porter ? questionna Aaron.

À cet instant, Jaya sortit de son sac un autre objet que je reconnus : la boîte marquetée que j'avais vue sur l'étagère d'Anjali.

— Nous n'avons qu'à nous servir de ce coffret ; il est sans fond, expliqua Jaya. Les poupées devraient toutes rentrer dedans.

Elle ouvrit la boîte et se mit à poser les figurines à l'intérieur.

— Nous n'avons pas de temps pour ça, jugea Aaron. Imagine que Mme Badwin revienne maintenant...

— Ça ira plus vite si tu m'aides.

— Jaya ! Arrête !

— Nous ne pouvons pas les laisser ici, répéta Jaya en plaçant dans la boîte une fragile poupée japonaise en ivoire. Ce sont des personnes, exactement comme toi.

— Jaya a raison, approuvai-je. En plus, elle est têtue.

— Et puis, je suis un personnage royal, alors vous devez m'obéir ! ajouta la fillette.

— Tu es la reine des enquiquineuses, ouais ! la railla Aaron, tout en allant à la vitrine et en se mettant à sortir les princesses.

Jaya les rangea toutes dans la boîte marquetée, dont elle referma le couvercle avec un bruit sec.

— Prends la baguette, dit-elle à Aaron. Nous en aurons peut-être besoin pour retransformer ces poupées en personnes réelles.

— Bonne idée ! commenta Aaron en tendant la main.

— Ne la touche pas ! criai-je.

Trop tard.

— Pourquoi ? m'interrogea-t-il.

— J'avais peur qu'elle ne te transforme en poupée, toi aussi. Mais je suppose que, comme tu n'es qu'un porcher, ça ne fonctionne pas sur toi...

— Ouais, c'est ça !

Il saisit un plaid du canapé, qu'il posa sur les débris de verre éparpillés sur le rebord de la fenêtre, par laquelle il se hissa. Jaya le suivit.

Je m'assis sur le rebord et balançai mes jambes dans le vide.

— Pourquoi ne sortons-nous pas par la porte ? m'enquis-je.

— Tu n'as pas entendu ce que Mme Badwin a dit ? Elle est fermée à clé.

— Et alors ? Nous avons le bâton qui ouvre toutes les portes.

— Saute donc ! m'ordonna Jaya. C'est plus rapide ainsi.

— Ne t'inquiète pas, je vais te rattraper, m'assura Aaron.

Il essaya bien, mais cela ne nous empêcha pas de tomber tous les deux. Pour la deuxième fois de la journée, je m'écrasai bruyamment dans un tas de neige sale à moitié fondue. Au moins, là, je portais mon manteau.

— C'était vraiment nécessaire ? demandai-je.

— Désolé ! Tu sais quel tombeur je suis ! me dit Aaron en me tendant la main, un large sourire aux lèvres.

Je me relevai péniblement, et enlevai la neige de mes vêtements.

— Nous avons réussi ! Nous avons libéré Anjali ! C'est fini ! se réjouit Jaya en faisant applaudir la marionnette.

— Non, ce n'est pas encore tout à fait fini, nuançai-je. Anjali est toujours une figurine, Marc est maintenant une statuette en cuivre, et nous n'avons pas encore utilisé la Clé d'or. En plus, moi, je gèle et j'ai mal à la cheville. Et je ne parle même pas d'Andreas... Il faut que quelqu'un s'occupe de lui à présent que Marc ne peut plus le faire.

— Retournons chez moi réfléchir à un plan d'action, décida Aaron. Nous demanderons conseil au miroir.

– Quoi ? Cette horreur ? m'insurgeai-je, en suivant tout de même Aaron en direction du métro.

Jaya nous emboîta le pas, tenant Anjali par ses fils et la faisant marcher et sauter par-dessus toutes les bouches d'incendie qui jalonnaient le chemin.

24

Andreas à la rescousse

Nous n'étions pas arrivés chez Aaron depuis longtemps lorsque Mme Rosendorn rentra.

— Bonjour, Elizabeth, me dit-elle en passant la tête
par la porte de la chambre de son fils. Et toi, tu dois être
Anjali ?

Elle avait l'air perplexe. Elle ne s'attendait manifestement pas à ce que l'objet de l'obsession de son fils soit
une fillette de dix ans jouant avec une marionnette.

— Je suis ravie de vous rencontrer, madame Rosendorn.
En fait, je suis Jaya, la sœur d'Anjali.

— Enchantée, Jayda. Tu peux m'appeler Rebecca.

— C'est « Jaya », maman, rectifia Aaron. Tu pourras
refermer ma porte en partant, s'il te plaît ?

Mme Rosendorn hésita, mais elle dut penser que rien
de trop sérieux ne se passerait dans cette chambre en
présence d'une fillette de dix ans.

— D'accord, mon ange. N'oublie pas que tu m'as promis de me donner ton linge sale avant lundi.

Sur ce, elle sortit.

Jaya fit faire à Anjali un signe de la main en direction de la porte. Elle était très douée pour manier les ficelles.

— Voyons si nous pouvons redonner à Anjali sa forme humaine, marmonna Aaron.

Il sortit la baguette de Mme Badwin de son sac à dos et frappa timidement notre amie. Jaya fit mettre à la marionnette ses mains sur ses hanches.

— Non, ce n'est pas bon ; je suis toujours un pantin ! remarqua-t-elle en imitant la voix douce et aiguë de sa sœur.

— Essaie avec l'autre bout, suggérai-je à Aaron.

Il tourna la baguette dans l'autre sens et tapa de nouveau Anjali. Toujours rien.

Jaya secoua la tête d'Anjali de gauche à droite et posa la marionnette.

— Laisse-moi essayer, dit-elle en attrapant l'objet magique.

— Non, Jaya ! Lâche ça !

La silhouette de Jaya trembla, mais le nœud de protection tint bon.

— Pourquoi la baguette a-t-elle aussi bien fonctionné sur Marc, de toute façon ? interrogea Jaya. Je lui avais fabriqué un nœud de protection !

— Il a été obligé de l'enlever, expliquai-je. Nous avons eu besoin de le passer au rayon rétrécissant pour obtenir la Clé d'or.

— Pourquoi vous ne me l'avez pas dit plus tôt ? Je lui en aurais fait un autre.

— Tu as raison. Nous avons commis une erreur.

Jaya aimait avoir raison.

— Nous faisons tous des erreurs, de temps en temps, déclara-t-elle, magnanime.

Aaron tripotait toujours la baguette.

— Gloria Badwin n'a-t-elle pas dit qu'on pouvait régler ce truc ? se souvint-il.

Il tourna l'embout de l'objet dans un sens, puis dans l'autre, jusqu'à ce que nous entendions un déclic. Il donna un nouveau coup de baguette à Anjali. L'extrémité de la baguette émit alors une vive lueur verte.

— Qu'est-ce que ça signifie ? dit-il. Jaya, peux-tu me donner une autre princesse ?

Jaya ouvrit la boîte et en extirpa une bergère chinoise en dentelle ainsi qu'une figurine inca portant une coiffure de plumes. Lorsque Aaron toucha la poupée inca, la baguette lança la même petite lumière verte. Et une lueur jaune doré tirant sur le vert quand il toucha la poupée chinoise.

— Le vert signifie-t-il que les poupées sont royales ? questionna Aaron. Essaie de me trouver les poupées russes.

Jaya fouilla dans le coffret :

— Tiens.

Seule la poupée cachée à l'intérieur des autres, la supposée Anastasia, fit briller la baguette d'une lueur verte. Les quatre autres donnèrent à la baguette une lumière rouge — elles n'étaient vraisemblablement pas du tout royales.

— Intéressant, commenta Aaron en m'administrant un coup de baguette, laquelle devint rouge. Visiblement, tu es bel et bien une fille de cuisine, pas une princesse.

— Je suis lycéenne et magasinière, merci beaucoup, me défendis-je. Je n'ai jamais prétendu avoir du sang royal. Passe-moi ça ; je parie qu'avec toi aussi la lueur sera rouge.

J'avais raison. Aaron et moi tripotâmes la baguette magique et continuâmes nos tests. Elle identifiait les personnages royaux dans les figurines et avait le pouvoir de changer des princes et des princesses en poupées. Mais nous eûmes beau faire, nous ne fûmes pas capables de transformer les figurines en personnes de chair et d'os.

Jaya agita la marionnette en imitant la voix de Mme Badwin :

— Quelle baguette de pacotille ! Je savais que je n'aurais pas dû acheter un modèle bas de gamme.

— Jaya, tu devrais faire du théâtre — tu as un vrai talent de comédienne, commentai-je.

Aaron leva les yeux au ciel. Il était pourtant amusé.

— Bon, quel est le plan, maintenant ? On demande de l'aide au miroir ? proposa-t-il en désignant le mur où l'objet magique était toujours recouvert d'une couverture.

Je frissonnai.

— Argh ! On est vraiment obligés ?

— Qu'est-ce que c'est que ce miroir ? Et qu'a-t-il de si horrible ? interrogea Jaya.

— C'est celui de la belle-mère de Blanche-Neige. Il est vicieux. Il te manipule, et il se moque de toi...

— C'est tout ? J'ai l'habitude d'avoir affaire à des gens comme ça, affirma Jaya en ôtant la couverture.

Le miroir refléta des versions assez normales d'Aaron et de moi — même si nous paraissions peut-être un peu plus méchants que d'ordinaire. En revanche, il montra Anjali sous sa véritable apparence, mais toujours réduite à la taille d'une poupée.

— Hé, regardez Anjali ! s'écria Jaya. Comment ce miroir peut-il faire ça ? Ce n'est qu'un miroir ! Est-ce qu'il n'est pas censé refléter les choses telles qu'elles sont ?

— Il ne peut rien inventer, expliquai-je, mais il reflète la vérité comme il la voit, alors il doit savoir qu'Anjali est une personne réelle. Par contre, il a une vision horrible du monde. Et, je le répète, il est moqueur. En plus, on est obligé de lui parler en faisant des rimes, et il ne te donne jamais de réponse claire.

Je sortis de mon sac la statuette en cuivre et la posai près de moi. Le miroir en renvoya l'image d'un Marc humain minuscule.

Je lui dis alors :

— *Comment redonner la vie*
À nos amis Marc et Anjali ?
Et quel est le trésor
Que cache la Clé d'or ?

Le reflet d'Anjali dans le miroir répondit :

— *Vous avez découvert la clé ;*
C'est la serrure qu'il faut maintenant trouver.
Vous avez découvert la royauté ;
C'est le Doc qu'il faut maintenant trouver.

Le reflet de Marc poursuivit :

— *Le récipient vous avez perdu.*
Vite, remettez la main dessus !
Rentrez au bercail ; avant, allez Nulle part.
Rapportez le peigne et aussi le miroir.
La route, Elizabeth vous la montrera.
Et à ses beaux cheveux, adieu elle dira.

— Qu'est-ce que c'est que ce charabia ? criai-je. Où devons-nous chercher le docteur Rust ? Et la serrure ? Comment puis-je conduire quiconque où que ce soit sans mon sens de l'orientation ? Qu'est-ce que tu racontes, exaspérant miroir ? !

Je ne reçus pas de réponse – évidemment, je n'avais pas parlé en rimes.

— *Et dis-moi, je le veux,*

Pourquoi tu t'occupes de mes cheveux?

Le reflet d'Aaron répondit aussitôt :

— *Tes cheveux, bien que très soyeux,*

Ne sont pas si précieux.

Sans le peigne merveilleux,

Ils ne font pas d'envieux.

— J'ignore pourquoi le miroir parle de tes cheveux, mais le récipient perdu doit être le kuduo, analysa le vrai Aaron. Nous devons le reprendre à M. Stone. Il contient ton sens de l'orientation. Ainsi que mon premier-né et tout le reste. Peut-être y trouverons-nous quelque chose qui retransformera Anjali en personne réelle.

— Même si nous récupérons le kuduo, je ne pourrai toujours pas me servir de mon sens de l'orientation. Quelque chose est allé de travers avec le... l'objet que j'ai emprunté dans la Collection Grimm, celui pour lequel j'ai laissé mon sens de l'orientation en caution. Je soupçonne M. Stone d'avoir volé le... le vrai objet.

— Le peigne de sirène? compléta Jaya. Celui qui te rend belle?

— Ouais, confirmai-je en rougissant.

J'avais très envie de lui donner un coup de pied.

— Tu as abandonné ton sens de l'orientation contre quelque chose qui te rend belle ? C'est ça que le miroir sous-entend ? Parce que, si c'est ça, c'était vraiment inutile !

— Merci, Aaron, tes paroles me réconfortent, répondis-je.

Les reflets dans le miroir se moquaient de nous. Le mien battait des cils et faisait bouffer ses cheveux pendant que celui d'Aaron se pâmait d'admiration devant lui. J'avais envie de leur botter les fesses, à eux aussi.

— Si M. Stone détient le vrai peigne de sirène, tu récupéreras ton sens de l'orientation quand nous le lui reprendrons, déduisit Jaya.

— Sans doute. En tout cas, nous avons absolument besoin du kuduo, mais je ne vois pas comment nous allons mettre la main dessus. Personne ne peut le prendre à part son propriétaire légitime, vous vous rappelez ? Le docteur Rust a dit qu'il était prêté au Dépôt par la famille de Marc. Cela signifie que seul Marc est en mesure de le voler, sauf qu'en ce moment il n'est pas en état de voler quoi que ce soit...

— Oui, mais Marc n'est pas le seul membre de sa famille ! intervint Jaya. Et son frère ?

— Andreas ? Pas question — il n'a que trois ans. Ce serait trop dangereux !

— Et alors ? objecta Jaya. Pourquoi un garçon de trois ans ne pourrait-il pas être un héros ? Andreas a le droit de participer à la libération de son frère.

— Elle a raison, approuva Aaron. Comme le dit le proverbe akan que les bibliothécaires aiment beaucoup : « C'est l'enfant sage que nous envoyons faire une commission, pas celui qui a de grands pieds. » C'est la seule solution. Nous devrons juste être très prudents et veiller à ce qu'on ne l'enlève pas.

— Je ne sais pas..., doutai-je. En revanche, ce que je sais, c'est qu'il a besoin de nous. Marc a dit que la maman de son copain le ramènerait au Dépôt vers...

Je consultai ma montre :

— Maintenant, en fait ! Nous ne pouvons pas le laisser là-bas. Il faut aller le chercher.

Aaron et Jaya attendirent dehors pendant que j'entrai au Dépôt.

Andreas était assis avec Sarah au bureau d'accueil et jouait avec les tampons qui servaient à marquer la date. Ses doigts étaient maculés d'encre.

— Coucou, Libbet ! me lança-t-il en me voyant.

— Oh, Elizabeth ! fit Sarah en levant la tête. Est-ce que tu vas à l'étage ? Peux-tu dire à Marc que son frère est là ?

— En fait, Marc est parti un peu plus tôt, aujourd'hui, répondis-je. Je suis venu chercher Andreas pour lui. Il te remercie de t'être occupée de son petit frère.

— Ah, d'accord.

— Viens, Andreas, allons retrouver ton frère, ajoutai-je en lui mettant son manteau.

Nous rejoignîmes Jaya et Aaron sur les marches de l'entrée.

— Bien. À présent, allons récupérer le kuduo, décida Aaron.

— Attends, dis-je. Nous devons tout expliquer à Andreas et lui demander s'il est d'accord pour nous accompagner.

Je m'accroupis et posai les mains sur les épaules du petit garçon :

— Andreas, une méchante dame a changé ton frère en jouet. Maintenant, nous essayons de retransformer Marc en une vraie personne. Il faut que nous récupérions quelque chose auprès de l'ami de cette méchante. Est-ce que tu veux venir avec nous, pour nous aider ?

— Mon *fer* a des problèmes ? demanda Andreas.

— Oui. Peux-tu nous aider à l'aider ?

— Oui, accepta Andreas en hochant la tête.

— Super ! se réjouit Jaya. Mais, d'abord, il vous faut à tous des nœuds de protection.

Elle sortit une pelote de laine de son sac et se mit à tisser un bracelet autour du poignet d'Andreas. Au moins, cette fois, la laine était jaune.

Je trouvai le bâton qui ouvre toutes les portes dans le sac à dos de Marc et m'en servis pour entrer dans le loft de M. Stone. Le soleil s'était couché et il y faisait très sombre. Le logement n'était éclairé que par un lampadaire qui projetait des ombres à travers une longue rangée de fenêtres. Nous ne voyions que des formes imprécises ; l'endroit empestait la magie. Andreas me serrait fort la main.

Jaya tâtonna un peu avant de trouver un interrupteur.

— Les bottes de mon *fer*, remarqua Andreas en les montrant du doigt.

— Hé, c'est vrai ! confirma Aaron.

Je ramassai les chaussures et les reniflai. Elles sentaient la carotte – non, le mouton. Non, les myrtilles que l'on cueille soi-même au sommet d'une montagne, après avoir randonné tout l'après-midi.

— Ces bottes sentent la magie. Je me demande si ce sont les authentiques ou les copies ?

J'enlevai mes chaussures d'un coup de pied et enfilai les bottes.

— Qu'est-ce que tu fabriques ? m'interrogea Aaron. Nous devons trouver le kuduo et partir d'ici.

J'achevai de lacer les bottes et j'effectuai un pas minuscule.

— Aïe ! m'écriai-je.

J'avais traversé la pièce à toute vitesse, puis m'étais fracassé l'épaule contre une fenêtre, en brisant la vitre. J'avais de la chance de ne pas être tombée dehors.

Aaron accourut en piétinant les débris de verre :

— Ça va, Elizabeth ?

— Oui. Ce n'était pas une très bonne idée d'essayer de marcher avec ces chaussures, surtout sans mon sens de l'orientation, admis-je en les délaçant.

Il faisait froid près de la fenêtre, avec le vent qui pénétrait dans la pièce.

— C'est ça, le kuduo ? interrogea Jaya en désignant un coffret en marbre très orné.

— Non, le kuduo est en cuivre, précisai-je en ôtant une botte. Il est rond, et il y a une *Bitis arietans* et un calao sur son couvercle.

— Une *quoi* et un *quoi* ?

— Un serpent et un oiseau.

— Hé, Elizabeth ! m'appela Aaron. Viens vite voir !

Il était en train d'admirer une boule de cristal posée sur un grand trépied en fer.

Je le rejoignis en sautant sur mon pied déchaussé et en évitant les éclats de verre. À l'intérieur de la boule, une petite silhouette se déplaçait à tâtons, comme si elle était aveugle. Elle ressemblait au docteur Rust. Des étoiles lumineuses dérivaient lentement sur la surface de la boule.

– Oh, mon Dieu ! Le docteur Rust est dans cette boule ! m'écriai-je.

– Le bibliothécaire ? demanda Jaya en s'approchant. Il est enfermé dans une boule de cristal ?

– C'est ce qu'on dirait, confirmai-je.

Aaron, Jaya et moi observâmes la boule. Andreas nous rejoignit ; je le pris dans mes bras.

– Vous croyez que, si nous la jetons par terre, nous libérerons le Doc ? interrogeai-je.

– On n'a qu'à essayer, proposa Jaya.

Aaron lui attrapa les bras :

– Non ! Tu ne sais pas ce qui se passera si tu fais ça. Il se peut que tu tues le Doc.

– C'est une jolie boule, commenta Andreas.

Il tendit la main et toucha l'une des étoiles qui flottaient.

Au même instant, une lumière aveuglante jaillit de la surface de la boule. Jaya hurla. Moi, je reculai, Andreas toujours dans mes bras. De l'autre côté de la pièce, une gigantesque forme sombre apparut derrière la fenêtre cassée. En voyant des ailes qui se découpaient contre le ciel orangé, je réprimai un cri.

Un énorme oiseau, au bec capable de vous lacérer en un éclair et aux serres semblables à des couteaux de cuisine, bondit du rebord de la fenêtre et vola droit vers Andreas.

C'était l'oiseau ! L'oiseau que j'avais aperçu par la fenêtre d'Anjali et dans le parc !

Je tins fermement Andreas, l'entourai de mon corps et attendis que les serres me découpent en morceaux. Que pouvais-je faire pour sauver le frère de Marc ? Et pour me sauver, moi ?

C'est alors que je me souvins de la plume que M. Mauskopf m'avait donnée lorsque je lui avais parlé de cette créature. « Quand tu seras en difficulté, lance-la au vent », m'avait-il conseillé. Je fouillai ma poche et sortis la douce plume. Elle fut emportée par le courant d'air que les battements d'ailes de l'oiseau avaient créé.

Bon, cette plume ne m'avait servi à rien... Les serres de l'oiseau agrippèrent mon manteau.

À ce moment précis, une autre forme sombre apparut derrière la fenêtre, se jeta sur l'oiseau et le saisit à la gorge. Ce n'était pas un volatile, mais un énorme chien – un énorme chien ailé. Je le fixai quelques instants avant de le reconnaître. C'était Griffin, le chien de M. Mauskopf, « la Bête », comme les bibliothécaires le surnommaient. Griffin avait des ailes !

– C'est Griffin ! hurlai-je. Le chien de mon prof !

Le loft de M. Stone était spacieux pour un appartement new-yorkais, mais pas assez pour être le théâtre d'un combat entre un chien ailé gros comme un lion et un oiseau de la taille d'un condor. Les deux animaux bondirent en l'air, renversant des lampes et des statues. Des gouttes de sang éclaboussèrent les murs. Griffin serra la gorge de l'oiseau pendant que celui-ci se débattait férocement et essayait de griffer tout ce qu'il pouvait.

La bagarre ne dura pas longtemps. L'oiseau saisit le bout de la queue de Griffin dans son bec, mais le chien se retourna et secoua son adversaire par le cou. L'oiseau geignit et cessa de se battre. Lorsque Griffin le lâcha, il tomba par terre comme un gant de base-ball, maculé de sang et une aile gisant dans un angle improbable.

— Bien joué, Griffin ! criai-je.

Le chien émit un bref aboiement satisfait. Puis il enroula sa queue autour de quelque chose qu'il fit rouler sur le sol, dans ma direction.

— Le kuduo ! Tu l'as trouvé !

Je m'agenouillai afin qu'Andreas atteigne l'objet sans quitter mes bras.

— Tu peux m'attraper cette boîte, mon ange ? lui demandai-je.

Andreas saisit le coffret dans ses petits bras.

— Ça y est, Libbet ; je l'ai, dit-il.

L'oiseau poussa un cri rauque. Je levai les yeux. M. Stone se tenait dans l'embrasure de la porte.

– Mademoiselle Rew, mademoiselle Rao! Je savais que vous reviendriez me voir. Mais qu'avez-vous fait à mon oiseau? Ce n'est vraiment pas gentil.

Il s'approcha de l'oiseau à grandes enjambées. Celui-ci leva la tête et essaya de le mordre.

– Vous n'auriez pas dû, regretta M. Stone.

Il leva la main et envoya un éclair à Jaya.

Celui-ci se réverbéra sur la fillette, dont la silhouette, néanmoins, trembla.

– Arrêtez! Je déteste ça! protesta Jaya en se secouant.

M. Stone leva de nouveau la main.

– Cours, Elizabeth! Emporte le kuduo! Je vais tenir Stone à distance! cria Aaron.

Il ramassa un objet à proximité et le lança inutilement. Il était courageux, pensai-je, mais il visait très mal.

– Mais je ne porte qu'une botte!

– Pars, je te dis!

– Mes bottes de sept lieues! s'exclama M. Stone. Vous me les avez prises? Quels horribles gosses vous êtes! Où est l'autre? Ah, la voici!

Il marcha à grands pas jusqu'à la fenêtre.

Je me précipitai pour l'arrêter, sans remarquer que je m'étais servie de mon pied botté. À ma grande surprise, je fendis l'air et traversai la fenêtre, la froide obscurité me fouettant le corps.

Je me mis à courir, en portant toujours Andreas.

L'espace d'une seconde, je fus déconcertée, puis submergée par une vague d'euphorie. Quelle vitesse ! Était-ce ce que Marc ressentait lorsqu'il courait et sautait pour mettre le ballon dans le panier ?

J'atterris sur mon pied qui ne portait qu'une chaussette et je regardai autour de moi : il n'y avait que de grands immeubles en briques. Où étais-je ? Dans le quartier du Bronx, peut-être ? Dans le Queens ?

Avant que je puisse me repérer, M. Stone apparut derrière moi. Il portait l'autre botte de sept lieues.

– Arrête, Elizabeth. Ça ne sert à rien de courir, affirma-t-il.

Il avait peut-être raison, mais je continuai quand même. L'air, la vitesse, le mouvement – en avant ! en avant ! –, les paysages flous autour de moi, la glace sous ma chaussette, tandis que j'avais presque l'impression de voler. Mes pieds inégalement chaussés me donnaient un rythme syncopé : un pas, un bond, un pas, un bond. Je n'avais aucune idée de l'endroit où j'allais. Je suivais simplement mes pieds. Tous les deux pas, le monde changeait : un pâté de maisons, une autoroute, un jardin particulier, un lac gelé, une forêt, un parking... M. Stone ne me lâchait pas d'une semelle.

— Tu ne m'échapperas pas ! me cria-t-il. J'ai l'autre botte.

Peu m'importait. J'étais amoureuse de cette vélocité. Mon trajet en tube pneumatique, la tête la première, m'avait rendue malade parce que je ne maîtrisais rien. Là, c'était différent : je contrôlais mes déplacements.

— Plus vite, Libbet ! hurla gaiement Andreas, en cognant sur le couvercle du kuduo avec ses poings.

Un pas, un bond. Un pas, un bond. Le versant d'une montagne, une plage enneigée, une cabane, un ruisseau gelé éclairé uniquement par la lune.

— Arrête-toi ! me cria M. Stone. Où vas-tu ?

— Nulle part ! lui répondis-je en continuant ma course.

Tout autour de nous s'étendait un désert pâle sous un clair de lune. Je fis une pause pour reprendre haleine. M. Stone haletait, Andreas riait. Sous la lumière lunaire, le sol étincelait comme des étoiles ou des éclats de verre. Il n'y avait pas de maison, pas d'arbre, pas de route — juste ce sol scintillant et l'astre de la nuit.

— Elizabeth, dit gravement une voix.

Je virevoltai sur mon pied en chaussette, sentant de minuscules galets sous ma plante de pied, et vis une petite femme vêtue de plusieurs couches de vêtements. Cette femme ne m'était pas inconnue : je l'avais vue somnoler dans la Salle d'Examen Principale du Dépôt ; je lui avais offert mes tennis, le jour où M. Mauskopf m'avait donné le devoir sur les frères Grimm – il me semblait que c'était longtemps auparavant.

– Où suis-je ? Quel est cet endroit ? m'enquis-je.

– Nulle part. Nulle part en particulier, me répondit la femme. Es-tu venue reprendre tes tennis ?

Une lumière blanche et pâle enveloppa les lieux, comme si la lune brillait derrière un nuage, or il n'y avait aucun nuage. Le ciel resplendissait de millions et de millions d'étoiles, qui le peuplaient de plus en plus densément, quel que fût l'endroit où je regardais. Je reconnus des constellations semblables aux taches de rousseur sur le visage du docteur Rust : ici, un triangle ; là, une roue de charrette ; un peu plus loin, un papillon... Elles paraissaient tournoyer lentement – ou était-ce moi qui tournoyais ? Je n'aurais su le dire.

– Pose-moi par terre, me demanda Andreas, qui s'extirpa de mes bras à toute vitesse.

Il posa le kuduo sur le sol et dessina des images dans la poussière étincelante.

M. Stone, les vêtements tout froissés, avait l'air perplexe. Il leva un bras, d'un geste laissant penser qu'il me jetait quelque chose ; pourtant, aucun projectile ne quitta sa main.

– Ça ne marchera pas ici, Wallace, prévint la femme.

– Grace ! s'exclama M. Stone en faisant un autre geste menaçant.

— Et ça non plus. Donnez-moi la botte.

— Pour rester coincé ici ? Jamais !

M. Stone se retourna et se mit à courir, mais il n'alla pas loin. Il trébucha et s'effondra.

— La botte, Wallace, répéta Grace en tendant la main.

Lentement, comme contre sa volonté, M. Stone délaça la botte et la remit à la femme.

Celle-ci se tourna vers moi. Autrefois, elle m'avait paru triste et déguenillée ; ici, en revanche, elle ne faisait nullement pitié. Elle semblait calme et forte. Même ses habits étaient plus jolis.

— Ta botte, à toi aussi, Elizabeth, exigea-t-elle.

J'enlevai la chaussure magique et la lui donnai.

— Merci. Tiens.

Elle me tendit mes vieilles tennis, dans lesquelles il y avait mes vieilles chaussettes longues, à présent propres et soigneusement pliées.

— Qui êtes-vous ? demandai-je.

— Je suis Grace Farr. Nous nous sommes déjà rencontrées.

— Oui, mais... Où... Quel est cet endroit ?

— Je te l'ai dit : Nulle part.

— Mais comment sommes-nous arrivés ici ?

— Ah, c'est assez simple. Tu n'as plus ton sens de l'orientation, n'est-ce pas ? Nulle part est donc le seul endroit où tu peux aller — ou tu *pouvais* aller, sans tes tennis. Maintenant que je te les ai rendues, je pense que tu n'auras aucun mal à rentrer chez toi.

– Pourquoi ? Elles sont magiques ? Vous les avez ensor-celées, ou quelque chose comme ça ?

Grace sourit.

– Non, répondit-elle. C'est toi qui les as enchantées, quand tu me les as offertes.

– Libbet ? m'appela Andreas en tirant sur ma manche. Libbet !

– Qu'y a-t-il, mon ange ?

– Libbet, j'ai envie d'aller.

– Oui, on s'en va bientôt. Oh ! Tu veux dire que tu as envie d'aller aux toilettes !

Je me tournai vers Grace :

– Est-ce qu'il peut... ?

– Bien sûr.

– Vas-y, Andreas, dis-je en lui tournant le dos pour qu'il ait un peu d'intimité.

– Ensuite, vous feriez mieux de partir, me conseilla Grace. Ils ont besoin de vous, au Dépôt.

– Et M. Stone ?

– Oh, je crois que tu n'as plus à avoir peur de lui.

– D'accord.

J'espérais avoir raison de faire confiance à cette femme.

– Comment allons-nous rentrer chez nous ?

— En empruntant le même chemin qu'à l'aller : tu n'as qu'à suivre tes pas, m'assura la femme. Tes tennis te guideront — c'est en cela qu'elles sont magiques. Et n'oublie pas ton kuduo.

Je fis de nouveau face à Andreas :

— Tu as fini ?

— J'ai dessiné un soleil ! déclara-t-il fièrement, en désignant un cercle humide dans la poussière.

— Waouh ! Je vois ça.

Lorsque je me retournai, Grace avait disparu. Au loin, je vis M. Stone, dont la silhouette devenait de plus en plus imprécise.

Andreas ramassa le kuduo, et moi, je pris Andreas dans mes bras. Mon sac sur le dos, je choisis une direction au hasard et me mis à marcher.

25

Le Jardin des Saisons

Il me sembla que je marchais pendant des heures. Mes tennis me transmettaient une grande détermination. Andreas s'endormit dans mes bras, en serrant fort le kuduo. Il était aussi léger qu'une poupée en papier. Les étoiles paraissaient tomber autour de nous, comme des grains de poussière étincelants.

Au bout d'un moment, je m'aperçus que j'étais entourée d'arbres aux branches nues. L'air commença à prendre une teinte rose, qui colora les particules de poussière. Celles-ci se posaient sur mes épaules et les cheveux d'Andreas. Elles étaient grosses pour des grains de poussière, douces comme des pétales de fleur, et légèrement en forme de coupe. Lorsque je les observai de plus près, je vis qu'il s'agissait bien de pétales.

Les branches des arbres se revêtirent bientôt d'une nuance verdâtre. De petites feuilles poussèrent. À ma gauche — ou était-ce à ma droite ? —, j'entendis un bruit d'eau qui coulait. Je m'en approchai. Des libellules filèrent à tire-d'aile. Une biche remua rapidement la queue et partit à toute vitesse. Andreas se réveilla et bâilla.

— On est où ? demanda-t-il.

— Je ne pense pas que nous soyons encore Nulle part, mais je ne sais pas où nous sommes, reconnus-je.

Devant nous, il y avait une fontaine. Adossé contre elle, l'air de s'ennuyer, se trouvait Aaron. Près de lui, Jaya faisait le poirier.

— Elizabeth ! Te voilà ! cria-t-elle en retombant et en s'asseyant. Pourquoi as-tu mis aussi longtemps à venir ? Ça fait une éternité qu'on t'attend !

Andreas dégringola de mes bras et courut vers Jaya.

— Regarde ! C'est Jaya ! s'exclama-t-il.

— Que faites-vous ici ? m'enquis-je. Où sommes-nous ? Comment êtes-vous arrivés là ?

— Nous avons utilisé la Clé d'or, bien sûr.

— Sur quoi ?

— La porte. De ce côté, c'est un portail.

— Salut, Elizabeth ! me lança Aaron. Je commençais à craindre que tu n'arrives jamais. Tu as des pétales dans les cheveux.

— Comment s'appelle cet endroit ? Et de quoi parle Jaya ?

— Nous nous trouvons dans le Jardin des Saisons.

— C'est ça, le Jardin des Saisons ?

Aaron hocha la tête :

— Le miroir a dit que c'est là que nous te trouverions. Alors nous nous sommes servis de la Clé d'or pour ouvrir la porte — tu sais, celle du Cachot, près de l'ascenseur. De ce côté-là, c'est juste une porte comme toutes les autres au Dépôt, mais, de ce côté-ci, elle ressemble à un portail en fer inséré dans un mur de pierre. Et toi, comment es-tu entrée ? Tu n'as pas la clé. Est-ce qu'il existe un autre passage ?

— Nous n'avons franchi aucun mur ni aucun portail ; nous sommes arrivés directement de Nulle part, expliquai-je.

Je cherchai un mur alentour, mais n'en vis pas. Cet endroit m'était étrangement familier, comme si j'y avais passé des heures et des heures. C'était absurde ; je n'avais jamais mis les pieds dans le Jardin des Saisons.

La fontaine emplit l'air d'une odeur d'eau. D'eau et de feuilles d'automne. D'eau, de feuilles d'automne et de muguet. Et de terre. Et de neige… Soudain, je reconnus ce lieu : c'étaient les scènes des vitraux de Tiffany ! Je me dressai de toute ma hauteur et tournai lentement sur moi, observant le paysage. Au nord, il y avait les rochers couverts de givre ; à l'est, les arbres en fleurs ; au sud, la forêt verdoyante, dense et peuplée d'oiseaux, et, à l'ouest, le manteau végétal coloré de rouge par le coucher du soleil.

— Vous êtes arrivés directement d'*où* ? releva Jaya.

— De Nulle part — c'est là que nous avons atterri quand j'ai échappé à M. Stone. Grace, la femme sans-abri qui traîne parfois dans la Salle d'Examen Principale, habite là-bas.

Andreas s'assit lourdement près de moi et se mit à jouer avec des brindilles et des galets, les faisant marcher et se parler.

— Tout brille, à Nulle part, dit-il en levant les yeux. J'ai dessiné un soleil.

— Où est M. Stone ? m'interrogea Jaya. Est-ce qu'il te poursuit encore ?

Je secouai la tête et répondis :

— Je l'ai laissé Nulle part. Je pense qu'il y restera coincé pour toujours.

— J'ai dessiné un *soleil*, répéta Andreas.

— Oui, tu as dessiné un soleil ! confirmai-je. Et les étoiles se sont transformées en fleurs, et maintenant c'est l'été et le jour, aussi. C'est toi qui as fait tout ça ?

— Ouais, affirma fièrement Andreas.

Je lui ébouriffai les cheveux, sur lesquels s'étaient déposés quelques pétales et quelques feuilles.

— Eh bien, tu es un petit bonhomme drôlement fort, Andreas ! le complimentai-je.

Peut-être avait-il raison : peut-être était-ce lui qui avait accompli tout cela. En tout cas, je ne pouvais pas affirmer avec certitude que ce n'était pas le cas.

— Alors, où est cette fleur ? demanda Jaya.

— Quelle fleur ?

— Celle qui, d'après le miroir, devait être ici quand nous te retrouverions. Celle qui va désensorceler le docteur Rust.

— De quoi tu parles ? fis-je.

— Le miroir nous a assuré que nous te reverrions ici avec une fleur.

— Quoi ? Tu peux rembobiner, s'il te plaît ? Que s'est-il passé après mon départ ?

— L'énorme chien s'est envolé quelque part, m'expliqua Jaya. J'ignore où. Le gigantesque oiseau, lui, était mal en point. Quant au Doc, il était toujours emprisonné dans la boule de cristal, qui émettait une lumière aveuglante chaque fois qu'on la touchait. Cela faisait crier l'oiseau, alors j'ai fermé les yeux et j'ai mis la boule de cristal dans la boîte sans fond. Ensuite, nous sommes retournés chez Aaron et nous avons demandé au miroir de *Blanche-Neige* ce que nous devions faire.

— Et qu'est-ce qu'il vous a dit ?

— D'aller te rejoindre au Jardin des Saisons. Il a précisé que nous aurions besoin d'une fleur pour rompre le sort : « *Dans la magique charmille, Betty rejoignez. Et, avec une fleur, la prison ouvrez.* » Nous avons supposé qu'il parlait de cet endroit.

— *Betty* ? Mon prénom, c'est Elizabeth ! Un jour, je vais vraiment fracasser ce fichu miroir !

— Désolée. Je te répète juste ce qu'il nous a dit.

— Je me demande de quelle fleur il s'agit, fis-je. Peut-être celle de *Jorinde et Joringel*[1], des frères Grimm ?

— Rafraîchis-moi la mémoire, s'il te plaît, intervint Aaron.

— Dans ce conte, une sorcière transforme Jorinde en oiseau, et Joringel trouve une fleur magique. Lorsqu'il touche Jorinde avec, elle redevient une fille.

— Très utile, commenta Aaron. C'est sans doute ce qu'il nous faut pour redonner à Anjali et Marc leur aspect humain. Où est-elle ?

— Je n'en ai aucune idée, admis-je.

— Elle est sûrement quelque part ici, assura Aaron. Le miroir ne ment jamais. Nous n'avons plus qu'à la trouver.

— À quoi ressemble-t-elle ?

Aaron haussa les épaules.

— Est-ce que c'est celle-ci ? demanda Jaya avec espoir, en cueillant une fleur dans l'herbe.

— Bien sûr que non, c'est un pissenlit, la rabroua Aaron.

— Comment tu sais que ce n'est pas un pissenlit magique ?

— Qu'est-ce qui te fait croire que c'en est un ?

---

1. Ce conte est présenté en fin d'ouvrage, à la page 502.

— Qu'est-ce qui te fait croire que ce n'en est pas un ?
Tout pourrait être magique, ici, assura Jaya.

— OK, très bien, céda Aaron. Teste-le. Sors la boule
contenant le Doc de la boîte sans fond.

Jaya ouvrit le coffret, y fourra son bras jusqu'à l'épaule
— c'était étrange, puisque le coffret mesurait seulement
huit ou dix centimètres de haut — et fouilla dedans.

— Tiens, Anjali !

Elle suspendit la marionnette par ses ficelles à un buis-
son et la tapa avec le pissenlit. Il ne se produisit rien.

— Contente-toi de trouver le Doc, lui ordonna Aaron
impatiemment.

Jaya se remit à fouiller dans la boîte.

— Dépêche-toi, Jaya, je t'en prie ! Nous avons besoin
du Doc.

— Calme-toi ! Ce n'est pas si facile. Il y a plein de
choses, là-dedans, et tout est emmêlé, se justifia Jaya.
Voilà, ça y est. Enfin, je pense.

Un éclat de lumière blanche, pareil à un concentré de
clair de lune, jaillit du coffret quand la fillette en extirpa
la boule de cristal. À travers la lumière, je vis vaguement,
à l'intérieur du globe, une silhouette qui ressemblait à
celle du Doc.

J'entendis un cri au-dessus de moi, et une chose
énorme tomba brusquement du ciel pour s'écraser à
nos pieds.

Andreas se cacha vivement derrière Jaya.

— Le *loiseau* qui a été blessé, bredouilla-t-il en montrant la chose du doigt.

Il avait raison. C'était l'oiseau que nous avions vu chez M. Stone. Sa gorge avait cessé de saigner, mais ses plumes étaient tachées de sang et l'une de ses ailes était toujours positionnée dans un angle improbable. L'animal n'arrêtait pas de crier.

— Pose la boule de cristal, Jaya! ordonnai-je. Je crois que c'est ce qui fait hurler l'oiseau.

Jaya laissa tomber le globe sur l'herbe et la lumière s'éteignit. L'oiseau se tut, mais continua à émettre de légers grognements.

— Tu crois que le fait de toucher le globe appelle l'oiseau? me demanda Aaron.

— Certainement, répondis-je. Cette pauvre bête est vraiment dans un piteux état!

L'oiseau tremblait.

— Le *loiseau* a un gros bobo, commenta Andreas, s'abritant toujours prudemment derrière Jaya.

Je trempai le foulard que j'avais autour du cou dans la fontaine et m'en servis pour nettoyer l'oiseau de son sang.

— Pourquoi tu fais ça? s'étonna Aaron. Cet oiseau a essayé de nous tuer, tu te rappelles?

— Tu ne vois pas qu'il souffre? lui répliquai-je.

Je rinçai mon foulard et tamponnai la blessure que l'oiseau avait au cou. Ce dernier gronda, mais ne me mordit pas.

– Gentil oiseau. Là, là…, dis-je en lavant ses plaies.

– Gentil oiseau? Oh, c'est sûr, qu'est-ce qu'il est gentil, cet oiseau! ironisa Aaron. Oublions-le, et trouvons plutôt cette fleur pour désensorceler le Doc.

– OK, la voici! annonça Jaya.

Elle brandit son pissenlit comme un magicien professionnel aurait brandi sa baguette magique, puis tapa le globe avec.

Rien.

– Ce n'est pas un pissenlit magique, conclut Aaron.

– Tu n'en sais rien, rétorqua Jaya. Peut-être que son pouvoir consiste à accomplir autre chose.

– Peu importe, dit Aaron. Allons cueillir d'autres fleurs.

Et il s'en alla en contournant la fontaine.

J'y remplis ma bouteille et versai un peu d'eau dans le bec de l'oiseau. Dans mon sac à dos, je trouvai une orange et l'approchai de la tête de l'animal. Ce dernier la happa et l'engloutit en trois bouchées, peau comprise, faisant gicler du jus sur l'herbe. Je frémis en me demandant ce que ma main serait devenue si elle avait été attrapée par ce bec.

– Attends-moi ici; je reviens tout de suite, lui promis-je.

— Au revoir, le *loiseau*, dit Andreas en posant la statuette de Marc près de la poupée Anjali, avant de me prendre la main.

L'eau de la fontaine jaillit dans quatre directions, et chaque jet produisit un torrent qui se transforma en ruisseau. Nous baissant vivement sous le premier avant qu'il ne touche le sol, nous pénétrâmes dans le bois. Là, c'était l'automne, comme dans la fenêtre ouest de Tiffany : ce parfait moment d'octobre où la flamboyance du feuillage atteint son paroxysme, où chaque érable brille d'orange et de rouge. Nous trouvâmes des asters violets, des castillejas à la tige haute, noire et duveteuse, qui me fit mal lorsque je les cueillis, et une rose. Celle-ci sentait merveilleusement bon, mais, quand nous regagnâmes la fontaine et la testâmes, elle ne rompit pas le sort jeté au Doc. Pas plus que les autres fleurs.

À présent, l'oiseau s'était levé et était perché sur le bord de la fontaine, la tête enfouie dans son aile intacte. Il paraissait endormi — ce devait être bon signe.

Ensuite, en nous baissant sous deux torrents projetés par la fontaine, nous nous rendîmes du côté de l'hiver. Le ruisseau gela et forma des glaçons aux formes compliquées. Tremblant de froid, nous trouvâmes un hamamélis, un chimonanthe et des clochettes blanches et cireuses sur un arbre vert à feuilles persistantes. Ces fleurs non plus ne libérèrent pas le Doc. L'oiseau ne se réveilla même pas lorsque nous frappâmes avec l'une d'elles la boule de cristal, qui émit un éclair de lumière. Il remua juste sur son perchoir.

— Vous l'avez ? s'enquit Jaya en revenant de la zone du printemps, les bras chargés de jonquilles, de crocus, de tulipes, de branches de forsythia et d'azalées rose vif.

Je secouai la tête.

Aaron, lui, revint de ses recherches avec des brassées de fleurs d'été, qu'il jeta sur l'herbe. Il se mit à taper systématiquement le globe avec chacune d'elles.

— Les roses ne fonctionnent pas, l'avertis-je avec obligeance.

— Oh ! Tu peux prendre celle-ci, alors.

Il fourra la rose dont il venait de se servir sous mon nez et l'agita.

— Arrête ! Ça chatouille ! m'exclamai-je en secouant la tête pour échapper à son petit jeu.

Aaron continua à agiter la fleur. J'attrapai son poignet, qu'il libéra de mon étreinte en le tournant.

— Ne bouge plus, me dit-il.

Il fixa la rose dans mes cheveux.

— Merci, fis-je.

— Hé, vous deux, vous avez fini votre numéro à l'eau de rose ?! lança Jaya. Vous voulez bien vous concentrer ?

— Quel numéro à l'eau de rose ?

— Contentez-vous d'essayer d'ouvrir la boule de cristal avec les fleurs.

Hélas, nous n'eûmes aucun succès.

— Il faut sans doute aller en cueillir davantage, conclut Aaron.

Andreas, lui, s'était remis à jouer avec l'herbe près de la fontaine.

— Jolie fleur, complimenta-t-il en agitant une mauvaise herbe qui ressemblait à de la menthe, et dont la longue tige portait de minuscules boutons blancs.

Elle n'était pas particulièrement jolie. Moi, je ne l'aurais sans doute pas remarquée.

— Qu'est-ce que tu as trouvé, Andreas ? demanda Jaya.

— À mon tour ! décida-t-il.

Il courut vers la boule de cristal, et tapa dessus avec sa fleur, qu'il tenait la tête en bas dans son petit poing.

À cet instant, l'oiseau poussa un grand cri rauque, et la boule s'ouvrit violemment, telle une bulle de savon qui aurait éclaté. Des gouttes volèrent partout autour, arrosant l'herbe. Le Doc bondit en l'air et reprit sa taille normale, si vite que je vis à peine les étapes de sa transformation.

— J'ai éclaté la boule ! s'exclama Andreas.

— Bravo, petit Merritt ! le félicita le Doc. *Circaea lutetiana*, hein ? L'herbe des sorciers[1] ?

---

1. *Circaea lutetiana* : autre nom de la circée de Paris, plante commune qu'on employait autrefois en lui attribuant de prétendues propriétés magiques.

Andreas hocha gravement la tête.

— Merci. Je commençais à me sentir à l'étroit, là-dedans, ajouta le Doc.

— Waouh! Bien joué, Andreas! m'écriai-je. Contente de vous revoir, Doc. Vous allez bien?

— Je pense que oui, merci. Je constate que vous avez apporté le kuduo. Bon travail! Ah, et voici Anjali et Marc. Il est beau en *mrammuo*, n'est-ce pas?

— Qu'est-ce qu'un *mrammuo*? demandai-je.

— Un poids en cuivre akan. Les Akans mesurent leur or en le mettant dans une balance avec, de l'autre côté, des poids en cuivre en forme d'hommes et d'animaux, alors il est naturel que l'un de leurs princes prenne cet aspect. Ce sonneur de gong est un personnage intéressant... Il symbolise le dévouement d'un individu pour la collectivité. Je me demande s'il annonce un événement prochain...

Quelque chose avait changé sur le visage du Doc, mais je n'arrivais pas à déterminer quoi.

— Comment vous êtes-vous retrouvé enfermé dans cette boule? l'interrogeai-je.

— Quelqu'un m'y a pris au piège.

— Qui?

— Je ne l'ai pas vu. Je me trouvais dans mon bureau quand cette personne est arrivée derrière moi. C'est sans doute l'un des bibliothécaires.

— Ainsi M. Stone avait raison! m'exclamai-je. Il nous a dit de ne pas faire confiance aux bibliothécaires. Il nous a même conseillé de ne pas *vous* faire confiance.

— Je parie que c'est Mme Minnian, déclara Aaron.

— Pourquoi? Parce qu'elle porte un chignon? fis-je.

— Parce qu'elle ne sourit jamais.

— Je serais extrêmement déçu si c'était Lucy — ou Martha, ou n'importe quel bibliothécaire, de toutes les façons, dit le Doc. Hélas, je crains que ce soit l'un d'eux, en effet. J'imagine que Wallace Stone avait une emprise sur la personne qui m'a piégé.

Je dévisageai le Doc. Ses taches de rousseur! Voilà ce qui avait changé : elles avaient disparu.

— Nous sommes en sécurité pour le moment, poursuivit le Doc au visage immaculé. Occupons-nous d'abord de Marc et d'Anjali.

— Laissez-moi faire, dit Andreas.

Il se précipita vers la figurine de cuivre, qu'il frappa avec l'herbe des sorcières. Sans aucun résultat.

— Bien essayé, Andreas, mais ce n'est pas le même sortilège qui a été jeté à ton frère, expliqua le Doc. Les princes et les princesses ensorcelés constituent un cas à part.

— Comment les désensorcelle-t-on? m'enquis-je.

— La méthode habituelle est celle du Baiser de l'Amour Véritable.

Aaron et moi nous regardâmes.

— Il faut que tu embrasses Anjali, lui lançai-je.

— Si tu embrasses Marc.

— Elizabeth ! Toi aussi, tu es amoureuse de Marc ? s'offusqua Jaya. Alors qu'il sort avec ma sœur ?

— Non ! démentis-je. Anjali est mon amie, et Marc… Eh bien, Marc est un prince. Jamais je ne rêverais de…

— Allez, embrasse-le, insista Aaron. Tu sais très bien que tu l'aimes. Toutes les filles l'aiment.

— Toi d'abord, me défilai-je.

— Tous les deux en même temps, quand j'aurai compté jusqu'à trois. Un, deux…

Je soulevai le petit poids en cuivre. J'étais tellement gênée que j'étouffais. Sa ressemblance avec Marc était si parfaite… ! J'avais l'impression d'être dans un rêve… Vous savez, l'un de ces rêves où vous faites quelque chose avec quelqu'un que vous ne feriez jamais dans la vraie vie… Enfin, vous voyez ce que je veux dire…

— … trois !

Je fermai les yeux et j'embrassai Marc. Le métal était froid sur mes lèvres.

Je rouvris les yeux. Marc était toujours une figurine.

Aaron tenait la poupée Anjali.

— Tu l'as embrassée ? l'interrogeai-je.

— Alors, tu ne mentais pas, commenta-t-il. C'est vrai que tu ne l'ai…

— Est-ce que tu as embrassé Anjali ? répétai-je.

— Non, pas encore.

— Tricheur ! Qu'est-ce que tu attends ?

— Je t'observais. Je voulais voir si... Je souhaitais savoir...

— Allez, Aaron ! Dépêche-toi d'embrasser ma sœur ! s'impatienta Jaya. Il faut qu'elle redevienne comme avant — même si elle m'énerve et qu'elle veut tout le temps me commander.

Aaron haussa les épaules et porta la marionnette à ses lèvres.

Je me surpris à retenir mon souffle.

Il embrassa Anjali.

Il ne se passa rien. Anjali demeura un pantin.

J'expirai lentement. Mon cœur, découvris-je, battait la chamade. Aaron me regarda. Je détournai les yeux.

— Ce n'est pas n'importe quel baiser qui fonctionnera, seulement le Baiser de l'Amour Véritable, rappela le Doc.

— Super, ironisai-je.

Malgré moi, je sentis mon cœur s'envoler. Finalement, Aaron n'aimait pas Anjali !

— Le Baiser de l'Amour Véritable — où allons-nous dégoter ça ? demandai-je.

— Dans le fan-club de Marc Merritt ? suggéra Aaron.

— Le Doc a dit « le Baiser de l'Amour Véritable », pas « le Baiser d'une Amourette d'Adolescente », précisai-je.

— Et si Andreas embrassait Marc ? proposai-je. Il aime sincèrement son frère.

— Cela ne marchera pas, prédit Aaron. Il l'a déjà fait, sans succès. Nous avons besoin du Baiser de l'Amour Véritable, pas du Baiser de l'Amour Fraternel.

— Vous savez qui aime Anjali et Marc ? demanda Jaya. *Eux-mêmes*, puisqu'ils sont amoureux l'un de l'autre !

Sur ce, elle saisit les deux figurines et écrasa leurs visages l'un contre l'autre.

— *Smack, smack, SMACK !* cria-t-elle.

— Oh, comme si ça, ça allait marcher ! la raillai-je en levant les yeux au ciel.

— Attends – regarde ! me lança Aaron.

L'air autour d'Anjali et de Marc s'épaissit, m'évoquant un brouillard de diamants. Je sentis la fleur dans mes cheveux bouger. Un parfum de roses emplit l'atmosphère, comme si toutes celles du Jardin des Saisons avaient accouru pour assister à la scène. Des couleurs tourbillonnèrent dans la brume. Celle-ci s'intensifia, lentement, lentement, jusqu'à former une vraie purée de pois. Et, tout aussi lentement, elle se dissipa.

Apparurent alors Marc et Anjali, grandeur nature. Ils se tenaient la main, le regard plongé dans les yeux de l'autre. Ils semblaient parfaitement humains – du moins, aussi humains qu'un couple d'amoureux peut sembler l'être.

26

La volonté d'une bibliothécaire

— Mon *fer*! s'exclama Andreas en se jetant dans les jambes de Marc.

Celui-ci baissa la tête. Il ne dit rien. Il ouvrit juste grand les bras et souleva Andreas, à qui il fit un énorme câlin, avec un sourire à se décrocher la mâchoire. Ce que j'éprouvais pour Marc n'était peut-être pas de l'amour véritable, mais je trouvais tout de même ce garçon incroyablement beau, surtout lorsque la joie illuminait son visage.

Il se tourna vers Jaya :

— Merci.

— Oui, tu as fait du bon travail, ma petite! déclara Anjali en serrant sa sœur contre elle. Même si je me serais volontiers passée de toutes ces manipulations «marionnestiques» !

— Je t'aimais bien en marionnette, grommela Jaya. Reconnais au moins que je suis une marionnettiste talentueuse. Si je ne l'étais pas, tu serais toujours un pantin avec des fils dans le dos.

— Content de vous revoir, vous deux, ajouta le Doc.

— Merci, répondit Marc, avant de s'éclaircir la voix. Hé, Aaron ! Je… euh… Je suis désolé de ne pas t'avoir fait confiance. Tu as tenté de me protéger de Badwin, chez elle. Je te revaudrai ça.

Il est difficile d'avoir l'air digne et repentant lorsqu'on a un garçon de trois ans qui gazouille sur ses épaules, mais ce n'était pas un problème pour Marc.

— Ouais, bon…, marmonna Aaron, apparemment gêné. C'était plutôt raté, hein ?

— Ce n'est pas la question. Badwin aurait pu te tuer. Merci.

— Oui, merci, Aaron, ajouta Anjali.

Elle se pencha et embrassa Aaron sur la joue. Il devint tout rouge et me regarda.

Soudain, je sentis comme une brise souffler sur moi ; j'eus l'impression que j'allais m'évanouir.

— Elizabeth, attention ! hurla Jaya.

L'énorme oiseau avait ouvert les yeux, s'était envolé et fonçait à présent droit sur moi. Je me baissai vivement et j'enfouis mon visage dans mes bras. Il se posa sur mon épaule (je crus recevoir le poids d'une moto) et tendit vers ma tête son grand bec crochu.

J'étais trop terrifiée pour crier. Je fermai les yeux. Pourquoi donc avais-je soigné cet animal quand il était mourant ? Était-ce ainsi qu'il me remerciait ?

Trouvant qu'il fallait un temps fou à l'oiseau pour me réduire en charpie, j'osai cependant lui jeter un coup d'œil furtif.

— *Croac !* me lança-t-il.

Puis, avec son bec effrayant, il commença à peigner doucement mes cheveux.

— On dirait que tu t'es fait une amie, Elizabeth, commenta le Doc.

L'oiseau — une femelle, comme le Doc venait de me l'apprendre — me considéra avec l'un de ses yeux jaunes, qui était grand comme un bol.

— Je crois que Jacquotte aime qu'on la gratte sous le menton, ajouta le Doc.

— Mais elle est blessée… au cou…

Ce n'était plus vrai. La blessure avait disparu. Mes doigts ne rencontrèrent que des plumes douces.

— Tu as nettoyé sa plaie avec l'eau de la fontaine, n'est-ce pas ? Cette eau possède des pouvoirs de guérison.

— *Criic !* fit l'oiselle doucement.

Elle prit mon lobe dans son bec et tripota ma boucle d'oreille avec sa langue.

— Tu es lourde, et tu me chatouilles, protestai-je. Docteur Rust, qu'est-ce que c'est, comme oiseau ?

— Je ne sais pas exactement, sans doute un hybride. Elle ressemble à un rock[1], mais en beaucoup plus petit.

— En beaucoup plus petit ? !

C'était l'oiseau le plus gigantesque que j'eusse jamais vu, et même dont j'eusse jamais entendu parler.

Le Doc confirma d'un signe de tête et m'expliqua :

— Les rocks font la taille d'une maison — une grande maison. Notre amie, ici présente, tiendrait tout à fait dans un studio de Manhattan. De plus, elle a des peignes[2] sur les ailes, et la cire[3] rose. Il se peut que ce soit le croisement d'un rock et d'une perruche.

— Une perruche ? Ces petits oiseaux qu'on achète dix dollars à l'animalerie ?

Le Doc opina du chef.

— Tu es une sacrée grosse perruche, dis donc ! soufflai-je à l'oiselle.

— *Croc !* approuva-t-elle.

— Et tu me chatouilles toujours.

— Pourquoi Jacquotte est-elle gentille maintenant, alors qu'elle a essayé de nous tuer il y a quelques

---

1. Rock : oiseau fabuleux des légendes orientales, d'une force et d'une taille prodigieuses.
2. Peigne : rangée de poils.
3. Cire : membrane molle qui recouvre la base du bec des oiseaux.

heures ? demanda Jaya. Ce n'est pas le monstre qui vous poursuivait ?

— Wallace Stone a dû lui jeter un sort, et l'eau de la fontaine l'a désensorcelée, devina le Doc.

— Mais pourquoi me suivait-elle ? interrogea Anjali.

— Je parie que M. Stone l'avait envoyée pour te kidnapper, dans le but de te vendre à l'un de ses clients, suggérai-je.

— C'est possible, reconnut le docteur Rust. Ou bien il voulait nous lancer sur une fausse piste, de crainte qu'on ne le démasque. J'ai honte d'admettre que son plan a fonctionné. Je pensais réellement qu'il était de notre côté. Et, d'ailleurs, où est le kuduo ?

— Ici, répondit Marc en lui tendant la boîte magique.

— Merci.

Le Doc en ôta le couvercle, prononça quelques mots que je ne compris pas, et en versa le contenu sur l'herbe.

— Voyons si nous pouvons découvrir qui m'a enfermé dans cette boule. Je mettrais ma main à couper que Wallace Stone s'est servi d'une de ces cautions pour contrôler cette personne.

Les contenus du kuduo s'entassèrent en un monceau brillant. Je vis mon sens de l'orientation – clair, complexe, embarrassant – tomber du récipient.

— Oh ! ne pus-je m'empêcher de m'exclamer.

Andreas tapa violemment sur les épaules de son frère en exigeant :

— Laisse-moi descendre !

Marc le souleva et le posa sur l'herbe, et Andreas courut observer ma capacité perdue. Il tendit une main et la toucha du doigt. Pendant un moment, j'eus le vertige.

— Ne t'inquiète pas, Elizabeth, me rassura le Doc. Maintenant que Wallace Stone n'est plus là pour nous causer des ennuis, je suis sûr que nous allons retrouver ce peigne. Tu pourras alors récupérer ton sens de l'orientation.

À présent, les contenus du kuduo se déversaient moins vite. Doc secoua la boîte et en sortit un objet plat et sombre, puis un deuxième, cotonneux, semblable à de la barbe à papa, et un troisième, pointu, qu'il posa précautionneusement par terre. Ensuite, une chose luisante sortit très lentement du kuduo. Elle paraissait indéterminée, vulnérable, telle une pensée avant d'être verbalisée.

— Oh, mon premier-né ! s'écria Aaron, le souffle coupé par l'émotion.

— Je n'arrive pas à croire que tu l'aies échangé contre le miroir de *Blanche-Neige* ! dis-je, choquée.

— Je ne l'ai pas échangé ! se hérissa Aaron. Je l'ai laissé en caution — et pas pour une utilisation personnelle du miroir, mais pour que nous puissions sauver Anjali ! Je pensais qu'il serait en sécurité dans le kuduo !

— Il l'est, le rassura le Doc. Tu as gardé le miroir en lieu sûr, n'est-ce pas ? Alors, tu ne devrais pas avoir de problème pour reprendre ta caution... Ah, voici ce que je cherchais...

Une forme dure et anguleuse tomba bruyamment du kuduo. Elle s'effondra sur l'herbe, écrasant les pissenlits. Le Doc la ramassa et la tourna de tous les côtés.

— Qu'est-ce que c'est ? l'interrogea Anjali.

— La volonté de quelqu'un.

— De qui ?

— Je ne sais pas trop — je suppose que c'est celle de l'individu qui m'a enfermé dans la boule. Nous allons bientôt le découvrir. Je vais l'appeler grâce à sa caution. Car il est obligé d'obéir à qui contrôle sa volonté.

Le Doc enroula une partie de l'objet autour de l'un de ses doigts et serra fort.

— Bon, cette personne est en train de venir vers nous, affirma-t-il.

— Ici ? demandai-je.

Le Doc hocha la tête.

— Vous êtes certain que ce n'est pas dangereux ? s'alarma Anjali.

— Oh, je doute que cette personne ait voulu me faire du mal. Sa volonté se trouvait dans les mains de Wallace Stone ; à présent, elle est dans les miennes. Je ne laisserai cet individu s'en prendre à personne. Qui a la Clé d'or ?

Aaron ? Ça te dérangerait d'aller ouvrir la porte à la personne qui arrive ?

— Pas du tout, répondit Aaron.

— Pendant ce temps-là, vous autres, vous pourriez remettre toutes les cautions dans le kuduo, suggéra le Doc, vu que j'ai les mains pleines.

— Je m'en charge, s'empressa de proposer Jaya.

Elle se mit à ramasser les objets et à les fourrer pêle-mêle dans la boîte magique.

— Doucement, Jaya ! conseilla le docteur Rust. Certaines de ces choses sont... sensibles.

Anjali et moi allâmes aider la fillette. Cette tâche me mit mal à l'aise. Tous ces objets me faisaient peur ; certains, au point que j'hésitais à les toucher. Jaya, elle, n'avait pas ces craintes.

— Qu'est-ce que c'est ? demanda-t-elle.

Elle tenait une chose longue, translucide, en forme de pull, sur laquelle j'avais du mal à fixer mon regard.

— C'est la pudeur de quelqu'un, répondit le Doc.

— Comment ça marche ? s'enquit Jaya.

Elle fourra sa main dans l'objet, le retourna et en fouilla les plis avec ses doigts.

— Arrête, Jaya ! lui ordonnai-je. Tu es très indiscrète.

La fillette éclata de rire :

— Visiblement, ce n'est pas *ta* pudeur, car tu viens de prouver que tu as un grand sens de l'intimité !

Sur ce, elle rangea la caution dans le kuduo.

— Moi aussi, je veux vous aider, déclara Andreas, en nous tendant des cautions qu'il avait saisies par les coins.

— Merci, Andreas, dis-je.

Je ramassai un gros objet orange en pensant qu'il ne rentrerait jamais dans le kuduo, mais je l'y plaçai sans peine.

— Oh, voilà le premier-né d'Aaron ! reconnut ensuite Anjali.

— Bébé ! s'exclama Andreas en touchant cette caution avec un doigt.

— Je m'en occupe, proposai-je en la prenant dans mes mains en coupe.

Je la tins pendant une minute avant de la glisser dans la boîte magique. Elle trembla un peu — ou était-ce moi qui tremblais ?

— Et voici ton sens de l'orientation, annonça Anjali en me le tendant.

Il tourbillonna sur le bout de mes doigts.

— Tu veux bien le prendre ? demandai-je à Anjali. J'ai le vertige rien qu'à le regarder.

— Bien sûr.

Anjali plia soigneusement mon sens de l'orientation, qu'elle rangea avec les autres dépôts.

Peu de temps après, Aaron apparut de l'autre côté de la fontaine. Il vint vers nous, en se baissant sous les jets d'eau. Il y avait quelqu'un avec lui. Nous nous redressâmes tous.

— Martha, souffla le Doc en levant la caution de la volonté. Est-ce que ceci est à vous ?

— Oh, vous l'avez retrouvée ! Dieu merci !

Mme Callender se jeta presque sur le docteur Rust, puis s'arrêta et nous observa tous avec gêne.

— Veuillez vous asseoir, Martha, lui intima le docteur Rust, d'un ton sévère mais sans colère.

La bibliothécaire s'installa gauchement sur l'herbe. L'inquiétude ridait son visage rond.

— Avez-vous laissé ceci en caution ? Je n'ai pas trouvé de fiche d'emprunt, signala le Doc.

Mme Callender grimaça, mais ne répondit rien.

— Oh, je comprends : vous ne pouvez pas me répondre. Wallace Stone a dû faire un nœud à votre langue pour vous empêcher d'évoquer ce sujet sensible. Laissez-moi réparer ça.

Le Doc retourna la volonté de Mme Callender.

La bibliothécaire poussa un soupir et se détendit.

— Ah, voilà qui est mieux ! se réjouit-elle. Merci, Lee.

— Pouvez-vous parler, à présent ? De Wallace, j'entends.

— Je pense que oui.

— Alors, cette fiche d'emprunt ?

— J'en ai bien rempli une et je l'ai classée. Mais une fois qu'il a été en possession du kuduo, Wallace s'est emparé de ma volonté et m'a contrainte à la déchirer, expliqua Mme Callender. Je suis tellement navrée. Je ne pensais vraiment pas...

— Nous non plus.

Doc soupesa sa volonté.

— Quel objet avez-vous emprunté en échange de votre volonté ?

— C'est peut-être ce qu'il y a de pire. C'est si embarrassant...

Mme Callender hésita. J'eus tellement pitié d'elle que j'eus envie de rentrer sous terre. Pourquoi devait-elle avouer devant nous tous ?

— Continuez, insista le Doc.

— J'ai emprunté Petite-table-sois-mise, le modèle français. Je me suis crue si maligne ! J'ai réglé ma volonté sur la modération, puis je l'ai déposée dans le kuduo, où il ne m'était plus possible de la modifier. De cette façon, je pouvais manger de la nourriture délicieuse, sans en abuser. C'était censé être un programme de régime.

— Un régime. C'est logique.

Mme Callender opina tristement du chef.

— Cela fonctionnait, jusqu'à ce que Wallace Stone subtilise ma volonté... et pratique sur moi son méchant et légendaire sens de l'humour. Depuis, je ne mange que des chips de maïs — alors que je n'aime même pas ça.

— Vous savez ce qu'est devenue la table ? l'interrogea le Doc. Je suppose que Wallace l'a prise ?

— Il sera facile de le découvrir si nous attrapons Wallace. Il note tout scrupuleusement. Il détient une grande quantité de pièces puissantes. Nous devons absolument l'empêcher de continuer à voler les objets de la Collection Grimm !

— Ne vous inquiétez pas — les magasiniers l'ont attrapé. Elizabeth l'a conduit là où habite Grace et l'y a laissé en plan.

— C'est vrai ? Oh, merci, tu es un ange ! s'exclama Mme Callender en me serrant fort dans ses bras.

— De rien, répondis-je, gênée.

— Alors, pouvez-vous retrouver les objets que Wallace a volés ? demanda le Doc.

Mme Callender hocha la tête :

— J'ai vu ses notes, car je devais l'aider dans sa paperasse. Il a certes vendu un grand nombre de ces pièces, mais il consignait l'adresse de leurs acheteurs. Cela prendra peut-être du temps, mais les avocats du Dépôt auront toutes les preuves pour les récupérer.

— Comment s'y est-il pris pour voler ces pièces ? s'enquit Anjali. Nous n'avons pas compris s'il les vidait de leur magie ou s'il les remplaçait par des faux.

— Il demandait à ses stagiaires de les sortir de la collection, puis il en réalisait des copies à l'aide du déréificateur. Du moins, avant qu'il ne s'empare de ma volonté. Les derniers objets qu'il a volés, il m'a forcée à les prendre dans la collection.

— Est-ce que Zandra, la magasinière qu'on a renvoyée, travaillait pour lui ? demanda le Doc.

— Oui. Il était furieux qu'elle ait échoué à l'examen donnant accès aux Collections Spéciales.

— Et Mona Chen ?

Mme Callender secoua la tête et expliqua :

— Elle aussi, il a tenté de la corrompre. Il l'a menacée de faire expulser sa famille, mais elle a refusé et a disparu avec tous les siens. Je suppose qu'ils se cachent. Cela, également, l'a mis très en colère.

— C'est tout de même un soulagement d'apprendre ça, commenta le Doc. Nous devrons trouver un moyen de faire savoir à Mona qu'elle peut revenir, que nous avons neutralisé M. Stone.

— Ainsi, il s'est confié à vous ? m'étonnai-je. Il ne craignait pas que vous essayiez de contrecarrer ses plans ?

— Il répondait à toutes mes questions et se vantait de ses agissements. Comme il détenait ma volonté, il se croyait intouchable. Cet homme a toujours aimé fanfaronner.

— Mais, attendez une minute..., intervint Aaron. Comment M. Stone a-t-il effectué les copies des pièces ? Je croyais qu'on ne pouvait pas dupliquer la magie des objets avec un déréificateur.

— Pas complètement ni de façon permanente, mais on peut s'en approcher pendant un moment, expliqua Mme Callender. Le MIT[1] travaille d'ailleurs sur des déréificateurs de pointe. Wallace a réussi à effectuer des copies temporaires assez convaincantes. Et c'est pourquoi ces pièces ont perdu leur magie après qu'un trop grand nombre d'usagers les ont empruntées.

— Donc, si mon peigne de sirène est un faux, où est le peigne authentique ?

— Je pense qu'il se trouve à Hollywood, révéla le docteur Rust. Je suis certain que nous finirons par le retrouver, mais il ne faut pas être pressé. Ils ont de gros moyens et des avocats têtus, là-bas. Je suis navré, Elizabeth.

— En attendant, je te conduirai où tu auras besoin d'aller, me proposa Jaya. J'ai un super sens de l'orientation, moi.

— Merci, Jaya, répondis-je avec tristesse.

— Plus vite nous nous mettrons au travail, plus vite nous récupérerons ton sens de l'orientation, et tout le reste, affirma le Doc. Aaron, tu as toujours la Clé d'or ?

Aaron leva la clé en l'air.

— Bien. Marc, tu veux bien porter le kuduo ?

Le Doc contourna la fontaine en passant sous deux ruisseaux jaillissants, et nous mena à travers le bois de

---

1. MIT : Institut de technologie du Massachusetts, considéré comme l'une des meilleures universités mondiales en sciences et en technologies.

l'hiver, Jacquotte battant bruyamment des ailes au-dessus de nos têtes. Nous parvînmes à un mur haut qui semblait décrire des courbes à perte de vue. Y était inséré un portail en fer forgé bas, à travers lequel je vis les lumières fluorescentes et mornes du Rayonnage 1, le Cachot. Aaron sortit la Clé d'or et ouvrit la porte.

Jacquotte se posa sur le battant et nous regarda, l'air d'attendre quelque chose.

— Non, toi, petit rock, tu ne viens pas, déclara le docteur Rust. Je regrette, mais tu ne peux pas aller chez Elizabeth. Tu vas devoir rester ici pour le moment.

— *Crrric !* protesta l'oiseau en glissant la tête à l'intérieur.

— C'est plus joli dans le jardin, affirma le docteur Rust. Et Elizabeth te rendra visite.

— Comment j'entrerai et je sortirai ? m'enquis-je. Je devrai emprunter la Clé d'or ? Ou est-ce que mes tennis m'aideront ?

— Tu pourras utiliser la Clé d'or, si tu y arrives. Car elle ne se laisse pas facilement attraper.

— Au revoir, Jacquotte. Je reviendrai te voir bientôt, promis-je. Tout le monde n'a pas la chance d'être amie avec un monstre terrifiant qui vit dans un jardin magique !

27

Une promenade en tapis

La soirée du lundi fut quelque peu décevante. Non pas que je m'attendais à ce que mes parents se doutent de mes aventures – après tout, j'étais rentrée à temps pour aider à préparer le dîner. Cependant, après avoir été réduite à la taille d'une canette de soda et avoir failli être dévorée par un rat, après avoir vaincu un marchand d'art véreux, aidé à libérer un prince et une princesse d'une collectionneuse obsessionnelle, et fait le voyage aller-retour jusqu'à Nulle part, je fus presque outrée qu'on me demande d'éplucher des pommes de terre. D'habitude, à la fin des contes de fées, les filles de cuisine obtiennent au moins une promotion.

Le lendemain midi, à la cantine du lycée, Marc me fit signe de venir m'asseoir à sa table, où il déjeunait avec les stars de l'équipe de basket et leurs copines.

— Je vous présente mon amie Elizabeth Rew, annonça-t-il en posant le bras autour de mes épaules. Nous travaillons ensemble après les cours. Elle m'a sauvé la vie quand j'ai eu des problèmes avec notre patron.

— Salut, Elizabeth ! dirent les basketteurs en m'adressant un signe de tête.

Leurs copines me sourirent poliment.

Puis tous reprirent leurs conversations. Je ne me sentais pas à ma place. N'empêche que c'était l'intention qui comptait.

Après le déjeuner, M. Mauskopf m'arrêta dans le hall.

— Beau travail ! me félicita-t-il. Lee Rust m'a raconté tes aventures. Ça aurait été encore mieux si tu avais empêché Marc de voler le kuduo, bien sûr. Ah, l'arrogance des princes ! Et vous auriez dû tous les deux venir aussitôt me demander de l'aide. Enfin, tes amis et toi avez sorti Lee d'un sacré pétrin et avez rendu un immense service au Dépôt. Je suis fier de toi.

— Merci, monsieur Mauskopf, répondis-je, rouge comme une écrevisse.

Ce soir-là, mon téléphone sonna.

— Elizabeth ? C'est Jaya. D'après toi, qu'est-ce que je devrais faire de toutes les poupées que j'ai récupérées ? Il n'y a même pas de prince pour les embrasser. Elles doivent s'ennuyer à mourir, à rester assises, comme ça.

— Qu'en pense Anjali ?

— Pfff, tu parles ! Elle a dit à notre mère qu'elle allait chez toi alors qu'elle est partie traîner avec Marc.

— Oh ! Je demanderai l'avis du Doc la prochaine fois que j'irai à la bibliothèque.

— Merci. Tu crois que je devrais jouer avec elles ?

Je réfléchis. Si j'étais une poupée, aurais-je envie qu'une fillette de dix ans un peu trop énergique me cogne partout en jouant avec moi ?

— Et si tu leur faisais écouter de la musique ? suggérai-je. Tu pourrais aussi les placer dans un endroit d'où elles regarderaient la télé.

— Mes parents refusent d'installer une télé dans ma chambre. Zut, il faut que je raccroche ; ma mère m'appelle.

Au Dépôt, je cherchai longtemps le bureau du Doc.

— Avez-vous récupéré le peigne de sirène ? lui demandai-je lorsque je le trouvai enfin.

Je fus soudain frappée par une chose étonnante :

— Vos taches de rousseur ! Elles sont revenues !

Le Doc acquiesça.

— Elles me relient au Jardin des Saisons, m'expliqua-t-il. Là-bas, ce sont des étoiles dans le ciel. Ici, ce sont seulement des taches sur mon visage.

— C'est… cool, commentai-je. Et comment obtient-on des taches de rousseur-étoiles ?

— Elles sont apparues quand j'ai pris ce travail. Bon, à propos de ton sens de l'orientation... Je suis désolé de t'apprendre que nous n'avons pas encore retrouvé le peigne. Je pense que cela prendra un an, peut-être plus. En attendant, j'ai pensé que tu pourrais te servir de ceci. Le conseil d'administration du Dépôt a donné son accord pour que je te prête cet objet aussi longtemps que tu en auras besoin.

Le Doc me tendit une bague en métal gris — sans doute du fer ou de l'acier —, ornée d'une pierre en argent ressemblant à un miroir.

Je la mis à mon doigt.

— Merci. Quel est son pouvoir ?

— Si tu penses à ce que tu souhaites, elle t'indique où aller pour le trouver. Essaie donc.

Je pensai au déjeuner. Je sentis alors l'anneau me tirer doucement vers la porte. Je pensai à mon amie Nicole. Il me tira doucement vers la porte. Je pensai à la patinoire de Central Park. Il me tira encore doucement vers la porte.

— Peu importe à quoi ou à qui je pense, la bague me tire toujours vers la porte, expliquai-je.

— Est-ce que tu penses à des objets qui se trouvent dans cette pièce ?

— Non.

— Bien, donc elle fonctionne. Il faut d'abord que tu passes la porte avant de pouvoir aller ailleurs.

C'était logique.

— Cet anneau m'aurait-il conduit à Anjali quand nous ignorions où elle était ? Et si je pense à la paix dans le monde, la bague me mènera-t-elle là où je pourrai la faire se réaliser ?

— Non. Elle est magique, pas miraculeuse. Elle te montre seulement un point de départ, qui est déterminé en fonction de ton souhait. C'est à toi seule d'accomplir le vrai travail. Comme dit le proverbe akan : « Ta beauté te conduira peut-être là-bas, mais c'est ton caractère qui te ramènera. »

— Oh ! Dommage. Enfin, merci quand même.

— C'était le moins que je puisse faire.

— Et toutes les personnes qui ont emprunté les contre-façons que M. Stone a fabriquées à l'aide du déréificateur ? Elles ne récupéreront jamais leurs cautions ?

Le Doc hocha la tête.

— Elles les ont déjà récupérées, me révéla-t-il. Tu es la seule qui possédais toujours un faux après que sa magie eut cessé d'opérer. Sans doute est-ce parce que nous avions prolongé ton prêt d'une journée. Les contrefa-çons étaient conçues pour faire illusion pendant le temps de presque trois emprunts, mais elles perdaient leur magie le quatrième jour du troisième emprunt.

— Et avez-vous retrouvé les vrais objets, ceux que Stone a copiés ?

— Certains. Il y en avait dans son appartement, qui attendaient d'être vendus. Nous sommes en train de contacter ses clients. La plupart ont été consternés d'apprendre qu'ils avaient acheté des articles volés. Ils nous les renvoient. Quelques-uns ne sont pas d'accord pour nous les restituer, mais nous comptons quelques excellents avocats parmi notre ancien personnel. Je suis certain que ces pièces finiront par réintégrer le Dépôt.

— Oh, j'ai failli oublier : Jaya Rao voudrait savoir ce qu'elle doit faire des poupées-princesses que Mme Badwin collectionnait.

— Ah, oui, les princesses ! C'est un problème, soupira le Doc. Dis-lui de les apporter à la bibliothèque. Avec le fuseau de la Belle au bois dormant, je leur jetterai un charme qui les fera dormir pendant un moment. Nous les conserverons ici en attendant de décider de leur sort. La plupart d'entre elles seraient désorientées de se retrouver dans l'Amérique du XXIᵉ siècle, en supposant même que nous puissions les désensorceler.

— Le Baiser de l'Amour Véritable ne fonctionnerait-il pas ?

— En théorie, si. Mais Gloria Badwin aimait les objets anciens. Il sera peut-être difficile de trouver quelqu'un qui aime véritablement une princesse ayant vécu il y a plus d'un siècle. D'un autre côté, il paraît que le véritable amour perdure après la mort, alors il y a peut-être de l'espoir.

Je me demandai si un fantôme pourrait donner le Baiser de l'Amour Véritable.

— Au fait, puisqu'on parle de relations affectives, reprit le Doc, voici la Clé d'or, si tu veux aller rendre visite à ton amie l'oiselle. Rapporte-la-moi avant de quitter la bibliothèque.

Anjali me téléphona le jeudi suivant pour me demander si elle pouvait m'accompagner au match de basket, le lendemain.

— Tu pourrais venir chez moi après les cours. On passerait tant de temps sur nos devoirs que tu resterais dîner. Et on irait au match ensuite.

Le moment venu, Jaya insista pour se joindre à nous.

— Si je ne t'avais pas libérée, tu serais toujours une marionnette, et Marc mesurerait toujours sept centimètres et demi. Il ne jouerait pas beaucoup au basket, dans ce cas, hein ? Je veux le voir jouer !

— Oh, laisse-la donc nous accompagner, dis-je à Anjali.

Celle-ci poussa un soupir et céda en haussant les épaules.

Aaron arriva juste avant le début du match, avec, cette fois, une écharpe blanche et violette autour du cou. Il salua chaque panier de Marc par des hourras. Le match fut satisfaisant mais pas si passionnant que ça : à la fin du premier quart-temps, nous menions de six points, et nous conservâmes notre avance jusqu'à la dernière seconde de jeu. Lorsque Aaron alla aux toilettes après le troisième quart-temps, Katie, une élève de mon cours de français, se pencha vers moi et me demanda :

— C'est ton petit copain ? Il est vraiment mignon !

— Qui ? Aaron ? Non, ce n'est qu'un ami, niai-je.

— C'est faux ! me contredit Jaya. C'est carrément ton amoureux !

— Ce n'est pas vrai. Nous travaillons juste ensemble après les cours.

— Ne l'écoute pas, insista Jaya. Elle lui plaît. Ils se disputent tout le temps, et il lui met toujours des fleurs derrière l'oreille.

— Jaya ! Tu racontes n'importe quoi !

Katie sourit et ajouta :

— J'ai compris. Il est mignon, mais il est pris. C'est toujours pareil !

Lorsqu'il revint des toilettes, Aaron s'assit derrière moi. Il posa une main sur mon épaule et me chuchota à l'oreille :

— Tu peux t'adosser contre moi ; ça ne me dérange pas.

Je m'appuyai alors contre ses jambes, les joues enflammées. D'un geste distrait, il joua avec mes cheveux. J'aurais voulu avoir un peigne de sirène en état de fonctionnement. Pourtant, Aaron paraissait aimer mes cheveux tels qu'ils étaient. Jaya sourit, satisfaite. J'essayai de me concentrer sur les basketteurs et de l'ignorer, mais c'était difficile.

Un peu plus tard, une clameur alentour me fit prendre conscience que le match était terminé et que nous avions gagné.

— Tu as faim ? me demanda Aaron. Tu veux aller manger quelque chose ?

— Je crois que certains d'entre nous vont chez Jake's Joint, dis-je.

— Tu peux venir, proposa Jaya à Aaron.

— Toi, tu ne viens pas, lui interdit Anjali.

— Bien sûr que si !

— Non. Il est tard. Il ne faut pas fâcher papa et maman, sinon ils t'interdiront de retourner à un match de basket.

— S'il le plaît ! supplia Jaya. Juste un soda !

— Je la ramènerai chez vous ensuite, offris-je.

— Bon, d'accord, viens, mais juste pour boire un truc.

Aaron marcha à mes côtés pour aller au petit restaurant. Une fois à l'intérieur, il me tira une chaise.

— Quel gentleman ! fis-je. Je ne risque rien en m'asseyant ? Un elfe invisible ne va pas enlever la chaise au dernier moment ?

— On ne le sait jamais tant qu'on n'a pas essayé, répondit Aaron.

Aaron ne retira pas la chaise, mais, un peu plus tard, il mangea mon cornichon.

— Hé! objectai-je.

— Désolé — tu avais l'intention de le manger? Je n'en avais pas l'impression.

— Tu aurais pu me demander.

— Tu aurais pu m'en empêcher.

— Ouh, les amoureux! fit Jaya en finissant sa boisson à grand bruit.

— OK, Jaya. Tu as bu ton soda. Il est temps de rentrer, maintenant, déclara Anjali.

— Mais je n'ai pas fini! protesta Jaya en faisant des bulles avec sa paille pour montrer qu'il restait du liquide dans son verre. Tu vois?

— Arrête de faire ces bruits dégoûtants, ou je ne t'amènerai pas au prochain match.

— Je te préférais en marionnette! répliqua Jaya en se levant cependant, et en enfilant son manteau.

Je me mis debout à mon tour.

— Prête? lui demandai-je.

— Tu es sûre de vouloir la reconduire chez nous, Elizabeth? m'interrogea Anjali. Je peux le faire.

— Oui, oui. Toi, tu restes ici avec Marc.

— Tu reviens après, alors?

Je secouai la tête:

— Je dois rentrer. Ma belle-mère me tuera si je laisse la vaisselle sale jusqu'à demain matin.

Anjali prit un air compatissant.

– Merci, Libbet, fit Marc. À lundi, donc.

Bien que d'habitude je déteste les surnoms, je ne protestai pas. Si Marc Merritt avait envie de m'en donner un devant le gratin de Fisher, je n'y voyais pas d'inconvénient. En outre, cela me rappelait l'adorable Andreas.

– Fais un gros bisou à ton frère de ma part, dis-je.

Aaron se leva et mit son manteau.

– Je t'accompagne, proposa-t-il.

– Oh, oui, Aaron ! Viens avec nous ! s'écria Jaya en me faisant un clin d'œil.

– Merci... mais je suis capable de m'orienter, maintenant, déclarai-je, gênée.

– Non, ce n'est pas vrai ! répliqua Jaya. Aaron, il faut absolument que tu nous accompagnes !

Je ne répondis rien jusqu'à ce que nous soyons dehors. Alors je montrai à Aaron et Jaya ma bague des souhaits. La fillette voulut l'essayer.

– Hé, c'est super ! commenta-t-elle. La salle de Madison Square Garden est réellement par là ?

– Le métro le plus proche, oui – parce que tu devrais le prendre pour aller là-bas ! Tu peux me rendre ma bague, maintenant ?

Nous atteignîmes l'immeuble des Rao.

– Au revoir, Jaya, lança Aaron.

– Au revoir, Aaron ! Au revoir, Elizabeth ! Amusez-vous bien !

Aaron et moi marchâmes en silence jusqu'à la bouche de métro.

— À la semaine prochaine, lui dis-je.

— Oui, à la semaine prochaine.

Aaron eut l'air de vouloir ajouter quelque chose, mais il n'en fit rien.

— OK, alors salut.

— Salut.

Je dus me concentrer très fort pour que mon anneau me conduise sur le bon quai. Chaque fois que je laissais mon esprit vagabonder, je m'aperçus que ma bague me tirait vers l'ouest — sur les traces d'Aaron qui traversait le parc en bus.

*

La semaine suivante, le printemps arriva soudainement. La neige, qui fondait déjà, poussa un dernier soupir en dégoulinant le long des gouttières des maisons. Les crocus sortirent leur nez violet autour des arbres plantés sur les trottoirs. Les professeurs se mirent à parler des examens de milieu de trimestre.

Le mercredi, Mme Callender m'affecta à la collection d'art, au Rayonnage 7, avec Josh. Il n'y avait pas beaucoup de travail, ce qui était très bien, car je devais réviser mes cours de français. Ma bague ne cessait de vouloir m'emmener au Rayonnage 10, *Science et Médecine*, où Aaron était de service. Pourtant, lorsque j'allai le chercher à ma pause, je ne l'y trouvai pas. Alors, je me rendis à Central Park, et j'admirai les perce-neige.

Le samedi soir, j'étais en train de faire mes exercices de maths lorsque j'entendis taper à ma fenêtre. On aurait dit une branche que le vent poussait contre ma vitre. Je levai les yeux et distinguai une silhouette sombre. J'en eus un frisson dans le dos.

«Ne sois pas ridicule, me raisonnai-je. M. Stone est coincé Nulle part et la forme sombre qui planait de façon terrifiante au-dessus de nous est une amie, à présent.»

Les coups se répétèrent.

— Jacquotte? appelai-je en remontant brusquement la fenêtre. C'est toi?

Je me demandai comment l'oiseau avait réussi à sortir du Jardin des Saisons.

— Salut, Elizabeth!

C'était Aaron. Il était assis en tailleur sur un tapis volant.

— Aaron! Qu'est-ce que tu fabriques ici?

— Je me demandais… Tu fais quoi, là?

— Mon devoir de maths. Pourquoi?

— Tu veux venir te promener?

— Là, maintenant?

— Non, hier. Bien sûr, maintenant!

— Euh… D'accord.

J'enfilai un pull et ouvris la fenêtre en grand.

Aaron approcha le tapis volant de mon immeuble et me tendit la main.

— Fais attention, me prévint-il.

Sa main était froide mais ferme. J'enjambai ma fenêtre et m'assis sur le tapis, qui remua tel un matelas d'eau.

— C'est bon ? me demanda Aaron. Allonge-toi, tu risqueras moins de tomber.

Sur ce, le tapis s'envola.

Je m'allongeai et contemplai le ciel. La pleine lune faisait briller les nuages. Aaron se coucha sur le flanc, près de moi. Je me mis dans la même position, dos à lui. Il posa gauchement le bras sur moi, puis l'enleva. Au bout d'une minute, je reculai et m'adossai contre lui.

— Tu n'as pas froid ? Sinon, j'ai apporté des couvertures.

— Non, ça va. Où allons-nous ?

— Où tu veux. Au cimetière de Green-Wood ? À Battery Park ? Au-dessus du fleuve Hudson ?

— Pourquoi pas aux Cloîtres ?

— OK, c'est parti !

Le vent fit voler mes cheveux et agita la frange du tapis. Je roulai sur le ventre et regardai par-dessus le bord les immeubles qui filaient en dessous. Aaron remit son bras sur moi.

— Alors, quelle caution as-tu laissée pour emprunter ce tapis ? l'interrogeai-je.

— Mon sens de l'humour.

— Allez ! C'est la plus vieille blague du Dépôt !

— Évidemment, ça l'est, depuis que j'ai perdu mon sens de l'humour. Je ne peux plus raconter de blague marrante, maintenant, tu vois ?

— Justement, je reconnais bien là ton sens de l'humour — preuve que tu ne t'en es pas séparé. Alors, qu'as-tu déposé dans le kuduo ?

— Ma force de persuasion.

— Non, ce n'est pas vrai. Tu m'as convaincue d'aller me promener en tapis volant avec toi.

— Je n'ai pas vraiment eu besoin de te persuader.

— Allez, Aaron ! Réponds-moi ! Tu as encore abandonné ton premier-né ?

— Certainement pas ! Je ne le ferai plus jamais. Cette expérience était trop horrible.

— Oui, j'ai vu ça. Il semblait si… vulnérable.

Aaron hocha la tête avec gêne. Puis il ôta son bras.

— Qu'est-ce qu'on survole, là ? demandai-je, pour changer de sujet. L'East River ?

— Non, andouille ! C'est l'Hudson. Je suppose que tu n'as pas retrouvé ton sens de l'orientation ?

— Le Doc dit qu'ils y travaillent. La bague m'aide, mais ce n'est pas pareil.

— Dommage.

— Ouais. Enfin, ça va quand même. De toute façon, je n'ai jamais eu un grand sens de l'orientation.

Nous survolâmes un chapelet de lumières qui traversait le fleuve.

— Et ça, qu'est-ce que c'est? questionnai-je Aaron en pointant le doigt vers le bas.

— Le pont George-Washington.

— Ah, oui, évidemment! Au fait, puisque tu as récupéré ton premier-né, tu as dû rendre le miroir de *Blanche-Neige*?

— Ouais — je ne supportais plus d'avoir ce truc affreux dans ma chambre. Nous voici arrivés. Accroche-toi, je vais nous faire descendre.

En effet, j'aperçus les Cloîtres — un musée d'art médiéval situé sur le haut d'une colline, dans le Fort Tryon Park, à l'extrémité nord de Manhattan. Aaron remit encore son bras autour de moi et me maintint fermement contre le tapis, tandis que nous virions et descendions en glissant vers l'ensemble des bâtiments à l'allure de château. Nous atterrîmes avec une légère secousse dans le jardin qui dominait le fleuve.

Après notre vol venteux, l'air était immobile et doux. Au clair de lune, les arbres dénudés donnaient l'impression d'avoir été moulés dans de l'argent. Des ombres jouaient sur le visage d'Aaron, mettant en valeur ses pommettes. Ses lèvres étaient magnifiquement dessinées.

Aaron sortit un thermos :

— Tu veux un chocolat chaud ?

— Oh, oui, merci.

Je reniflai ma boisson. Elle contenait quelque chose en plus du cacao. De la cannelle ? Non. De la vanille ? Pas vraiment...

— Quelle est cette odeur ? l'interrogeai-je. Tu n'as pas ensorcelé le chocolat, dis-moi ?

Il eut un petit rire diabolique :

— Pourquoi ? Tu as peur que je te fasse boire mon aphrodisiaque secret ? En plus, maintenant que je t'ai pour moi tout seul...

Mon cœur se mit à cogner fort dans ma poitrine. Je frappai Aaron à l'épaule :

— Allez ! Qu'est-ce que c'est, cette odeur ?

— Du gingembre.

— Oh !

Nous sirotâmes nos breuvages pendant un moment, en contemplant les lumières suspendues au-dessus du fleuve.

— Alors, qu'est-ce que tu as réellement laissé en caution ? lui redemandai-je.

— Mon ambition.

— Toi ? Ça m'étonnerait.

— Mon élo-cu-cu-cution.

— Mmh-mmh..., fis-je en secouant la tête.

— Mon souvenir le plus précieux — le jour où je t'ai vue pour la première fois.

— Bon, d'accord, si tu ne veux pas me le dire...

À ce moment-là, Aaron posa sa tasse et prit la mienne, qu'il posa également. Puis il se pencha en avant — beaucoup trop en avant — et tomba, en m'entraînant avec lui.

— Mon sens de l'équilibre, chuchota-t-il dans mes cheveux.

Je le poussai :

— Aïe, recule, tu es sur mon bras !

Il changea de position, sans pour autant se déplacer.

— Mes inhibitions, murmura-t-il dans mon oreille.

Puis il m'embrassa.

Il avait un goût de chocolat, de gingembre et de pommes. D'air printanier, de livres. D'herbe fraîchement poussée. De magie.

— Hé, tu ne te débrouilles pas trop mal, commentai-je.

— Toi non plus.

Il m'embrassa de nouveau. Je lui rendis son baiser.

— Quand je pense que tu as failli laisser un rat me dévorer ! lui rappelai-je.

— Je suis content qu'il ne l'ait pas fait.

Des nuages effilochés passèrent devant la lune. Je m'enveloppai dans une couverture. Nous nous embrassâmes de nouveau.

Le trajet du retour passa en un clin d'œil. J'admirais le ciel, allongée, la tête posée sur les genoux d'Aaron, pendant qu'il caressait mes cheveux en les écartant de mon front. Ses mains étaient froides, ou peut-être était-ce mon visage qui était chaud.

– Aaron ?

– Mmm… ?

– C'était quoi, ta caution, en vrai ?

– Ma capacité à voir les couleurs.

– Sincèrement ?

– Ouais. Je me suis dit que je ne l'utilisais pas beaucoup la nuit, de toute façon.

– Oh ! Alors, pourquoi tu ne voulais pas me le dire ?

– Parce que tu es trop marrante à taquiner.

– Ah bon ? Je suis trop marrante à taquiner ?

– Oui, tu es trop marrante à taquiner.

– Mmm…

Nous nous embrassâmes encore.

Le tapis ralentit et donna une petite secousse. Aaron leva la tête.

– Dommage. Nous sommes déjà arrivés, regretta-t-il.

Je me rassis. Nous étions devant ma chambre, où ma lampe de bureau était toujours allumée. Je me mis à genoux et remontai ma fenêtre.

– Eh bien, merci pour la promenade, dis-je. C'était… chouette.

— Ouais, c'était chouette.

Aaron tendit la main et m'aida à rejoindre ma chambre — ce qui n'était pas absolument nécessaire, mais cela ne me dérangea pas.

Une fois dans ma chambre, je ressortis la tête :

— Salut, Aaron.

— Salut, Elizabeth. On pourrait se voir à la lumière du jour, un de ces quatre, non ? Je ne crois pas connaître la couleur de tes yeux.

— Moi, par contre, je sais que les tiens sont marron. Avec de gigantesques vaisseaux sanguins dans les coins. Et tes narines sont si énormes qu'on dirait la tanière d'un ours. Et surtout, tu as des peaux monstrueuses qui pendouillent de tes doigts.

— Tais-toi, m'ordonna Aaron, avant de m'embrasser une dernière fois.

Je me penchai par la fenêtre et l'observai jusqu'à ce que le tapis disparaisse au-dessus des toits.

*

J'aimerais dire que le prince et la princesse vécurent heureux, ainsi que le porcher et la fille de cuisine. Et, en effet, les choses devinrent plus faciles pour Anjali et Marc. Cela grâce à Jaya, qui, en répondant au téléphone portable de sa sœur, gaffa devant ses parents lorsqu'elle l'informa que son «amoureux» voulait lui parler. Après avoir quelque peu réprimandé leur fille aînée – M. et Mme Rao estimaient qu'Anjali aurait dû leur parler elle-même de l'existence de Marc –, ils invitèrent à dîner le garçon, qu'ils qualifièrent de «charmant jeune homme».

– Ils pratiquent juste la psychologie inversée, m'affirma Jaya. Ils pensent qu'Anjali sort avec Marc pour se rebeller et que, donc, s'ils approuvent sa relation, elle s'en lassera et rompra avec lui.

– Et qui te dit qu'ils n'apprécient pas Marc, en vrai ? Il est sympa.

– Je connais mes parents. Ce sont des fous de psychologie inversée. Ils sont toujours en train de l'essayer sur moi.

– C'est peut-être parce que tu es très contrariante.

– Non, je ne suis pas contrariante.

– Si, idiote. Tu viens de le prouver.

– Je connais mes parents mieux que toi, Elizabeth Rew.

– Dis ce que tu voudras.

J'étais contente que M. et Mme Rao autorisent Anjali à sortir avec Marc, quelles que fussent leurs raisons – et encore plus contente qu'Anjali continue de m'accompagner aux matchs de basket, bien qu'elle n'eût plus besoin de moi comme couverture.

Quant au porcher et à la fille de cuisine, j'étais tellement habituée à ce que la princesse soit quelqu'un d'autre que j'eus du mal à m'habituer à être l'héroïne de ma propre histoire. En quelques semaines seulement, j'étais passée de la situation où je n'avais personne avec qui déjeuner à celle où j'avais une copine de match de basket et même – ô miracle ! – un petit copain. Il me fallut un moment, au niveau de mon estime de moi, pour m'accoutumer à ce nouveau statut. Mais la phrase « Ils vécurent heureux » ne saurait faire oublier que pas une semaine ne passe sans qu'Aaron et moi ayons trois ou quatre petites chamailleries et au moins une grosse dispute.

Il n'empêche que, même si je le traite parfois d'ogre entêté et suffisant, Aaron est drôlement mignon. Et il ne m'a plus enfermée dans un sac en papier ni donnée à manger à un rat – du moins, pas jusqu'à présent.

Quant à mon sens de l'orientation, me direz-vous… ? Eh bien, je l'attends toujours.

Présentation de quelques contes de Grimm

Le bal des douze princesses : aussi intitulé *Les souliers usés*, ce conte a été publié en 1812, dans le recueil *Contes de l'enfance et du foyer*. L'histoire est celle de douze princesses, plus belles les unes que les autres, qui dorment dans la même chambre fermée à clé. Pourtant, chaque matin, leurs souliers sont usés. Le roi, leur père, promet la main de l'une de ses filles et son royaume à celui qui percera ce mystère en trois nuits et trois jours.

Après que plusieurs princes ont échoué, un soldat d'âge mûr, rentrant de la guerre, décide de tenter sa chance. Sur la route du château, en traversant les bois, il rencontre une vieille femme qui lui donne une cape d'invisibilité, lui conseille de ne rien accepter venant des princesses et de faire semblant de dormir jusqu'à leur départ.

Le soir venu, le soldat refuse la coupe de vin proposée par l'une des princesses et feint de dormir à poings fermés. Bientôt, les jeunes filles s'habillent de belles robes et sortent par une trappe cachée dans le plancher. Le soldat enfile sa cape d'invisibilité et les suit à travers trois bosquets : l'un au feuillage d'argent, le second d'or, et le troisième de diamants. Pour preuve, le soldat cueille un rameau de chacun.

Les princesses marchent jusqu'à un lac où douze bateaux sont amarrés, dans lesquels douze princes attendent. Chaque princesse embarque dans l'un d'eux ; le soldat se cache avec la plus jeune. De l'autre côté du lac se tient un château dans lequel elles dansent toute la nuit... jusqu'à ce que leurs souliers trop usés les obligent à partir.

Les deux nuits suivantes, le soldat continue de suivre les princesses, puis vient le soir où il doit révéler leur secret. Il a pour preuve les rameaux cueillis dans les bosquets et une coupe en or subtilisée dans le château de l'autre côté du lac. Les princesses comprennent qu'il est inutile de nier. Parce qu'il n'est plus tout jeune, le soldat prend la fille aînée pour femme, et il devient l'héritier du roi.

La bonne bouillie : ce conte, publié en 1815, raconte l'histoire d'une pieuse et pauvre fille qui vit seule avec sa mère. Mourant de faim, elle part dans la forêt et rencontre une vieille femme qui lui offre un petit pot : « Il suffit de lui dire : *Cuis, petit pot, cuis !* pour qu'il donne une excellente et douce bouillie de millet. Et, si on lui dit : *Cesse, petit pot, cesse !* il arrête de produire de la bouillie. »

La fillette rapporte le pot chez sa mère, et c'en est terminé pour elles de la pauvreté et de la faim. Mais, un jour que la fille est sortie, la mère, se servant du petit pot, oublie quelle formule il faut utiliser pour que le pot s'arrête. Alors, il continue, encore et encore, si bien que la bouillie déborde. Elle envahit la cuisine, puis la maison, puis la maison voisine, puis toute la rue, et poursuit sa route comme si le monde entier devait se remplir de bouillie afin que plus personne n'ait faim. La fille, enfin, rentre chez elle et dit simplement : « *Cesse, petit pot, cesse !* », mais les rues sont déjà si remplies que quiconque veut rentrer chez lui doit manger son chemin.

Le corbeau : ce conte est également intitulé *La corneille*. On y rencontre une reine qui a une toute petite fille. Un jour que la fillette n'est pas sage, sa mère, excédée, lui dit : « Je voudrais que tu sois une corneille et que tu t'envoles, ainsi j'aurais la paix ! » Ces mots à peine prononcés, la fillette se métamorphose et disparaît dans la forêt.

Quelque temps plus tard, un homme qui se promène dans les bois rencontre la corneille. Elle lui révèle qu'elle est une princesse et qu'il peut la délivrer de ce mauvais sort. Pour cela, il faut qu'il aille dans une petite maison qu'habite une vieille femme et qu'il refuse tout ce que celle-ci lui donnera – sinon il s'endormira et ne pourra pas aider la princesse. Ensuite, il doit l'attendre sur un tas d'écorces de chêne, dans le jardin de la vieille.

L'homme obéit, mais, devant l'insistance de la femme, il accepte de boire quelques gouttes de vin. Trois jours de suite, il s'endort sur le tas d'écorces. Chaque fois, la princesse arrive, accompagnée de quatre étalons, d'abord blancs, ensuite roux. Lorsqu'elle vient avec des chevaux noirs et constate que l'homme est toujours endormi, elle pose à côté de lui un morceau de viande, du vin et du pain, tous trois inépuisables, puis une lettre lui demandant, s'il veut encore la sauver, de se rendre au château d'or de la Montagne du Fleuve. Enfin, elle passe à son doigt un anneau d'or. Quand l'homme se réveille et que, honteux, il trouve ces cadeaux, il décide de se mettre aussitôt en route pour le château, même s'il ignore où il se trouve.

En chemin, il rencontre un géant, qui garde l'entrée d'une maisonnette. Il parvient à échapper à son appétit vorace en lui proposant de la viande, du pain et du vin, que, grâce à la princesse, il possède à satiété. En contrepartie, un second géant, le frère du premier, porte l'homme en direction du château d'or de la Montagne du Fleuve, et le dépose à cent lieues de sa destination. Mais la montagne est en verre et infranchissable. L'homme, refusant d'abandonner, s'installe au pied de cette dernière, dans une cabane, pour attendre la princesse qu'il a aperçue là-haut. Là, il rencontre trois brigands occupés à se battre. Leur demandant les raisons de leur litige, il apprend que le premier malfrat possède un bâton qui a le pouvoir d'ouvrir toutes les portes ; le deuxième a un manteau qui rend invisible celui qui le porte ; le troisième a capturé un cheval qui peut aller partout, même sur la montagne de verre. L'homme leur affirme qu'il possède un objet encore plus puissant et leur propose de le leur échanger après avoir vérifié s'ils n'ont pas menti. Les brigands lui remettent le bâton, le manteau et le cheval. L'homme se rend invisible, leur donne des coups de bâton et disparaît sur sa monture, en direction de la montagne, où, enfin, il sauve la princesse.

L'esprit dans la bouteille : ce conte a été publié en 1815. Il raconte l'histoire d'un vieux bûcheron, qui, pour offrir à son fils une meilleure vie que la sienne, met de l'argent de côté pour ses études. Hélas, la somme n'est pas suffisante et, avant la fin de son cursus, le fils rentre à la maison.

Un jour qu'il aide son père dans les bois, le fils découvre un chêne particulièrement massif. S'en approchant, il entend un cri de détresse : « Fais-moi sortir de là ! Fais-moi sortir de là ! » Au pied du chêne, le jeune homme découvre une bouteille dans laquelle est enfermée une grenouille. Il l'ouvre et, à sa grande stupéfaction, en sort un terrible génie qui menace de le tuer. Le garçon, provocateur, met le génie au défi d'entrer de nouveau dans la bouteille. Le génie, plein de vanité, s'exécute et se retrouve piégé.

Alors, de nouveau, il appelle le jeune homme à l'aide : « Fais-moi sortir de là ! », mais celui-ci refuse. Le génie lui promet de ne lui faire aucun mal s'il le libère, et même de le couvrir de richesses. Le fils du bûcheron, après avoir longuement hésité, décide de lui faire confiance et, de nouveau, il ouvre la bouteille. Tenant parole, le génie lui offre un petit chiffon : « Si tu frottes une blessure par un bout, dit-il, elle guérira. Et si, par l'autre bout, tu frottes de l'acier ou du fer, ils se transformeront en argent. » Pour vérifier, le jeune homme fend l'écorce du chêne et y applique le chiffon ; l'entaille se referme aussitôt. Le fils rejoint son père, frotte sa hache avec le chiffon, puis vend à un bijoutier l'outil, qui lui rapporte plus d'argent que son père n'en aurait jamais gagné.

Jorinde et Joringel (parfois appelé *Yorinde et Yoringue*) : ce conte nous emporte dans un vieux château, au cœur d'une forêt épaisse, où vit une très grande magicienne. Quiconque s'approche du château est paralysé. Sauf s'il s'agit d'une jeune fille pure, qui, elle, est métamorphosée en oiseau puis enfermée dans une corbeille, dans une pièce du château où il y en a déjà sept mille autres.

Or, un jour, un couple d'amoureux nommés Jorinde et Joringel se perdent dans la forêt. Sans y prendre garde, ils se retrouvent à moins de cent pas du château. Joringel, aussi immobile qu'une pierre, assiste, impuissant, à la transformation de Jorinde en rossignol. Il ne peut pas agir non plus quand la magicienne apparaît et l'emporte. Puis la magicienne revient pour libérer Joringel du sort qui le paralyse, mais il a beau supplier, elle refuse de lui rendre sa douce. Alors, le jeune homme, désespéré, s'en va.

Une nuit, il rêve qu'il possède une fleur rouge, avec une perle en son cœur, grâce à laquelle il délivre Jorinde. À son réveil, il se met en quête de cette fleur, allant par monts et par vaux pendant neuf jours, à l'issue desquels il la trouve. Il retourne au château et, grâce à la fleur, n'est nullement paralysé, parvient à ouvrir la porte, puis à trouver les oiseaux, y compris Jorinde, auxquels il rend leur apparence humaine.

La lumière bleue : ce conte a été publié en 1815. On y rencontre un brave soldat qui, ayant combattu pendant plusieurs années, ne se voit attribuer aucune pension quand il rentre de la guerre. Il va s'en plaindre auprès du roi qui, ayant beaucoup à dépenser pour un nouveau palais, l'envoie promener.

Le soldat sans le sou erre dans un bois, quand il aperçoit une lumière. Il la suit et atteint bientôt une maisonnette, qui n'est autre que la demeure d'une sorcière. Il demande le gîte et le couvert à la vieille femme. Celle-ci accepte en échange d'un service : il devra bêcher son jardin. Le lendemain, donc, le soldat passe la journée à retourner la terre et, quand vient le soir, la sorcière propose de le loger encore contre un deuxième service : le lendemain, il fendra des bûches pour l'hiver. Là encore, le soldat obtempère, et la sorcière demande un troisième service : il devra aller tout au fond d'un puits sans eau pour récupérer une chandelle qu'elle y a fait tomber. Le jour suivant, la vieille femme fait descendre le soldat dans le puits. En effet, il y trouve une chandelle qui donne une belle flamme bleue. La sorcière exige qu'il fasse aussitôt remonter l'objet, mais l'homme se méfie : il veut remonter en même temps. La sorcière, furieuse, l'abandonne dans le puits.

Pensant sa dernière heure arrivée, le soldat veut fumer une pipe qu'il a dans sa poche. Quand il l'allume, il voit surgir un petit homme noir, qui lui dit pouvoir réaliser tous ses souhaits. D'abord, le soldat lui demande de sortir du puits. Exaucé. Il va ensuite voler toutes ses richesses à la sorcière et la dénonce à la police.

Enfin lui vient l'idée de se venger du roi. Pour l'humilier, il décide d'utiliser sa fille comme femme de ménage. Alors, chaque nuit, la princesse, comme somnambule, vient chez le soldat pour cirer ses chaussures et passer le balai. Au matin, elle pense avoir rêvé, mais son père, lui, n'est pas dupe. La nuit suivante, il dit à sa fille de remplir son peignoir de pois et de trouer les poches. Lorsque la princesse part chez le soldat, le petit homme remarque le subterfuge et répand des pois dans toute la ville. Aussi le roi a-t-il la certitude que sa fille ne rêve pas. Il tente une autre ruse et conseille à sa fille, si on l'enlève encore, de laisser un chausson chez le coupable. Voilà comment le soldat est démasqué.

En prison, il promet ses richesses à un ami afin que celui-ci lui apporte la chandelle. Quand vient l'heure de son exécution, il demande comme dernière volonté de fumer la pipe. Alors, le petit homme apparaît et, obéissant aux désirs de son maître, frappe toute l'assistance, excepté la fille du roi, qui a assez souffert. Le roi demande grâce au soldat, qui obtient en échange la main de la princesse.

Nain Tracassin : ce conte, publié en 1812, a pour titre allemand *Rumpelstilzchen* et porte divers noms dans ses traductions françaises (parmi lesquels « Outroupistache », « Barbichu », « Gargouilligouilla » ou encore « Grigrigredinmenufretin »). Il raconte l'histoire d'un paysan vantard, qui prétend que sa fille peut changer la paille en or en la filant comme de la laine. Le roi fait venir la fille au château, l'enferme avec un rouet dans une pièce remplie de paille et lui ordonne de tout transformer en or. Si elle échoue, elle mourra. Un nain vient alors à son secours. Il propose de réaliser ce miracle à sa place si elle lui donne quelque chose en échange. Lors de sa troisième visite, il exige qu'elle lui confie son futur fils aîné, ce que la fille accepte.

Bien plus tard, alors que la fille du paysan est devenue reine, elle oublie la promesse donnée. Quand son premier fils naît, le nain revient la voir et elle refuse de le lui donner. Le nain lui assure qu'il oubliera leur pacte si elle parvient à deviner son nom dans un délai de trois jours. Les deux premiers jours, tous les prénoms que propose la reine sont faux. Le troisième jour, un serviteur vient la voir : il a entendu le nain fredonner une chanson dans laquelle il dévoilait son nom. Le soir même, la reine lui donne donc la bonne réponse, et le nain est si furieux qu'il tape des pieds avec force, passe à travers le plancher et disparaît à tout jamais.

Les nains magiques : ce conte est composé de deux parties, dont seule la première parle de chaussures. Elle raconte l'histoire d'un cordonnier qui est devenu si pauvre qu'il n'a plus de cuir que pour confectionner une paire de souliers. Il taille le cuir avant d'aller se coucher et, à son

réveil, a la surprise de voir les souliers déjà prêts. Un cha-
land passe qui aime tant la paire de chaussures qu'il la paie
plus cher que le prix habituel. Avec cet argent, le cordonnier peut acheter du cuir pour deux paires de souliers. Il le
taille le soir et, au matin, les deux paires sont fabriquées.
Elles sont également achetées dans la journée et, avec la
somme acquise, le cordonnier peut acheter du cuir pour
quatre paires de souliers. Le même phénomène se repro-
duit, si bien qu'en quelque temps le cordonnier devient
presque riche.

Le soir de Noël, le cordonnier et sa femme décident
de se cacher et de garder l'œil ouvert afin de découvrir
qui les aide ainsi. Ils voient bientôt arriver deux nains,
complètement nus, qui se mettent à l'ouvrage. La femme
du cordonnier éprouve pour eux de la compassion : ils
doivent avoir froid, à être ainsi tout nus. Elle leur coud
des vêtements, qu'elle laisse sur la table afin que les nains
les trouvent la nuit suivante.

Lorsqu'ils découvrent ce cadeau, les nains sont fous
de joie. Ils se mettent à chanter : « Ne sommes-nous
pas de jolis garçons ? Adieu, cuir, souliers et chaussons ! »
Ils repartent avec leurs habits et, à partir de ce jour, ne
reviennent plus jamais.

Petite-table-sois-mise : ce conte, publié en 1812, est
également intitulé *L'âne-à-l'or et Gourdin-sors-du-sac* ou plus

simplement *La petite table, l'âne et le bâton*. Il raconte l'histoire d'un tailleur qui a trois fils et seulement une chèvre pour les nourrir tous de son lait. Les fils l'emmènent brouter chacun leur tour et, chaque fois, elle leur dit être repue, puis affirme au tailleur qu'elle n'a rien mangé. Le tailleur, furieux, chasse ses fils un par un. Puis il emmène lui-même brouter la chèvre, qui se comporte de la même manière. Il comprend alors l'erreur qu'il a commise. Il rase la chèvre et la renvoie.

Le premier fils devient apprenti menuisier. À la fin de son apprentissage, son maître lui offre une petite table magique. Quand on lui dit : «*Petite table, sois mise !*», elle se couvre de plats alléchants et d'un grand verre de vin. L'aîné du tailleur, ravi, veut aller montrer la table à son père, mais, sur le chemin, il montre l'objet à un aubergiste, qui le lui vole.

Le deuxième fils devient apprenti meunier. À la fin de son apprentissage, son maître lui offre un âne, qui, quand on lui dit : «*Briquelebritte !*», produit de l'or par-devant et par-derrière. Lorsqu'il veut montrer l'âne à son père, il passe par la même auberge que son frère aîné et, comme lui, se fait voler.

Le troisième fils devient apprenti tourneur. Ses frères lui écrivent une lettre où ils racontent leurs mésaventures avec l'aubergiste. À la fin de son apprentissage, il reçoit de son maître un gourdin dans un sac. En cas de mauvaise rencontre, il suffit de dire : «*Gourdin, sors du sac !*» pour que l'arme frappe la personne malintentionnée jusqu'à ce qu'on fasse disparaître le gourdin avec la formule suivante : «*Gourdin, dans le sac !*» Bientôt, le benjamin se rend chez l'aubergiste. Il lui parle de la petite table et de l'âne magiques, et affirme qu'il a dans un sac un objet de valeur. L'aubergiste tombe dans le piège et, la nuit, entre dans la chambre du jeune homme. Le gourdin le roue de coups jusqu'à ce que l'aubergiste accepte de rendre les objets qu'il a volés aux deux frères, et le plus jeune peut rentrer chez son père avec les trois objets magiques.

Remerciements

Si ce livre avait une marraine-fée et un prince charmant, ce serait Christina Büchmann et Andrew Nahem. Je suis aussi extrêmement redevable aux sorcières, magiciens et bibliothécaires sans qui mes souris et mes citrouilles n'auraient jamais eu aucune chance de transporter quiconque nulle part : mon éditrice, Nancy Paulsen ; mon agent, Irene Skolnick ; ma mère, mon frère, mon père et mon beau-père, Alix Kates Shulman, Ted Shulman, Martin Shulman et Scott York ; David Bacon, Yudhijit Battacharjee, Marck Caldwell, Elizabeth Chavalas, Cyril Emery, Vida Engstrand, Rob Frankel, Erin Harris, John Hart, John Keenum, Katherine Keenum, Sara Kreger, Shanti Menon, Christina Milburn, Friedhilde Milburn, Laura Miller, Laurie Muchnick, Alayne Mundt, Lisa Randall, Maggie Robbins, Bruce Schneier, Jesse Sheidlower, Andrew Solomon, Greg Sorkin, Jaime Wolf et Hannah Wood. Je remercie également mon professeur de sciences sociales de seconde, feue Ira Marienhoff, qui, un jour, m'a arrêtée dans le couloir en me lançant : « Toi, Polly ! Tu as l'air d'une jeune fille qui a besoin d'un travail. Appelle ce numéro. » Et merci aussi à Stanley Kruger, de la New York Public Library, qui m'a embauchée lorsque j'ai téléphoné.

Cet ouvrage a été mis en pages
par DV Arts Graphiques à La Rochelle

Imprimé par Black Print CPI Barcelona
en avril 2014
pour le compte des Éditions Bayard